Mary l'Irlandaise

De la même auteure

Pour les adultes

Azalaïs ou la Vie courtoise,
coll. QA compact, Québec Amérique, 1995.

Guilhèm ou les Enfances d'un chevalier,
coll. Tous Continents, Québec Amérique, 1997.

Les Bourgeois de Minerve,
coll. Tous Continents, Québec Amérique, 1999.

Au nom de Compostelle,
coll. Tous Continents, Québec Amérique, 2003.
Prix Saint-Pacôme du roman policier 2003

Les Jardins d'Auralie,
coll. Tous Continents, Québec Amérique, 2005.

Pour la jeunesse

Une terrifiante Halloween,
coll. Gulliver, Québec Amérique Jeunesse, 1997.

Jordan apprenti chevalier,
coll. Best Seller, Hurtubise HMH, 1999.

Prisonniers dans l'espace,
coll. Gulliver, Québec Amérique Jeunesse, 2000.

La Revanche de Jordan,
coll. Atout, Hurtubise HMH, 2000.

Jordan et la Forteresse assiégée,
coll. Atout, Hurtubise HMH, 2001.

Jordan apprenti chevalier,
coll. Atout, Hurtubise HMH, 2002.

La Chèvre de bois, coll. Atout, Hurtubise HMH, 2002.

L'Insolite Coureur des bois,
coll. Atout, Hurtubise HMH, 2003.

Le Triomphe de Jordan, coll. Atout, Hurtubise HMH, 2005.

La Funambule, coll. Caméléon, Hurtubise HMH, 2006.

Le Chevalier Jordan, coll. Best Seller, Hurtubise HMH, 2006.

COLLECTION FOCUS
ROMANS EN GRANDS CARACTÈRES

Maryse Rouy

Mary l'Irlandaise

Guy Saint-Jean
ÉDITEUR

Catalogage avant publication de Bibliothèque et Archives nationales du Québec
et Bibliothèque et Archives Canada

Rouy, Maryse, 1951-
Mary l'Irlandaise [texte (gros caractères)]
2e éd.
(Collection Focus)
Éd. originale: Montréal : Québec Amérique, 2000.
ISBN 978-2-89455-297-1
I. Titre. II. Collection.
PS8585.O892M37 2008   C843'.54   C2008-941390-3
PS9585.O892M37 2008

Nous reconnaissons l'aide financière du gouvernement du Canada par l'entremise
du Programme d'Aide au Développement de l'Industrie de l'Édition (PADIÉ) ainsi que
celle de la SODEC pour nos activités d'édition. Nous remercions le Conseil des Arts
du Canada de l'aide accordée à notre programme de publication.

 Patrimoine canadien / Canadian Heritage Canadä Conseil des Arts du Canada Canada Council for the Arts SODEC Québec

Gouvernement du Québec – Programme de crédit d'impôt pour l'édition de livres
– Gestion SODEC

Conception graphique: Christiane Séguin
Infographie des pages intérieures: Lise Coulombe

Dépôt légal – Bibliothèque et Archives nationales du Québec, Bibliothèque et
Archives Canada, 2008
ISBN: 978-2-89455-297-1

Distribution et diffusion
Amérique: Prologue
France: Volumen
Belgique: La Caravelle S.A.
Suisse: Transat S.A.

Guy Saint-Jean Éditeur inc.
3154, boul. Industriel, Laval (Québec) Canada. H7L 4P7. (450) 663-1777.
Courriel: info@saint-jeanediteur.com • Web: www.saint-jeanediteur.com

Guy Saint-Jean Éditeur France
48, rue des Ponts, 78290 Croissy-sur-Seine, France. (1) 39.76.99.43.
Courriel: gsj.editeur@free.fr

Imprimé et relié au Canada

à la mémoire
de Mary Hughes
et de Carmen Salazar

PROLOGUE

À l'origine de Mary l'Irlandaise, il y a un vieux cahier conservé par la famille Rocray depuis plusieurs générations. Feuilles jaunies, écriture penchée, encre pâlie, tout pour donner à rêver.

Sous le titre «Voici l'histoire de ma mère», Pierre Rocray consacre huit pages à faire le récit de la vie de Mary Hughes, venue d'Irlande en 1833 sur un bateau d'immigrants.

Huit pages, c'est beaucoup et c'est très peu. Au sujet de Mary, on apprend des faits, et ils sont peu ordinaires. Mais ses sentiments? ses peurs? ses espoirs? ses amours? Son fils n'en dit rien. Sans doute, par pudeur, n'en parlait-elle pas. C'est cette pudeur que j'ai respectée en attribuant à une Mary O'Connor imaginaire les péripéties connues de la vie de Mary Hughes. J'ai ainsi pu la doter, sans crainte de trahir la vraie, d'une personnalité et d'une vie plausibles à partir des éléments qui m'étaient donnés.

Mary l'Irlandaise, c'est à la fois Mary Hughes, la mère de Pierre Rocray, et Mary O'Connor, personnage de roman qui évolue parmi d'autres personnages tout aussi inventés qu'elle. Que la cohabitation des deux Mary soit harmonieuse: elles me sont aussi chères l'une que l'autre.

PRINTEMPS 1833

E lle allait mourir, elle en était sûre. Ils allaient tous mourir à l'intérieur de cet entrepont pestilentiel où ils étaient enfermés. Et malgré la promiscuité, chacun allait mourir seul, isolé dans sa peur.

Dans les bas-fonds sombres du voilier à peine éclairés par la lumière qui passait entre les interstices du plafond, on avait perdu la notion du temps. L'abondance des vomissures sur le plancher et le débordement des baquets d'aisance indiquaient que la tempête durait depuis plusieurs jours. Un temps interminable pendant lequel les prisonniers avaient prié Dieu ou l'avaient maudit, appelant l'accalmie, même quand ils disaient vouloir s'abîmer dans le gouffre pour en finir une fois pour toutes et qu'enfin cesse la peur.

De gros rats paniqués couraient en tous sens, passant en couinant sur les jambes des passagers que cela faisait à peine sursauter. De temps à autre, dans un hoquet, un estomac se vidait d'un reste de bile et la puanteur augmentait encore. Lorsque l'inclinaison du bateau était telle qu'il paraissait devoir sombrer, la prière du prêtre montait plus haut en une tentative de couvrir les pleurs et les cris d'effroi. Dans les moments de répit, on entendait une mère chanter à son nourrisson exsangue une berceuse qui parlait de la douceur du ciel d'Irlande.

Au début de l'ouragan, un matelot était venu leur ordonner de rester en bas, de manière à ne pas gêner les manœuvres. Mais un homme avait bravé l'interdiction, disant d'un air faraud qu'il se moquait de la tempête. Il n'était pas revenu. À sa place, ils avaient vu arriver un marin muni d'un marteau, d'une planche et d'une poignée de clous. Un tollé de protestations s'était élevé dans la sainte-barbe lorsque ses occupants avaient compris qu'il venait clouer le panneau de l'écoutille. Les passagers les

plus costauds avaient tenté de l'en empêcher. Il les avait fait reculer sous la menace
de son outil. Tandis qu'il enfonçait les
clous, le marin leur avait crié que l'homme
monté sur le pont était passé par-dessus
bord, emporté par le vent. Les protestations
véhémentes avaient aussitôt fait place à un
grand silence. Puis sa femme s'était mise
à hurler et le prêtre avait entonné la prière
des morts, reprise à sa suite par une partie
des passagers.

Mary n'avait pas prié. Maintenant non
plus, elle ne priait pas. La terreur lui avait
fait oublier les mots que l'on adresse à Dieu.
Assise, le front appuyé sur ses genoux, les
bras serrés autour de ses jambes, les yeux
clos, c'était sa mère que Mary invoquait,
avec un mélange de colère et d'amertume.
Sa mère qui n'aurait jamais dû accepter
qu'on la fasse partir.

❧

Mary n'avait pas bien saisi l'enchaînement
des faits qui l'avaient conduite de la maison
de ses parents, dans un hameau du comté

d'Armagh, à cet antique voilier, un des plus misérables du port de Belfast, que l'océan en furie ne cessait de maltraiter. Entourée d'inconnus, à l'exception de Dermot et Nora Connoly, son oncle et sa tante, Mary avait le sentiment d'avoir été rejetée par ceux qu'elle aimait.

Pourtant, la fillette avait toujours su que le malheur annoncé par «l'homme sans tête» l'hiver précédent lui était destiné. Ce messager de la mort, qui était apparu à ses parents dans un chemin creux bordé de haies, à peu de distance de leur chaumière, ne pouvait être venu que pour elle.

Ce soir-là, Maureen avait été inquiète de voir tomber la nuit alors que son mari n'était pas encore rentré. La clientèle de Sean O'Connor, le forgeron, dépassait largement les limites du hameau. On venait de loin requérir ses services, car il était accommodant pour le paiement, ce qui faisait autant pour sa popularité que la qualité de son travail. Le forgeron n'était pas riche, mais comme beaucoup de ses clients le payaient en nature, sa femme ne manquait jamais de pommes de terre ni de choux à mettre dans la marmite, ce qui n'était pas toujours le cas des voisins. Cependant, ils ne payaient pas tous et, une fois l'an, Sean devait faire la tournée des débiteurs oublieux ou récalcitrants afin de réclamer son dû. Qu'ils soient ou non en mesure de s'acquitter, les gens l'accueillaient avec un verre de whisky qu'il eût été grossier de refuser. De toute façon, O'Connor n'y songeait pas. Il ne dédaignait pas plus que ceux qui le lui offraient cet alcool âpre qu'ils distillaient eux-mêmes. Chaque année, le forgeron, parti de bon matin sur la promesse de rentrer sobre, revenait de sa collecte, à la fin du jour, la jambe flageolante, l'œil vitreux et la bouche empâtée.

Sa femme, dont l'agitation augmentait à mesure que le temps passait, ne cessait d'aller du foyer, où cuisait le repas, à la porte de la chaumière. Elle guettait le retour de l'ivrogne, redoutant qu'il n'égare, dans quelque fossé où son équilibre compromis par les libations l'aurait fait choir, les maigres pence obtenus. À la fin, n'y tenant plus, Maureen avait chargé sa fille aînée de s'occuper des trois plus jeunes enfants et s'en était allée à la rencontre du père. Le petit Liam dans ses bras et les deux autres serrés contre elle, Mary avait regardé partir sa mère. Le jeune labrador l'accompagnait. Content d'aller en promenade, le chien courait en avant, puis revenait chercher sa maîtresse en aboyant pour la faire avancer plus vite. La fillette avait attendu que la silhouette de sa mère disparaisse pour retourner dans la maison alimenter le feu de tourbe qui emplissait la pièce de fumée.

Il faisait nuit noire, et les parents n'étaient toujours pas rentrés. Les enfants, affamés, ne cessaient de se plaindre, réclamant à manger. Seulement, c'était à la mère de servir la nourriture. Mary ne se serait pas permis de le faire à sa place, même si les petits pleuraient de faim et si elle-même avait des crampes à l'estomac. Elle avait essayé de les distraire avec les pitreries qui d'ordinaire les amusaient beaucoup, mais elles ne les faisaient plus rire. Même pas son imitation de Margaret Best, leur voisine, qui courait toujours après ses nombreux enfants en criaillant comme une poule et en mélangeant leurs noms, une imitation qu'elle réussissait pourtant fort bien.

Fatigué de crier, Liam avait fini par s'endormir. Patrick et Paddy, assis à terre, jouaient aux osselets avec des cailloux. De temps en temps, ils cessaient de se chamailler pour demander leur mère. La grande sœur répétait, d'un ton apaisant, qu'elle ne tarderait plus. Mary, qui essayait de cacher ses alarmes aux garçons, savait que ses parents auraient dû être là depuis longtemps et elle craignait qu'il ne leur soit arrivé malheur. Sans en avoir l'air, tout en berçant le bébé, elle passait devant la porte entrouverte et jetait un coup d'œil vers le chemin que sa mère avait emprunté.

Liam pesait sur son bras, et elle se préparait à le déposer dans le berceau avec d'infinies précautions pour ne pas l'éveiller, quand une poussée ouvrit la porte : c'était le chien qui revenait. Seul. Les oreilles et la queue basses, gémissant sourdement, il était l'image même de la terreur. Se précipitant dans le coin des paillasses, il se glissa dessous et n'en ressortit pas. Mary, épouvantée par cette apparition, resta figée sur place tandis que la porte battait au vent. Pour que le chien soit aussi affolé, il fallait qu'il ait vu une chose terrible. Peut-être que cette chose était à la poursuite du chien, allait entrer chez eux et les dévorer. Il fallait l'empêcher de pénétrer dans la maison ! Mais elle était paralysée par la frayeur et ne parvenait pas à bouger. Elle dut s'y reprendre à deux fois pour que les mots franchissent ses lèvres et qu'elle puisse ordonner à son frère :

— Patrick, ferme la porte !

Le garçon obéit, et Mary fut un peu réconfortée par cette porte close. Elle trouva la force de poser le bébé dans son berceau et d'aller la barrer avec la traverse que d'ordinaire on ne mettait que la nuit, avant de se coucher. Ces précautions inusitées inquiétèrent les enfants qui voulurent savoir :

— Mary, qu'est-ce qu'il a le chien ?

— Il n'a rien.

Sa voix cependant manquait de fermeté. Ils s'en aperçurent et la harcelèrent de questions : «Où est Maman ? Et Papa ? Pourquoi Blacky est rentré tout seul ? Pourquoi il s'est caché sous les paillasses ? Pourquoi tu as barré la porte ? Pourquoi ? Pourquoi… ?»

Mary n'avait pas de réponses à donner et ses frères s'énervaient. Elle savait qu'elle aurait dû les rassurer. En sa qualité d'aînée, son devoir était de remplacer la mère. Tant qu'il s'était agi de garnir le feu, d'endormir le bébé ou de mettre fin aux querelles entre les deux garçons, elle l'avait fait sans difficulté. Mais là, le retour solitaire du chien et son comportement anormal lui avaient fait perdre ses moyens.

Sans en avoir conscience, elle serrait Liam qu'elle avait repris dans ses bras. Incommodé, il s'éveilla et se mit à hurler. Comme il avait faim, Mary ne parvenait pas à le calmer. Elle marchait de long en large en le berçant, quand ils entendirent frapper. Les garçons se jetèrent contre elle, cherchant une protection. Les quatre enfants formaient un paquet serré que les coups et les appels effrayèrent encore plus. Il leur fallut un moment pour reconnaître la voix de leurs parents.

Les garçons lâchèrent Mary pour s'élancer vers leur mère. Pendant que Sean rebarrait la porte, Maureen les serra contre elle, puis elle les repoussa doucement, ouvrit son corsage et tendit les bras à Mary pour qu'elle lui donne le bébé. En trouvant le sein, Liam se tut. Sean s'effondra sur un siège. Bien qu'il empestât l'alcool, il ne paraissait pas ivre mais plutôt hagard, comme s'il avait été brusquement dessoûlé. Mary regarda tour à tour ses parents : ils étaient livides. Avec hésitation, elle questionna :

— Vous avez vu quelque chose ?

Son père lui répondit, accablé :

— L'homme sans tête.

C'était pire que tout ce que Mary avait pu imaginer. L'apparition de l'homme sans tête précédait un grand malheur. N'était-il pas apparu à Fionn O'Brian le jour où son fils s'était noyé dans la rivière ? Et à Martin Wynne quand leur chaumière avait brûlé ? Et à Brighid Ruadh lorsque son mari était parti pour ne plus revenir ?

L'homme sans tête était souvent le messager de la mort. Lequel d'entre eux allait mourir ? Son père ? Non ! Sean ne pouvait pas mourir. Il n'était jamais malade et ses bras étaient si puissants qu'il fallait deux hommes pour soulever le même poids que lui. Non, son père ne mourrait pas : il était trop solide pour cela. Sa mère, alors ? À l'idée de la mort de sa mère, une grande angoisse étreignit Mary. Pour ne pas tenter le sort, elle chassa de toutes ses forces la vision de sa mère morte. Sa mère ne pouvait pas mourir : ils avaient tous besoin d'elle. D'ailleurs, Maureen avait survécu à la naissance du bébé, elle n'avait donc plus aucune raison de mourir. Qui alors ? Un des garçons ? C'était absurde : ils étaient si vifs, si robustes. Liam ? Pas Liam, pas le bébé : elle l'aimait trop pour qu'il meure. Son sourire quand elle agitait ses doigts devant ses yeux, sa peau si douce sous la caresse des lèvres, son odeur de lait, un peu aigre. Liam ne mourrait pas. Dieu ne permettrait pas cela.

Il ne restait qu'elle. Les malaises qu'elle ressentait depuis l'automne étaient donc si graves ? Le matin même, une violente douleur avait crispé son ventre, la menant au bord de la perte de connaissance. Sa mère s'en était aperçue et avait cessé de chanter. En essayant de faire comme si c'était sans importance, Maureen avait interrogé plusieurs fois sa fille dans le courant de la journée. La crampe n'était pas revenue, et Mary avait pu la tranquilliser. Maintenant, elle avait peur, convaincue que c'était sa mort que l'homme sans tête était venu annoncer. Au regard de sa mère, qui la couvait d'un œil triste, elle devina qu'elle aussi l'avait compris.

Une secousse beaucoup plus forte que les précédentes secoua le voilier, faisant déferler dans l'entrepont une vague d'effroi. Ceux qui n'étaient pas cloués au sol par la faiblesse se ruèrent sur la porte de l'écoutille et s'y acharnèrent. Elle était solidement fixée, et ils ne purent l'ébranler. Aucun secours ne venant d'en haut, l'affolement s'intensifia. Même si les prisonniers n'avaient plus l'espoir de quitter ce bateau vivants, ils ne se résignaient pas à périr enfermés. Ils voulaient sortir et criaient des injures au capitaine qui les avait fait consigner, à l'équipage qui ne les délivrait pas, à Dieu qui les avait abandonnés. Ils ne voyaient plus, n'entendaient plus, tendus vers le seul but d'échapper au piège. Les plus forts écrasaient les plus faibles sans même s'en rendre compte, et les hurlements de souffrance, poussés par les gens piétinés, se mêlèrent aux cris de terreur.

Le père Fitzgibbon essaya de s'interposer. En vain. Il se replia alors vers l'arrière et se mit à prier à haute voix. Il s'interrompait régulièrement pour exhorter ses compagnons à offrir à Dieu le sacrifice de leur vie, mais les hommes, dominés par la peur et la colère, étaient sourds à ce qui les entourait. Ils ne furent capables de l'entendre que lorsqu'ils eurent épuisé l'une et l'autre à grands coups de poings sur les murs de leur prison.

Longtemps, il pria seul et prêcha dans le vide. Puis les grabataires lui firent écho et, lentement, la prière gagna de proche en proche une grande partie des passagers. N'ayant rien à attendre des humains, ils n'avaient plus d'autre choix que de placer leur dernier espoir dans la clémence divine. Bien que père Fitzgibbon fût catholique et nombre d'entre eux protestants, les rivalités n'existaient plus en ces moments tragiques.

Seule restait la peur de mourir. Cette fois, Mary parvint à se joindre aux autres.

La fillette avait coutume de prier tous les soirs, en famille. Pour recréer un instant ce moment de quiétude, elle s'efforça d'oublier où elle était. De sa mémoire, surgirent les paroles de ses jeunes frères : ils ne savaient pas encore parfaitement leurs prières et sautaient un mot ici ou là, ou leur faisaient subir des déformations drolatiques. Chaque fois, Mary avait du mal à lutter contre le fou rire qui la prenait et se cachait prudemment le visage dans les mains afin que le père ne vît pas son attitude irrespectueuse. Sean O'Connor n'eût pas accepté que sa fille s'amuse pendant la prière.

Mary avait entendu ces mots toute son enfance sans jamais s'arrêter à leur signification. Aujourd'hui seulement, elle se rendait compte que pour accéder à la vie éternelle, elle allait devoir passer par l'étape de la mort. Et sa mort, annoncée à l'entrée de l'hiver par l'homme sans tête, était sur le point de survenir de la pire manière qui soit, dans un lieu infect où elle n'avait personne pour l'aimer. L'eau allait bientôt entrer par les fentes du bateau et emplir la cale. La vache du capitaine, qui ne cessait de meugler, allait se noyer en premier avec les porcs et les volailles destinés à la table des passagers des cabines. Puis l'eau gagnerait l'entre-pont. Elle monterait petit à petit jusqu'à la cheville de Mary, jusqu'à son genou, sa taille, sa bouche... L'horrible eau noire, chargée de toutes les déjections des der-niers jours allait entrer dans sa bouche et son nez... À cette évocation, Mary hurla de toutes ses forces, appelant son père et sa mère. Personne ne vint l'aider. Alors, elle rejoignit sa couchette, se mit en boule sur sa paillasse, la couverture par-dessus la tête, les doigts bouchant ses oreilles, et elle ferma ses yeux très fort en s'efforçant de ne plus penser à rien.

La tempête dura deux jours encore. La peur et la colère s'étaient usées, et les secousses n'arrachaient plus à quiconque la moindre réaction. Quand le vent tomba enfin, le peuple de l'entrepont était devenu un troupeau prostré.

Contre toute attente, le voilier avait résisté à l'ouragan. Le capitaine Campbell en personne accompagna le matelot qui vint déclouer la porte. Certains passagers l'accueillirent avec des imprécations, mais ils n'avaient plus assez de force pour être dangereux et la menace de les enfermer de nouveau suffit à les réduire au silence. Le capitaine les informa que le *William Fell* avait subi de graves avaries : l'un des deux mâts, arraché par le vent, devait être remis en place au plus tôt. Pendant les travaux de réparation, il ne fallait pas gêner l'équipage : la sécurité générale en dépendait. En conséquence, les occupants de la sainte-barbe ne pourraient monter s'aérer sur le pont qu'à tour de rôle, par petits groupes. Qu'ils s'arrangent entre eux pour cela.

Il s'en fut, et la discussion s'éleva aussitôt. Tout le monde voulait aller respirer d'urgence et personne n'entendait laisser sa place. Le père Fitzgibbon tenta de les sermonner. Dieu leur avait laissé la vie sauve, ils devraient le remercier et se conduire en bons chrétiens et non en chiens égoïstes ! On ne l'écouta pas. La tempête était finie, on n'avait que faire des discours du prêtre.

Il le comprit et n'insista pas, se servant plutôt de son autorité pour obtenir que l'on amène d'abord à l'air libre ceux qui en avaient le plus besoin. Il désamorça les protestations des braillards en les nommant responsables de l'organisation des sorties. Flattés, ils se montrèrent efficaces, appliquant ce qui leur était suggéré comme s'ils l'avaient trouvé eux-mêmes.

Les malades étaient nombreux, et il y avait des morts : des vieillards, surtout, et de très jeunes enfants. Le médecin du bord vint regarder les cadavres, non pour dire de quoi ils avaient péri – sa science n'allait pas jusque-là –, mais pour s'assurer qu'ils ne présentaient pas les stigmates redoutés du choléra qui avait décimé, l'année précédente, la population des bateaux d'émigrants ainsi que celle des pays où ils s'étaient rendus. Les malaises que l'on pouvait confondre avec les premiers symptômes de la maladie – diarrhées, vertiges et vomissements –, ils les avaient tous eus. La nourriture qui pourrissait et s'emplissait de vers à mesure que le voyage avançait ainsi que l'eau croupie qu'ils avaient à boire y suffisaient. Ce que le chirurgien vérifiait sur les corps, c'était la couleur de la peau que le choléra faisait foncer jusqu'au noir. Au fond de la sainte-barbe mal éclairée, il lui était d'autant plus difficile de se faire une opinion qu'il ne voulait pas toucher aux cadavres par crainte de la contagion. Il les observa de loin un moment, puis il affirma doctement qu'ils étaient morts d'autre chose et ordonna de les monter sur le pont afin qu'ils fussent jetés dans l'Atlantique. Leurs voisins de couchette s'en chargèrent tant bien que mal, accompagnés par les lamentations des familles.

À côté de Mary, sur la paillasse voisine, une femme hébétée refusait de lâcher le corps de son mari. Tombé malade dès le début du voyage, incapable de conserver la moindre nourriture, il s'était éteint, à bout de forces, peu avant la fin de la tempête. La femme était désespérée : qu'allait-elle devenir sans compagnon, dans ce pays inconnu où ils avaient espéré avoir une vie meilleure ? Agrippée au cadavre, elle repoussait violemment ceux qui tentaient de le lui arracher. Le prêtre vint lui dire qu'il n'était pas chrétien de s'attacher à une dépouille charnelle que son âme avait désertée, mais elle restait insensible à son argument.

Dès que la maladie de son homme s'était déclarée, elle avait négligé le bébé. Mary, apitoyée, avait pris la relève sans qu'elle paraisse même le remarquer, berçant le nourrisson lorsqu'il pleurait et nettoyant ses linges souillés. Elle ne le rendait à sa mère qu'au moment de la tétée. Cela lui avait attiré des remarques acerbes de sa tante qui estimait que Mary aurait dû s'occuper d'elle au lieu de cet enfant inconnu. La fillette avait fait la sourde oreille, car Nora Connoly, contrairement à ce qu'elle prétendait, n'était pas malade. Par contre, le bébé, qui était à peu près de l'âge de Liam, avait besoin d'elle, et Mary, en retour, avait éprouvé un grand réconfort à le tenir dans ses bras et à le consoler.

Le prêtre finit par se faire entendre en rappelant à la mère l'existence de l'enfant et son devoir d'en prendre soin.

Calmée en apparence, elle accepta de lâcher le mort et chercha son bébé. Elle le découvrit dans les bras de Mary à qui elle l'arracha comme si celle-ci avait tenté de le lui voler. Serrant l'enfant contre elle, la jeune veuve emboîta le pas aux hommes qui enlevaient le corps de son époux, non sans avoir jeté un regard soupçonneux à Mary. La fillette eut un mouvement de recul à la vue de l'incompréhension et de l'ingratitude de la femme. Elle aurait voulu lui expliquer pourquoi c'était elle qui tenait son fils. Voyant que l'autre semblait incapable de la comprendre, elle y renonça.

Comme c'était à son tour de monter sur le pont, Mary se dirigea vers l'échelle en remâchant les sarcasmes de sa tante. Nora n'avait rien perdu de la scène et elle triomphait. La fillette, à distance respectueuse du bastingage qui lui paraissait un rempart trop fragile contre l'océan, emplit ses poumons d'air pur. Elle avait pris soin de s'éloigner de Nora afin qu'elle ne lui gâche pas son plaisir, le premier depuis longtemps.

La mer n'était plus menaçante. Elle semblait même paisible. Cependant, Mary ne s'y fiait pas : une nouvelle tempête pouvait survenir, aussi terrible que la première, et les engloutir. À l'idée de passer de nouveau par les moments d'horreur qu'elle venait de vivre, elle eut un regain de désespoir. Et là, face à l'océan qui affichait une paix dont elle savait à quel point elle était factice, elle se fit la promesse solennelle que, si elle survivait à cette traversée, elle ne referait plus jamais un voyage en mer de toute sa vie, dût-elle vivre jusqu'à cent ans. C'est alors qu'elle comprit ce que l'homme sans tête avait annoncé : non pas sa mort, mais sa séparation définitive d'avec ses parents. Cette révélation la bouleversa. Elle ne verrait plus jamais Maureen ni Sean. Elle ne reverrait jamais Paddy ni Patrick ni le petit Liam. Sa vie, désormais, serait en Amérique, chez sa grand-mère Nuala qu'elle ne connaissait pas.

Nuala O'Connor s'était établie à New York une quinzaine d'années auparavant avec John, son plus jeune fils, dont le mariage était demeuré stérile, pour le plus grand chagrin de la vieille femme. Elle écrivait une fois l'an et proposait à Sean de lui envoyer Mary. Chez le forgeron, il n'avait jamais été question de répondre à l'invitation : non seulement Mary était l'aînée, mais elle était la seule fille, et on avait besoin d'elle à la maison.

L'arrivée d'une lettre de Nuala était un événement. Sean O'Connor et sa femme, de même que les clients de la forge auxquels il montrait la précieuse missive, considéraient avec respect ces papiers couverts de signes qu'aucun d'entre eux n'était capable de déchiffrer. Le dimanche venu, Sean l'apportait à la messe pour que le curé la lui lise. Le père O'Brian s'en acquittait après l'office, et un petit groupe de fidèles s'attroupait, curieux du message en provenance du Nouveau Monde. Pour certains paroissiens, qui avaient également des proches émigrés, c'était une façon d'avoir indirectement des nouvelles des leurs. Puisqu'en Armagh, ils vivaient tous à peu près de la même façon, pourquoi, à New York, leur tante Anna ou leur cousin William auraient-ils eu une existence différente de celle de Nuala O'Connor ?

Par l'entremise du prêtre de sa propre paroisse – et les deux prêtres épistoliers ne manquaient jamais de se saluer au passage –, l'aïeule disait toujours à peu près la même chose : la vie était meilleure en Amérique, il y pleuvait moins, les pommes de terre n'y pourrissaient pas et les hommes y étaient libres, car, eux, ils avaient réussi à chasser les Anglais, et depuis longtemps. À ce passage, les hommes relevaient la tête. Eux aussi les chasseraient un jour. Et on entendait, ici et là, prononcer le nom de Daniel O'Connell.

Nuala, comme tous les Irlandais de New York qui écrivaient à leur famille, parlait avec fierté de sa ville d'adoption. Elle racontait que les rues de Manhattan, le centre de la cité, se coupaient à angles droits. Elles étaient bordées d'édifices de briques ou de pierres pouvant atteindre cinq étages. La nuit, ces rues étaient éclairées par ce qu'elle appelait des réverbères au gaz. Des omnibus tirés par quatre chevaux – sans doute des grandes charrettes – transportaient une douzaine de voyageurs, installés sur des bancs, pour les conduire d'un endroit à l'autre de la ville. Dans le quartier des affaires, qui s'appelait Wall Street, on croisait des hommes importants se rendant à leur bureau vêtus de riches habits. À la fin de sa lettre, comme s'il s'agissait d'un détail sans importance, elle notait que ce n'était pas là que les Irlandais vivaient : ils étaient plutôt groupés le long de l'Hudson, à proximité des quais, leur lieu de travail. Cet endroit était moins joli, mais les belles rues, elle, Nuala, elle les avait déjà vues.

Incapables de se représenter un lieu à tel point différent de celui où ils vivaient, ses compatriotes restés au pays n'y croyaient qu'à moitié et ils imputaient au désir de se faire valoir des descriptions qu'ils supposaient très exagérées.

Après tant de jours dans la pénombre et l'air vicié de la cale, l'air marin et l'activité du pont ne tardèrent pas à modifier l'état d'esprit de Mary qui oublia la tempête pour s'intéresser à ce qui l'entourait. À quelques pas du tas de cordages derrière lequel elle s'était réfugiée, se tenait un couple qu'elle avait déjà remarqué à Belfast, lors de l'embarquement. Il ne voyageait pas dans l'entrepont comme elle. Il occupait une des deux ou trois cabines réservées aux passagers plus fortunés. La femme était très jeune, et son compagnon, sensiblement plus âgé, était aux petits soins pour elle. Tout en arrangeant sur ses épaules un beau châle fleuri, il lui parlait tendrement. Ils se tenaient en retrait des passagers de l'entrepont. Entassés dans l'espace restreint qu'on leur avait imparti, les émigrants formaient un groupe que la saleté et la malnutrition avaient rendu pitoyable. La jeune femme leur jeta un regard de compassion, mais elle se heurta à des visages envieux et rancuniers qui semblèrent l'effrayer. Mary comprit que son compagnon la rassurait. La jeune femme hasarda un autre coup d'œil et esquissa un sourire en direction de Mary. La fillette se retourna pour voir à qui s'adressait ce signe d'amitié. En arrière, plus personne ne les regardait : le sourire était donc pour elle. Mary y répondit timidement et, tandis que le couple s'éloignait, elle se demanda comment était ce monde où les hommes entouraient d'attentions des femmes vêtues de belles robes.

Elle redescendit dans l'entrepont où sa tante était déjà. Bien qu'elle essayât de le dissimuler, Nora Connoly, la bouche pleine, mastiquait. « Des biscuits », songea la fillette. Elle en aurait volontiers pris elle aussi, mais elle savait qu'il était inutile de réclamer sa part. Sa tante, qui lui donnait toujours une portion moindre qu'à elle-même et à son mari, sous prétexte qu'elle était plus jeune et n'avait pas besoin d'autant de nourriture, aurait soutenu, contre toute évidence, qu'elle ne mangeait pas. Mary l'avait déjà surprise à piocher dans les provisions en dehors des heures de repas, comme en ce moment. Nora, non contente de nier les faits, avait accusé sa nièce d'être une menteuse et une égoïste qui voulait s'approprier ce qu'elle-même avait intégralement payé. La fillette savait que c'était faux : son père avait fourni la plus grande part de ce qu'ils mangeaient tous les trois, en échange de quoi les Connoly avaient promis de veiller sur son aînée. Les premiers jours, elle avait essayé d'obtenir l'appui de l'oncle Dermot qui avait esquissé une tentative de soutien. Sa femme l'ayant vertement remis à sa place, il avait cessé de s'en mêler. Pourquoi ses parents l'avaient-ils confiée à cette méchante femme ?

Le docteur avait été catégorique : « Le mieux pour elle est de faire la traversée. Puisque vous y avez de la famille, envoyez-la à New York. Le climat est moins pluvieux, ça lui fera du bien. »

Maureen avait résisté de toutes ses forces. Elle ne voulait pas que sa petite fille s'en aille à New York, car ils ne la reverraient jamais.

— Mais si, argumentait Sean, elle y restera un an et, ensuite, elle nous reviendra en bonne santé.

— Je sens que ça va mal se passer. L'an dernier, tous les gens qui s'en sont allés ont péri sur le bateau ou en arrivant.

— Ceux qui sont restés aussi. Et c'est d'ici que venait le choléra.

À ce mot, ils faisaient rapidement un signe de croix pour conjurer le sort, car le choléra, obéissant à on ne savait quelle logique, avait épargné leur hameau, alors qu'il n'avait pas laissé âme qui vive dans le village voisin.

— De toute façon, l'épidémie est terminée, que ce soit ici, sur les bateaux ou là-bas.

— Et les naufrages? insistait-elle. Te souviens-tu que le voilier où était Michael Callaghan a coulé et que personne n'en a réchappé?

— Des quantités de bateaux ont quitté l'Irlande, et c'est le seul qui a coulé.

— Il ne faut pas la faire partir, reprenait Maureen avec obstination.

Mais il coupait court en disant :

— L'homme sans tête, tu l'as oublié? Le malheur est ici. Si elle reste, elle mourra. En l'envoyant à New York, nous la sauverons.

La discussion avait duré tout l'hiver, et Sean n'avait pas cédé. À la forge, où il voyait beaucoup de monde, il s'informait pour savoir si l'on connaissait quelqu'un prêt à partir en Amérique afin de lui confier Mary. Un jour, il apprit que Nora et Dermot Connoly venaient de vendre leur petite ferme pour s'en aller tenter fortune au Canada. Les Connoly étaient apparentés à

Maureen : Nora était une cousine éloignée. Sean avait annoncé triomphalement la nouvelle au repas du soir.

— C'est parfait, avait-il ajouté, on ne pouvait pas espérer mieux : Mary va partir avec un membre de la famille.

Maureen ne partagea pas son enthousiasme. Bien que n'ayant pas revu Nora depuis sa petite enfance, elle en conservait un très mauvais souvenir : celui d'une fillette chafouine et malveillante qui vous pinçait pendant la messe pour vous faire punir tout en montrant aux adultes un visage innocent.

— C'était une enfant, voyons, rétorquait Sean. Tu ne peux pas la juger sur ce qu'elle faisait à sept ans. De plus, tu te trompes peut-être, depuis le temps. Ce n'était pas plutôt ta cousine Céleste qui te pinçait ?

— Elles faisaient leurs mauvais coups ensemble, je m'en souviens parfaitement. Nora était méchante, et je suis sûre qu'elle l'est restée.

— Attends au moins de la voir, concluait Sean. Si tu constates qu'elle n'a pas changé, on cherchera quelqu'un d'autre.

Malgré le scepticisme de Maureen quant à la bonne foi de sa cousine, les manières mielleuses de Nora avaient réussi sans peine à abuser Sean. Le forgeron, excédé par les réticences de sa femme, avait fini par lui dire :

— Ce sera ainsi, et n'en parlons plus.

Alors Maureen avait mis dans un sac la robe d'hiver de Mary, son châle de laine et une couverture. Puis elle avait serré très fort sa fille dans ses bras et lui avait dit adieu.

Pendant que les passagers s'aéraient, les porcs avaient été lâchés dans l'entrepont afin de le nettoyer. Ces animaux ne finiraient pas le voyage, car ils étaient destinés à la table du capitaine et des passagers qu'il y recevait. Mary, se détournant des bêtes avec dégoût, pensa que la belle jeune femme mangerait du jambon avec moins d'appétit si elle voyait de quelles ordures les cochons se régalaient. Elle semblait si délicate. Que faisait-elle donc sur ce bateau à moitié pourri dont on avait du mal à croire qu'il arriverait à bon port ?

Lorsque le mât fut réparé, l'accès au pont fut plus facile. Afin d'échapper à la puanteur de la sainte-barbe et aux regards méfiants de la jeune veuve qui la soupçonnait de vouloir lui prendre son bébé, Mary y passait le plus de temps possible. À distance respectueuse de la rambarde, à laquelle elle n'osait pas s'appuyer de crainte qu'elle ne cède, elle regardait la mer avec ressentiment, sûre qu'elle les empêcherait de toucher terre. Aux veillées, on racontait, en en faisant des gorges chaudes, les croyances des gens d'autrefois. Les anciens étaient persuadés qu'au bout de l'océan, il y avait un gouffre immense où s'engloutissaient les bateaux assez téméraires pour se hasarder dans ces parages. Il était facile d'en rire en Armagh, les deux pieds bien stables sur la terre. Aujourd'hui, cramponnée à un cordage pour résister aux oscillations du vieux navire qui craquait de tous ses bois, la fillette se demandait s'il n'y avait pas dans ces récits un fond de vérité. Mary avait peur. Elle avait peur des tempêtes, de la mer trop paisible, de la méchanceté de sa tante et de ce qui l'attendait au bout du voyage.

À la nouvelle de son départ pour New York, elle avait été contente d'aller faire une promenade. Persuadée que c'était tout près et qu'elle pourrait revenir chez elle dès qu'elle le souhaiterait, elle n'avait pas compris pourquoi sa mère avait essayé de s'y opposer. Comment aurait-elle pu se représenter la grande ville de Belfast, le port à l'activité frénétique et la mer sans fin, alors qu'elle n'avait jamais franchi les limites de son hameau ?

Les voyageurs étaient partis tôt, un matin, au début du printemps, sur la charrette d'un colporteur, avec la malle d'effets personnels des Connoly, le sac de Mary et les balluchons de provisions prévues pour les nourrir pendant au moins deux mois. Maureen y avait mis des choux – pas beaucoup parce qu'on lui avait dit qu'en mer, ils ne se conserveraient pas –, des oignons et surtout des pommes de terre que le cuisinier du bateau ferait cuire avec celles des autres passagers. Ils avaient aussi des biscuits, ceux-là même que Nora pillait sans scrupules. Tous ces vivres remplissaient plusieurs ballots que l'oncle Dermot surveillait sans relâche depuis leur départ. Encore maintenant, alors qu'ils étaient presque vides, il était réticent à les quitter des yeux le temps d'aller prendre l'air.

Sur la route de Belfast, Mary était allée de surprise en surprise. Tout l'étonnait, à commencer par l'existence d'un gros village tout près de son hameau. Elle qui ne connaissait que des chaumières basses, faites de boue séchée, fut très étonnée par un vallon bâti de maisons blanches, couvertes d'ardoises. Avec leurs fenêtres ornées de rideaux et leurs péristyles de pierre, elles avaient un aspect accueillant, et Mary pressentit, en les voyant, que l'on pouvait vivre d'une manière très différente de la sienne.

Rien ne l'avait préparée à la découverte d'une grande ville, et elle conserva des heures durant un visage ahuri tandis qu'elle parcourait les rues de Belfast en compagnie de son oncle et de sa tante. Les immeubles de briques avaient trois ou quatre étages, et Mary s'ébaubissait de voir apparaître des gens à des fenêtres aussi hautes. En avançant le nez en l'air, sans regarder où elle mettait les pieds, elle avait trébuché à plusieurs reprises sur les pavés disjoints et s'était attiré les reproches de sa tante. La mesure fut comble lorsqu'elle manqua de se faire écraser par un fiacre. Nora, exaspérée, la gifla et reprocha aigrement à son mari de l'avoir chargée d'une sotte qui ne savait même pas marcher. Dermot avait tenté de protester que c'était son idée à elle, pas à lui, mais il avait aussitôt battu en retraite devant la mégère. L'incident sortit Mary de sa contemplation. En frottant sa joue douloureuse, la fillette regarda Nora d'un œil nouveau : elle commençait de se rendre compte qu'un voyage avec sa tante ne serait sans doute pas une partie de plaisir.

Ils eurent la chance de parvenir au quai au moment où se levaient des vents favorables. Leur bateau lèverait l'ancre dans l'après-midi, et ils n'auraient pas à traîner des jours durant dans les terrains vagues qui bordaient les quais, à épuiser leurs réserves en attente du départ. Une foule grouillante, anxieuse d'embarquer, se bousculait aux approches de la passerelle. Les gens voulaient monter au plus vite, pris par la crainte d'être laissés là. Bien que munis de leur billet de passage – payé le plus souvent avec la totalité de leurs économies –, ils ne se sentiraient tranquilles que les pieds sur le bateau.

Les émigrants s'étaient chargés de toutes leurs possessions : les enfants portaient les ballots de linge et de nourriture et les parents traînaient qui une paillasse, qui une table, qui un tabouret, que le marin chargé de filtrer l'accès au bateau refoulait impitoyablement, car il n'y avait pas de place pour les meubles. Affolés à l'idée d'abandonner tout ce qu'ils possédaient, les malheureux protestaient avec véhémence, puis passaient aux menaces pour finalement recourir aux larmes à la vue de trois au quatre matelots à la mine hostile et goguenarde qui approchaient avec la claire l'intention de les ramener brutalement à la raison. Comprenant que rien ne fléchirait les cerbères, qu'ils devaient abandonner leurs pauvres biens ou renoncer à embarquer, ils regardaient autour d'eux, égarés, à la recherche d'une solution. C'est alors qu'approchaient les vautours qui s'étaient tenus prêts pour ce moment. L'air serviable, le ton rassurant, ils leur proposaient de les débarrasser de leurs encombrants bagages en les leur achetant : l'argent était tellement plus facile à transporter ! Les émigrants, soulagés de pouvoir régler leur problème aussi facilement, s'apprêtaient à marchander. Mais il n'y avait pas matière à discussion : il fallait accepter le prix dérisoire offert ou se débrouiller seul. Ils protestaient, maugréaient, refusaient, et l'acheteur faisait mine de s'éloigner. Alors, n'ayant pas le choix, ils s'empressaient de le rappeler. Installés à proximité des quais depuis leur arrivée de la campagne, ils ne connaissaient rien de la ville. Comment auraient-ils pu y faire des affaires ? Les hommes de peine du marchand chargeaient les meubles sur une charrette. Furieux, mais impuissants, les émigrants les regardaient faire, les doigts crispés sur la ridicule somme reçue en échange.

Les Connoly n'étaient pas de ceux-là. Tous leurs biens, ils les avaient vendus à bon prix avant de partir. Nora affichait un incommensurable mépris pour les miséreux qui l'entouraient. Elle n'était pourtant pas d'une autre classe et n'avait pas les moyens de voyager en cabine. Malgré ses grands airs, c'est dans l'entrepont qu'elle allait se retrouver avec son mari, sa nièce et la foule des quais.

Le capitaine, maître Campbell, supervisait l'embarquement avec un visage sévère. Il avait maintes fois conduit des émigrants de l'autre côté de l'Atlantique, et les scènes pathétiques qui se déroulaient devant lui étaient devenues trop banales pour éveiller sa compassion. Il était accompagné de sa femme et du médecin du bord, un homme pâle à l'aspect souffreteux. Madame Campbell, qui faisait entre autres office d'infirmière, était une petite femme énergique dont l'amabilité contrastait étonnamment avec la rudesse de son époux. Vêtue d'une robe de laine noire et d'une veste rouge qu'elle avait dû tricoter elle-même, elle n'était guère plus élégante que les passagères de l'entrepont. La trentaine de marins composant l'équipage s'activait aux derniers préparatifs sous la direction du second qui hurlait ses ordres dans un porte-voix.

L'extérieur du *William Fell* ne payait pas de mine. Malheureusement, ses entrailles n'avaient pas meilleur aspect : vétuste et crasseux, le voilier n'inspirait pas confiance. Tout juste arrivé du Nouveau Monde avec une cargaison de bois, il en conservait encore l'odeur au moment de l'embarquement. Quand les animaux furent parqués dans la cale, les exhalaisons des litières souillées prirent le dessus et chassèrent sans retour la senteur des épinettes.

Le plafond de l'entrepont était si bas que l'oncle Dermot, avec sa grande taille, devait se courber comme un vieillard pour y circuler. L'espace avait été utilisé au maximum afin d'y entasser le plus possible d'émigrants. Chacun disposait d'une étroite couchette sur laquelle il ne pouvait tenir qu'allongé. Les banquettes superposées à celles qui étaient fixées au sol étaient tout près du plafond. S'ils ne voulaient pas demeurer couchés, les passagers s'asseyaient sur leurs malles qui encombraient l'allée centrale, elle-même peu spacieuse. Les ballots, accrochés aux montants des couchettes rétrécissaient encore l'espace, et les lieux donnaient une impression d'enfermement. Lorsque le navire gagna le large et que le roulis donna le mal de mer au plus grand nombre, ce fut encore pire. L'odeur des vomissures rendit malades les passagers ayant résisté au tangage, et ceux qui tenaient encore debout se réfugièrent sur le pont en quête d'air frais, préférant se faire houspiller par les marins dont ils gênaient la manœuvre que de rester dans ce trou puant.

Mary fut malade pendant deux jours. Deux longues journées pendant lesquelles elle crut sa dernière heure venue. En prime, elle dut affronter la mauvaise humeur de sa tante. Elle-même épargnée par le mal de mer, Nora accusait Mary de ne faire aucun effort pour rendre sa présence moins pesante. La fillette, dans un état second, avait fini par confondre sa tante avec les mauvais génies qui peuplaient les contes de son enfance, et elle se mettait à trembler en la voyant approcher. Elle était à peine ama-rinée quand la tempête leur tomba dessus.

La belle jeune femme arriva sur le pont. Elle était seule. C'était la première fois que Mary la voyait sans son compagnon. Aussitôt, elle fit signe à la fillette d'approcher. Intimidée, Mary franchit la distance qui les séparait. La jeune femme lui demanda son prénom et d'où elle venait. Le nom du hameau de Mary ne lui évoquait rien. Elle-même avait vécu dans les beaux quartiers de Belfast et ne connaissait pas l'Armagh. Elle s'appelait Elena et allait s'établir à Québec avec Edward qu'elle avait épousé en décembre. Elle s'ennuyait de compagnie féminine et lui demanda si elle voulait être son amie, le temps de la traversée. Mary n'eut que le temps d'acquiescer, car Edward apparut. Elena la quitta pour le rejoindre après lui avoir chuchoté : « À demain ! » avec un sourire complice.

Mary resta à rêver sur le pont. Que la jeune femme l'eût choisie, elle, Mary O'Connor, l'insignifiante fille d'un forgeron de l'Armagh, la remplissait d'étonnement et d'orgueil. Il y avait pourtant d'autres filles de son âge, et qui n'avaient pas plus mauvaise apparence. Sa tante lui interdisait de les fréquenter, disant que c'étaient des miséreuses auxquelles elle ne devait pas se mêler.

Si Mary avait obéi, c'était involontairement. En effet, les autres filles semblaient déjà se connaître à leur arrivée sur le *William Fell* et, dès le début, elles l'avaient tenue éloignée, se moquant d'elle de loin. Sans doute, sa robe était-elle d'un meilleur tissu que la leur, et moins usée, dénonçant la petite aisance de son père face au dénuement des leurs. Elles quittaient l'Irlande pour échapper à la famine, alors qu'elle-même faisait un voyage de santé en compagnie d'une tante qui portait directement sur sa peau une ceinture de chamois contenant un petit trésor. Il s'agissait du produit de la vente de la ferme et de l'argent confié par Sean O'Connor pour payer la dernière étape du voyage de Mary.

En Irlande, ces filles avaient dû vivre dans une demeure semblable à celle de Margaret Best, sa voisine. Elle se souvint de la misérable habitation. Le feu de tourbe n'arrivait pas à en chasser l'humidité, car il fallait laisser la porte ouverte à cause de l'absence de cheminée. La marmite, posée sur quatre pierres au milieu de l'unique pièce qu'il fallait partager avec le cochon, contenait davantage d'eau que de pommes de terre. Et c'était sur la paille que les enfants dormaient, la nuit venue.

Les mères des filles qui étaient sur ce bateau n'avaient probablement pas de ceinture en peau de chamois, et cette différence, que l'on pouvait deviner à la piètre qualité de leurs vêtements et au contenu de leurs écuelles, devait motiver le rejet des filles. Cependant, ce qui était flagrant pour les résidents de l'entrepont devait passer inaperçu aux yeux de la passagère fortunée pour qui la différence entre les habits de Mary et ceux des autres filles était inexistante. La particularité qui avait valu à Mary d'être remarquée par la belle jeune femme lui offrant son amitié, c'était vraisemblablement d'être isolée. Elle se réjouissait maintenant de cette exclusion qui l'avait peinée.

Mary savourait les mots prononcés par Elena et le prénom lui-même : Elena. Les sonorités en étaient douces et convenaient à la physionomie de celle qui le portait. Ce n'était pas un prénom ordinaire comme le sien : tout le monde s'appelait Mary, tandis qu'Elena… Elle n'en connaissait pas d'autre. Mary eut un peu honte de ce qu'elle venait de penser en se souvenant de la voix de sa mère qui lui disait : « Ma fille, tu dois être fière de porter le nom de la mère de Dieu. C'est le plus beau qui soit. » Sans doute. Mais Elena, s'appeler Elena !

Elle resta là jusqu'à ce qu'elle voie deux hommes apporter le chaudron dans lequel on avait cuit leur pitance. Elle rejoignit son oncle et sa tante et s'accroupit auprès d'eux. Nora partagea inégalement les pommes de terre, comme à l'ordinaire, et engloutit la plus grosse part pour finalement lorgner celle de Mary. La fillette, qui aurait préféré manger lentement pour faire durer le plaisir, jugea plus prudent de ne pas tarder à vider son écuelle afin de ne pas risquer d'être privée de ce qui lui restait.

Elle allait s'éloigner, quand l'oncle Dermot la questionna :

— Qu'est-ce que tu faisais, tout à l'heure, avec la passagère des cabines ?

— Comment ? De quoi tu parles ? s'enquit Nora avec avidité.

Mary réfléchit à toute vitesse : elle pressentait que si elle disait la vérité à sa tante, celle-ci s'arrangerait pour tout gâcher. Il fallait trouver une réponse plausible.

Nora insistait :

— Alors, tu as avalé ta langue ?

— Elle avait fait tomber son mouchoir sans s'en apercevoir, et je le lui ai rendu, improvisa-t-elle.

— Quelle sotte! cracha Nora avec mépris. Il fallait attendre qu'elle parte pour le ramasser. On aurait pu le garder. Un mouchoir, pour elle, ce n'est rien, tandis que pour nous! Il devait valoir de l'argent ce mouchoir, et elle n'aurait pas su où elle l'avait perdu. Décidément, tu n'es bonne à rien!

Mary avait appris à ses dépens qu'il valait mieux ne pas répliquer. Elle baissa la tête sans rien dire. Cependant, elle n'en pensait pas moins. Pour elle, la malhonnêteté de sa tante était un nouvel aspect de son caractère. Elle savait Nora méchante, égoïste et envieuse, mais elle ne l'aurait pas crue voleuse. Elle imagina la réaction de son père s'il avait pu entendre les conseils donnés à sa fille aînée par cette femme en qui il avait eu confiance. Sean O'Connor, qui mettait la probité au-dessus de toutes les autres qualités, regretterait amèrement d'avoir mis sa fille entre les mains de cette harpie.

Cependant, Nora continuait, cherchant un moyen de tirer avantage du geste de sa nièce.

— Qu'est-ce qu'elle t'a dit? Elle t'a remerciée, au moins?

— Oui.

— La prochaine fois que tu la verras, il faut que tu lui parles. Profite de l'occasion. C'est toujours utile de connaître des riches. Et tu me répèteras tout ce qu'elle te dit! Ton père t'a confiée à moi, tu ne dois rien me cacher.

Mary fit mine d'approuver d'un vague signe de tête. Les yeux calculateurs de Nora laissaient deviner qu'elle était en train d'évaluer ce que pourrait lui rapporter une relation de sa nièce avec la passagère des cabines. La fillette, qui avait à peine commencé à rêver d'une amitié avec Elena, voyait son espoir menacé par la cupidité de sa tante. Elle alla se tasser dans un coin, dépossédée de sa joie.

Pour se consoler, elle voulut évoquer sa mère : les bras tièdes et enveloppants de Maureen, la gaieté de sa voix qui chantait toute la journée. L'image se refusa à elle, et son abandon lui parut irrémédiable.

~

Les journées s'étiraient, semblables les unes aux autres. Outre s'épouiller, pour éviter de contracter le typhus, la seule distraction était d'assommer, dès qu'ils apparaissaient, les gros rats qui montaient de la cale, attirés par la nourriture des émigrants. Les enfants se disputaient l'honneur d'aller les jeter par-dessus bord. Celui qui l'avait obtenu de haute lutte montait l'échelle en balançant fièrement la dépouille par la queue, suivi de la troupe qui criait des insultes au cadavre de l'ennemi terrassé.

L'entrepont, écrasé d'ennui, ne sortait de sa morosité que le temps de prendre parti dans l'une des querelles qui surgissaient sporadiquement, aiguisées par la promiscuité et le désœuvrement. Depuis des semaines, ils étaient là, à ne rien faire, à se partager un espace extrêmement réduit, à jalouser ceux qui possédaient davantage, à mépriser les plus démunis. Il y avait longtemps que le père Fitzgibbon n'était plus arrivé à les rassembler dans la prière : avec la fin de la tempête, s'était éloignée la peur de mourir, et cela avait sonné le glas de la trêve religieuse. Seul le vieux Peter Leddy parvenait à les réunir en tirant un air de gigue de son violon. Alors, ils s'élançaient sur le pont, jeunes et vieux, sautant et virevoltant jusqu'à s'exténuer, dans un désir désespéré de s'étourdir, d'oublier les dangers présents et à venir. Ils semblaient heureux à se distraire ainsi, encouragés par les rires et les claquements de mains de ceux qui regardaient. Souvent, cela se terminait mal, et il n'était pas rare qu'un couteau surgisse après boire. Car danser donne soif, et ils finissaient toujours par se procurer du whisky, malgré l'interdiction du capitaine et leur pauvreté. Les marins troquaient la boisson – introduite en fraude sur le voilier et dissimulée dans la cargaison – contre les misérables possessions des émigrants dont certains toucheraient terre quasiment dépouillés. Les femmes tentaient de s'accrocher à ce qui leur restait, mais l'inaction rendait les hommes furieux, et d'aucuns les battaient pour s'emparer du dernier fichu ou de la dernière couverture qu'elles essayaient de leur soustraire. La scène était banale, et les lamentations subséquentes tombaient le plus souvent dans l'indifférence. Cependant, il arrivait, sans que l'on sût pourquoi, que cela mette le feu aux poudres. Alors, une mêlée s'ensuivait, que le capitaine venait maîtriser à grands coups de gueule. Les plus virulents étaient mis aux fers, ce qui refroidissait les autres pour un jour ou deux. À la première occasion, cela recommençait.

Pendant ce temps, sur le pont, Edward arrangeait le châle sur les épaules d'Elena et lui ouvrait son ombrelle.

Surveillée de près par Nora, qui soumettait Mary au rapport après chaque rencontre, l'intimité entre la jeune femme des cabines et la fillette de l'entrepont progressa. Elles se voyaient un moment le matin, pendant qu'Edward étudiait dans la cabine les documents confiés par son père au départ de Belfast. Edward Shandon se rendait au Bas-Canada afin de parachever sa formation au chantier naval Chambers dans lequel son père avait des intérêts. Mary apprit qu'il n'était pas aussi âgé qu'elle ne l'avait cru. Il se vieillissait sciemment, pour avoir l'air plus sérieux, à l'aide d'habits sévères, d'un maintien compassé et de favoris portés longs de manière qu'ils rejoignissent la moustache.

Avant de lui confier un poste de responsabilité, son père voulait qu'il prouve sa valeur dans une colonie, loin de la protection des Shandon. Dans ce but, il ne l'avait muni que d'un petit pécule. Elena, de son côté, n'avait pas de ressources, car son propre père était mort failli peu de temps après le mariage. Ceci expliquait la présence du couple sur un bateau d'aussi piètre apparence.

C'était la version officielle, celle donnée par Elena pour essayer de convaincre les autres et elle-même que les choses étaient ainsi. Mais au fil des jours, la jeune femme avait lâché à Mary un mot ou une phrase qui racontaient une toute autre histoire : les petites brimades, les regards de mépris, les invitations qui ne venaient pas pour l'épouse d'Edward dont le catholicisme était

impardonnable, tout ce qui avait finalement décidé le jeune homme à aller tenter
sa chance ailleurs. À son départ, son père lui
avait laissé entendre que s'il revenait, après
quelques années, avec une nichée d'enfants
et une bonne réputation professionnelle,
tout serait oublié. Edward avait répété cela
à Elena, et c'était forts de cet espoir qu'ils
étaient partis, ne songeant déjà qu'au retour.

Les deux nouvelles amies se voyaient
l'après-midi quand Edward Shandon était
avec le seul autre passager de cabine, monsieur Hobbes, qui traversait l'Atlantique
pour la deuxième fois. L'homme connaissait
Québec, où il avait fait relâche une semaine,
l'année précédente, avant de rejoindre New
York, et il se plaisait à faire profiter de son
expérience le néophyte qui l'écoutait avec
attention. Lorsqu'ils ne bavardaient pas, les
deux hommes s'amusaient à s'entraîner au
pistolet sur des bouteilles accrochées à une
vergue, ou sur les rats qui remontaient de
la cale jusque sur le pont, et qu'ils tiraient
comme à l'exercice, avec force rires.

Un jour, pour distraire Elena, ils jetèrent
à la mer des restes de viande afin d'attirer

les requins qu'ils regardèrent se disputer les rogatons. Les matelots, qui détestaient ces poissons et les craignaient tout autant, en attrapèrent un dans leurs filets et lui coupèrent les nageoires avant de le remettre à l'eau. Ses congénères, attirés par le sang, vinrent à la curée. Elle dura très peu, mais elle fut d'une violence extrême et, très vite, il ne resta plus sur la mer qu'une petite flaque rouge. À Elena, qui s'indignait de la cruauté des marins, l'un d'eux répliqua :

— Si vous tombez à l'eau, ma petite dame, ils vous croqueront en deux bouchées. En voilà un, au moins, qui ne mangera plus personne.

Elena n'avait plus rien dit, mais elle s'était serrée contre Edward qui avait posé sur son épaule un bras protecteur et avait murmuré quelques mots à son oreille. Elle avait eu du mal à lui sourire en retour. À la suite de cet épisode, elle se détournait lorsqu'elle apercevait des requins et, si les marins en prenaient un, elle regagnait sa cabine pour ne pas voir la suite. Quant à Mary, cela la confortait dans son idée qu'il ne pouvait pas venir grand-chose de bon de la mer.

Un matin, Elena ne vint pas. C'est monsieur Shandon qui apparut à sa place. La jeune femme ne se sentait pas très bien et demandait à Mary si elle voulait lui tenir compagnie et l'aider. L'épouse du capitaine lui servait habituellement de femme de chambre, mais elle était retenue auprès d'un marin qui s'était blessé pendant son quart de nuit. Monsieur Shandon espérait que la fillette allait accepter. À l'anxiété perceptible dans sa voix, Mary comprit à quel point sa femme comptait pour lui. Elle était heureuse que son amie soit aimée de la façon dont elle-même espérait l'être un jour et fière qu'un homme aussi distingué que monsieur Shandon vienne lui demander un service. Mary s'apprêtait à le suivre, mais Nora, qui n'était jamais loin, s'interposa.

Elle se mit à chanter les louanges de Mary qui était forte, vaillante, dure à la tâche et qui leur rendait des services. Se priver d'elle leur serait difficile, affirmait-elle, mais ils étaient prêts à faire ce sacrifice pour la pauvre dame qui avait besoin d'aide. Seulement, il fallait les comprendre, ils n'étaient pas riches et n'avaient que Mary pour s'occuper d'eux.

La fillette était au supplice. Elle aurait voulu dire que ce n'était pas vrai, qu'elle n'avait rien à faire de toute la journée, à part s'ennuyer en pensant avec tristesse à ses parents qu'elle ne reverrait jamais, qu'Elena était son amie et qu'elle se ferait un plaisir de l'aider, et surtout, de le faire gratuitement. Mais elle n'osa pas.

Impuissante et navrée, elle entendit monsieur Shandon répondre qu'il comprenait, bien sûr, et le vit prendre dans son gousset quelques pièces qu'il tendit à Nora en disant :

— C'est entendu, elle viendra tous les matins et passera la journée avec ma femme.

Nora acquiesça, remercia avec obséquiosité et s'esquiva. «Pour compter son argent», songea Mary avec mépris.

— Viens, petite, lui dit monsieur Shandon.

Il était toujours aussi aimable, mais le ton avait imperceptiblement changé. Désormais, à cause de la rapacité de sa tante, Mary n'était plus l'amie d'Elena, mais sa servante.

Dans la cabine, l'odeur était aigre. Elena, très pâle, gisait sur des draps froissés. Du pas de la porte, Edward lui annonça :

— Je me suis arrangé avec sa mère, elle viendra travailler tous les jours.

— Ma tante ! rectifia vivement Mary.

Monsieur Shandon lui jeta un regard surpris, corrigea machinalement : « Sa tante », et s'empressa de sortir en disant :

— Bon, je vous laisse, à plus tard !

Elena poussa un soupir de soulagement en voyant Mary prendre les choses en main. Elle alla d'abord vider la cuvette de vomi qui avait été recouverte d'un linge. Puis elle demanda de l'eau à un matelot. Il lui en apporta deux seaux, dont un d'eau chaude. En s'en allant, il spécifia que s'il en fallait d'autres, il suffisait de l'appeler. En maudissant intérieurement le capitaine Campbell pour son injustice, Mary songea à la petite ration d'eau douce attribuée aux émigrants. S'ils en réclamaient davantage, on leur répondait que les réserves étaient basses et qu'ils devaient être raisonnables s'ils voulaient avoir de quoi boire jusqu'à la fin du voyage.

Ce ne fut que lorsque Elena reposa sur des draps bien tirés, le visage propre et les cheveux coiffés, qu'elle rangea la cabine. Tout était sorti et entassé pêle-mêle. Mary lissa soigneusement le tissu des robes et des châles avant de les déposer dans une grande malle. Elle n'avait jamais rien vu d'aussi beau ni rien touché d'aussi doux et elle aurait pu continuer des heures durant à palper les beaux vêtements, mais la malle fut bientôt pleine et la cabine rangée.

Elena lui fit signe de venir s'asseoir sur le lit à côté d'elle. Elle avait repris des couleurs, mais elle restait soucieuse. Il était visible que quelque chose la tracassait, mais qu'elle hésitait à en parler à Mary.

Pour l'encourager, la fillette demanda :

— Je peux faire autre chose ?

— Non, Mary, j'ai peur que personne ne puisse rien faire pour moi.

Elle laissa passer un temps, pendant lequel la fillette n'osa pas poser de question, puis elle se décida :

— Ce que je vais te dire, Mary, je ne l'ai dit à personne. Même pas à Edward.

Et elle lui confia qu'elle était très malade. Peut-être le choléra ? Malgré son insistance, elle avait empêché Edward d'appeler le médecin. Elle avait prétendu que c'était seulement le repas qui était mal passé. Il était inutile de le déranger pour si peu. Mais en réalité, elle avait refusé par crainte de le voir confirmer ce qu'elle redoutait. Elena croyait sa situation désespérée. Accrochée à Mary, elle se mit à pleurer, se plaignant qu'elle n'avait que seize ans et qu'elle ne voulait pas mourir. Elle avait envie d'aller au bal, de mettre de jolies robes, d'avoir des enfants.

— Eh bien justement, c'est un enfant qui s'annonce, et pas le choléra, lui dit Mary dès qu'elle put placer un mot.

— Mais comment le sais-tu ?

— Avant la naissance de Liam, Maman vomissait le matin. Et aussi madame Butler, dans l'entrepont. Elle a huit enfants et elle trouve que c'est déjà beaucoup trop. Quand elle a continué de vomir, alors que tout le monde était amariné, elle a compris que ce n'était plus le mal de mer qui la rendait malade, et comme elle ne voulait pas d'un marmot supplémentaire, elle s'est mise à insulter son mari. Évidemment, ça n'a rien changé, et elle l'aura de toute manière son neuvième, même si elle n'en veut pas.

— Tu es bien certaine de ce que tu dis? insista Elena.

— Tout à fait.

La jeune femme retrouva aussitôt le sourire, et la santé lui revint d'un coup. Elle se leva d'un bond. Prenant Mary dans ses bras, elle l'embrassa en disant :

— J'ai de la chance que tu sois avec moi! Je ne sais pas du tout comment ça se passe et tu vas pouvoir me l'expliquer.

Mais Mary lui avait livré toute sa science et n'était pas en mesure de lui en apprendre davantage. Cependant, elle promit d'aller s'informer auprès de madame Butler, qui avait une grande compétence en la matière.

— Aide-moi à m'habiller, demanda Elena, j'ai hâte d'annoncer la bonne nouvelle à Edward.

Mary, qui ne portait qu'une chemise et un jupon sous sa robe, découvrit avec stupéfaction les multiples pièces de l'habillement d'une élégante. Elena lui expliqua comment passer le corset par-dessus la chemise et le serrer très fort afin que le buste, emprisonné des seins aux hanches, affiche un galbe correspondant aux canons de la mode. Puis elle lui montra à rouler les bas blancs, les enfiler sur la jambe et fixer la jarretière au-dessus du genou. Vint ensuite le tour du pantalon en baptiste sur lequel furent superposés trois jupons à volants.

Ainsi équipée, Elena s'assit à la coiffeuse afin que Mary puisse arranger ses boucles de chaque côté du visage. La fillette prit avec respect la brosse à manche d'argent et s'appliqua à suivre de son mieux les indications qui lui étaient données. Elena examina sa coiffure dans le miroir et se déclara satisfaite.

Marchant sur ses bas, elle s'en alla fouiller dans la malle pour choisir une robe. Elle les sortit toutes avant de jeter son dévolu sur la plus somptueuse : une robe en taffetas mordoré digne de figurer dans le salon le plus huppé.

— Ce n'est pas une tenue pour aller sur le pont d'un voilier, dit-elle, mais les circonstances sont exceptionnelles, et je veux qu'Edward soit fier de la mère de son fils.

Elle chaussa les souliers assortis, et préféra, à la pèlerine trop chaude, une berthe de dentelle blanche qui recouvrait entièrement ses épaules et atténuait le faste de la toilette par une touche de simplicité. Pour finir, elle choisit une aumônière, dans laquelle elle plaça son flacon de sels et un mouchoir parfumé avant de la glisser à son poignet. Il ne manquait plus que l'ombrelle et l'éventail.

Elena jeta un dernier regard à son miroir, puis s'en alla retrouver son mari sur le pont. Consciente de sa dignité de future mère, elle adopta un pas mesuré. Toutefois, pour quitter la cabine, elle dut passer la porte de biais, empêchée de le faire de face par l'envergure de ses manches gigot, ce qui nuisit un peu à la majesté de sa sortie.

Mary se retrouva seule au milieu du fouillis des robes qu'elle put examiner et palper à loisir avant de les remettre dans leur malle.

❧

Bien qu'étant d'un luxe inimaginable par rapport à l'entrepont, ne serait-ce que par l'intimité qu'elle permettait, la cabine des Shandon n'était ni grande ni très meublée, et Mary s'acquittait rapidement du ménage. Il lui restait ensuite toute la journée pour jouer le rôle de confidente auprès d'Elena. Au début, la jeune femme lui avait posé quelques questions sur sa famille et ses conditions d'existence sur le bateau, mais la fillette, qui éprouvait pour la première fois une certaine honte de leur dénuement, répondait avec beaucoup de réticences. Elle aiguillait aussitôt la conversation sur Elena qui se lassa de l'interroger pour s'intéresser au seul sujet qui la passionnât vraiment : Elena Shandon elle-même. Son père, auquel elle avait rappelé sa femme morte et dont elle était la seule enfant, l'avait toujours traitée comme le plus précieux des bibelots, et Edward, très amoureux, avait pris la relève. Habituée à être au centre de cette adulation, Elena ressentait le rejet de sa belle-famille d'autant plus douloureusement qu'elle se heurtait à l'arbitraire pour la première fois de sa vie et, quel que soit le point de départ de la conversation, elle finissait toujours par ressasser cette injustice. Toutefois, elle ne restait triste qu'un moment, car son caractère joyeux reprenait vite le dessus.

Quand il ne faisait pas trop frais, elles s'installaient sur le pont où des matelots leur apportaient des sièges par ordre du capitaine. Mary n'en revenait pas de voir maître Campbell, toujours prêt à rabrouer les émigrants pauvres, faire des ronds de jambe devant Elena. La jeune femme avait le mérite d'être l'épouse du fils de Shandon, l'un des armateurs les plus puissants de Belfast et, à ce titre, tous les égards lui étaient dus. Bourru et maladroit, le capitaine, qui ne savait que faire pour plaire à sa passagère de marque, s'y prenait toujours mal : le salut était trop respectueux, le compliment trop ampoulé, la conversation d'un ennui mortel. Elena accueillait toutes ses attentions avec une amabilité de grande dame et cachait son dégoût de le voir lancer par-dessus bord ses longs traits de jus de chique noirâtres. Mais elle pouffait comme une gamine dès qu'il tournait le dos, tellement il était ridicule en voulant faire le gracieux. De retour dans la cabine, elle demandait à Mary de l'imiter, ce que la fillette, qui avait le sens de la mimique, faisait à merveille. Tout en contrefaisant le balourd, Mary riait avec son amie, mais dès qu'il apparaissait dans l'entrepont, elle savait que maître Campbell n'était plus le même homme, et elle le craignait comme tous les autres émigrants.

Elena parlait sans arrêt de l'enfant à venir, première étape de l'obtention du passeport qui lui ouvrirait les portes du clan Shandon. «Pourvu que ce soit un garçon et qu'il ressemble à Edward!» répétait-elle cent fois le jour. Pour la couleur de ses cheveux, il n'y avait rien à craindre. Ils étaient roux tous les deux, lui d'un roux violent, proche des flammes, elle d'un roux pâle, tirant sur le blond. Et ils avaient aussi la même carnation, très blanche. En fait, concluait Elena, puisqu'Edward et elle avaient tant de points communs, il ressemblerait forcément aux Shandon, qu'il tienne de l'un ou de l'autre. Satisfaite de sa théorie, elle babillait ensuite au sujet de la layette qu'il faudrait faire coudre dès l'arrivée à Québec.

Cependant, Mary, dont le rôle essentiel était d'écouter en faisant de temps à autre un signe d'approbation, observait Elena. Pour elle, tout était nouveau et curieux chez la jeune femme : le sourire, la voix, les gestes. Mais malgré son inexpérience, elle se rendait compte qu'Elena était séduisante alors que son époux ne l'était pas. Certes, monsieur Shandon était plaisant grâce à ses manières toujours parfaitement courtoises, mais autant sa femme était belle, autant lui ne l'était pas. Les dents mal plantées, le nez trop fort et les oreilles légèrement décollées, il ne ressemblait en rien à sa gracieuse épouse. Il fallait tout le désir d'Elena de se faire accepter par sa belle-famille pour s'illusionner à ce point.

Madame Shandon consacra le reste de la traversée à faire de Mary une femme de chambre acceptable. Cela l'amusait et l'occupait, car sur le bateau, les distractions étaient rares.

— On ne sait jamais, disait-elle, ça peut te servir un jour. Évidemment, moi je n'en profiterai pas, puisque nous allons devoir nous séparer bientôt.

Cette idée l'attristait. Elle serrait alors la main de la fillette et se lamentait :

— Oh, Mary, comment vais-je pouvoir me passer de toi ?

Pour la consoler, Mary lui rappelait qu'elles s'étaient promis de prier l'une pour l'autre et de ne pas s'oublier.

Elena l'approuvait :

— Tu as raison. De toute façon, ça ne sert à rien de s'affliger.

Et elle se remettait à bavarder. Malgré son apparente sagesse, Mary avait plus de mal que madame Shandon à chasser les pensées importunes. Tandis qu'elle coiffait Elena avec la brosse à manche d'argent, qu'au début elle osait à peine toucher, l'inquiétude parfois l'empoignait.

La perspective de la dernière partie du voyage ne lui disait rien qui vaille et son issue encore moins. Elle se souvenait des lettres de Nuala qui « avait vu » la rue des banques lors d'une incursion, vraisemblablement unique, dans les beaux quartiers. Elle aussi, on l'y conduirait sans doute, un dimanche après-midi, pour lui montrer comme l'Amérique était belle. Mais elle n'y retournerait pas. Elle vivrait près des docks, comme tous les immigrés irlandais. Elle n'avait pas besoin qu'on lui décrive le port de New York : elle avait vu celui de Belfast, et c'était suffisant pour imaginer la crasse et la misère des abords de l'Hudson. Elena, quant à elle, habiterait le quartier des riches à Québec avec son mari issu de la haute bourgeoisie de Belfast. Si elle était demeurée auprès d'elle, dans son rôle actuel de servante-confidente, Mary aussi aurait vécu dans les beaux quartiers.

Plus elle fréquentait Elena, plus elle trouvait sa tante commune et grossière. De toute sa volonté, elle refusait de devenir comme Nora. Pour cela, elle s'efforçait d'acquérir les manières de la jeune femme policée qu'elle avait la chance de côtoyer. Chaque fois qu'Elena allait prendre l'air sur le pont en compagnie de son époux, Mary s'entraînait à lui ressembler. Dans la cabine, en attendant le retour de sa maîtresse, la jeune femme de chambre s'installait à la coiffeuse, prenait le miroir et faisait des mines à son reflet. Elle s'essayait à imiter la moue souriante d'Elena disant au capitaine, faussement confuse : « Oh, maître Campbell, vous êtes trop aimable ! »

La première fois qu'elle s'était installée à la place d'Elena, Mary avait eu le sentiment que c'était répréhensible, mais elle s'était vite convaincue qu'il n'y avait rien de mal à s'asseoir sur une chaise pour se regarder dans un miroir. Par contre, cela n'aurait pas été bien de mettre sur ses épaules le châle en lainage d'Elena, celui qui était brodé de pivoines rouge vif sur fond ivoire, et qu'elle n'utilisait que dans la cabine. Sa propriétaire l'avait jeté négligemment sur le lit avant d'en prendre un plus riche et plus beau. Mary, qui le trouvait superbe, rêvait de s'envelopper dans le châle fleuri, mais elle ne le faisait pas, car elle aurait eu l'impression de tromper la confiance d'Elena.

La fillette était assez contente de son imitation de la moue d'Elena : c'était très ressemblant. Quant à l'intonation, aimable, mais légèrement protectrice lorsqu'elle s'adressait à des subalternes, pour autant qu'elle put en juger, c'était la même que celle de la jeune madame Shandon. Malheureusement, même si elle la singeait à merveille, elle ne serait jamais pareille à Elena. La nature l'avait malencontreusement dotée d'une chevelure aussi sombre que le plumage d'une corneille. À cela s'ajoutait un visage maigre et pâle avec des yeux trop grands, hélas, noirs eux aussi. Pour faire oublier sa laideur – fallait-il que sa mère l'aime pour lui dire qu'elle était la plus belle petite fille du hameau ! –, elle s'efforçait d'avoir une allure distinguée. Quittant la coiffeuse, elle s'exerçait à parcourir la cabine exiguë d'un pas léger et alangui.

Dans l'entrepont, Mary arborait ses nouvelles manières de jeune fille éduquée, s'attirant les sarcasmes de Nora :

— Depuis qu'elle vide le pot de chambre de «madame», «mademoiselle» se prend pour une dame, claironnait-elle pour provoquer les rires de son entourage.

Les voisins, ravis de la distraction, abondaient dans le sens de Nora et se moquaient de la fillette avec d'autant plus de virulence qu'ils enviaient son statut privilégié et l'auraient souhaité pour leurs propres filles.

Mais la victime n'en avait cure, car, au contraire des rieurs, elle mangeait à sa faim. En effet, Nora avait obtenu que les Shandon nourrissent Mary en sus du salaire qu'elle s'était approprié. Elle y avait gagné une part de biscuits et de pommes de terre. Mais tous les soirs, elle crevait de jalousie au récit de ce que Mary avait mangé. La servante d'Elena n'était pas nourrie comme sa maîtresse, tant s'en fallait – nul n'avait songé, par exemple, à lui faire goûter au marsouin qu'un matelot avait harponné et dont les passagers des cabines s'étaient régalés –, mais elle mangeait beaucoup mieux qu'eux tous. L'insatiable Nora et ses voisins bavaient d'envie à la description du plat de haricots au porc qui faisait désormais l'ordinaire de la fillette. Pour se venger de leurs moqueries, Mary exagérait la taille du morceau de viande, et le silence se faisait tandis qu'ils se représentaient l'inaccessible platée.

Une nuit, Mary fut réveillée par un spasme à l'abdomen : c'était la vieille douleur, celle qui avait motivé son départ pour l'Amérique. Elle ne l'avait plus ressentie depuis l'Irlande et avait fini par croire qu'elle avait disparu à jamais. Mais voilà qu'elle était revenue, aussi forte, aussi vivace, aussi angoissante. De plus, cette fois, elle s'accompagnait d'une curieuse sensation d'écoulement entre les cuisses. La fillette y porta une main hésitante qu'elle ramena humide et poisseuse. Il faisait trop sombre pour qu'elle voie ses doigts. Alors, elle les sentit. L'odeur, douceâtre, vaguement écœurante, lui était inconnue. Qu'était-ce ? Du sang, peut-être ? Est-ce que son corps se vidait ? La panique l'envahit. Si cela continuait ainsi, au matin, elle serait morte. La main serrée entre ses cuisses pour contenir le flux, elle se mit en boule sous la couverture dans une tentative puérile de redevenir toute petite afin de donner moins de prise au malheur.

Cette nuit-là, Mary ressentit son abandon et sa solitude avec une intensité plus forte encore que de coutume. Elle avait désespérément envie d'avoir sa mère auprès d'elle. Elle lui tiendrait la main, l'appellerait sa sombre petite rose et lui chanterait une ballade dans la langue de ses ancêtres – qu'elle ne comprenait pas vraiment, mais qui était celle de la tendresse et du réconfort. L'évocation de Maureen lui arracha des sanglots secs qui déchiraient sa poitrine. Afin de ne pas réveiller Nora, elle mordit sa couverture pour s'empêcher de faire du bruit.

Alors qu'elle se croyait seule au monde, Mary sentit une main se poser sur ses cheveux et une voix compatissante lui demander :

— Qu'est-ce qu'il y a, petite? Dis-moi ce qui ne va pas.

C'était madame Butler. Elle s'assit sur le bord de la couchette, prit la fillette dans ses bras et la berça avec douceur tout en murmurant les paroles lénifiantes qu'elle prodiguait si souvent à sa nichée. La tête appuyée sur la poitrine molle de la femme, protégée par ses bras maternels, Mary parvint à se maîtriser et put décrire ses malaises. Elle expliqua qu'ils avaient été la cause de son départ, dit leur disparition et leur retour cette nuit. Puis elle se tut, hésitant à révéler que son corps se vidait, de peur que la femme ne s'en aille par crainte de la contagion et qu'on l'enferme dans la cabine de l'infirmerie, où elle mourrait toute seule.

Mais madame Butler avait perçu la réticence et elle insista :

— Il n'y a pas autre chose ? Dis-moi !

Alors, Mary se résigna à avouer son mal – de toute façon, il serait vite découvert. S'attendant à être repoussée avec horreur, elle eut la surprise d'entendre sa consolatrice étouffer un petit rire :

— Ce n'est que ça ! Ne t'en fais pas, on n'en meurt pas !

Et elle expliqua à Mary, qui n'en revenait pas, qu'elle perdrait son sang toutes les lunes, comme toutes les femmes. Sauf lorsqu'elle serait enceinte, évidemment, ajouta-t-elle avec un soupir.

— Ça va durer trois ou quatre jours. Il suffit de mettre une guenille entre les cuisses et il n'y paraîtra pas.

La révélation était si inattendue que Mary, stupéfiée, ne songea même pas à remercier madame Butler. Celle-ci se releva péniblement et lui dit avec gentillesse :

— Allons petite, dors maintenant.

Mais l'émotion avait été trop forte. Tandis que passaient lentement les heures de la nuit, ponctuées par les ronflements, les pets et les gémissements des dormeurs qui l'entouraient, la rancune qu'elle éprouvait contre sa mère la tenait éveillée. Pourquoi Maureen ne l'avait-elle pas avertie de ce qui allait lui arriver?

Les premiers oiseaux, aperçus la veille, avaient annoncé la proximité de la terre, et tout le monde voulait rester sur le pont afin de l'apercevoir dès qu'elle apparaîtrait. Dans la sainte-barbe, la compétition était féroce pour obtenir le droit d'être en haut, car maître Campbell avait sévèrement réglementé le nombre de personnes pouvant s'y trouver en même temps sans compromettre l'équilibre du navire. Ces restrictions, évidemment, n'affectaient pas les passagers des cabines qui passaient le plus clair de leurs journées à scruter l'horizon.

On voyait parfois des icebergs flotter à proximité. Des oiseaux s'y perchaient et plongeaient dans les flots pour en ressortir avec un poisson dont les écailles miroitaient au soleil. Tandis qu'Edward jouait aux dames avec monsieur Hobbes, Elena, paresseusement accoudée à la rambarde en compagnie de Mary qui tenait son châle tout en suivant la partie du coin de l'œil, regardait la mer sans la voir. Soudain, son attention fut attirée par une masse blanchâtre qui bougeait sur une plaque de glace.

— Regardez! cria-t-elle en pointant le bout de son ombrelle. On dirait un ours!

Tous ceux qui l'entendirent se précipitèrent pour voir qu'en effet, un énorme ours polaire dérivait sur un bloc de glace.

— Il est perdu, dit le capitaine. Il n'a aucune chance de s'en tirer. Il est trop loin de la côte pour la rejoindre à la nage.

— Mais on ne peut pas l'abandonner ainsi, supplia Elena, il est si beau!

— Hélas, madame, on ne peut rien faire. Ce bloc de glace qui vous paraît petit, est énorme en réalité, et il ferait couler le bateau si on le percutait. Quant à l'ours, qui n'a pas l'air plus gros qu'un jouet, c'est un animal féroce qui pèse sans doute plus d'un millier de livres.

— Mais alors, balbutia Elena, que va-t-il lui arriver ?

— Il va finir par mourir de faim. À moins que quelqu'un n'abrège ses souffrances.

Se tournant vers les joueurs de dames, il proposa :

— Messieurs, voilà une belle cible. Qu'en dites-vous ?

Edward Shandon et monsieur Hobbes, sautant sur l'occasion, s'en allèrent chercher leurs armes. Pour ne pas assister à la mise à mort qu'elle avait involontairement provoquée, Elena quitta le pont.

— Pourquoi ? Mais pourquoi donc en ai-je parlé ? Il y aurait peut-être eu un miracle. Il s'en serait peut-être sorti.

Et elle ajouta avec hargne :

— Dans ces moments-là, je déteste Edward !

Mary parla de choses et d'autres, pour lui changer les idées et pour tenter elle-même d'oublier que bientôt, le bel animal serait couché sur la glace avec de grosses taches rouges sur sa fourrure blanche, tandis que les goélands se battraient pour sa dépouille.

Mary, retenue auprès d'Elena toute la journée, se réjouissait d'échapper à la violence et à la mesquinerie de l'entrepont. Le voyage durait depuis sept semaines, et la promiscuité avait créé des tensions qui éclataient plusieurs fois le jour. Cela commençait par une joute verbale entre deux personnes, à laquelle se mêlaient nombre de gens qui n'avaient rien à y voir, et finissait en empoignade. Nora, toujours prête à critiquer les uns et les autres, était souvent aux premières loges. Une fois, Mary l'avait trouvée en train de se prendre aux cheveux avec madame Butler. La tension entre elles couvait depuis longtemps, car Nora, qui n'avait pourtant rien fait pour s'attirer l'affection de sa nièce, était jalouse de voir l'intimité de Mary avec cette femme. De plus, la fillette aidait madame Butler à s'occuper de ses plus jeunes enfants sans que sa tante puisse en tirer le moindre bénéfice.

— Elle aime tellement torcher, ricanait-elle, qu'elle continue à le faire même sans être payée.

Mary ne répondait pas, au grand dam de Nora qui aurait voulu saisir le prétexte d'une insolence pour lui infliger une correction.

Les émigrants passaient continuellement de l'agressivité à l'abattement. Pendant la traversée, l'espoir qu'une vie meilleure les attendait de l'autre côté de l'Atlantique les avait soutenus, mais à mesure que le terme approchait, ils étaient pris de l'angoisse que le Nouveau Monde ne soit pas si différent de l'ancien. Pour se rassurer, ils rabâchaient des récits de succès mythiques, attribués à tel ou tel de leur compatriote exilé dont on ne savait trop ni le nom ni le comté d'origine, ce qui mettait à l'abri de tout démenti.

Dès que le *William Fell* eut doublé Pointe-des-Monts, où un phare nouvellement construit facilitait la navigation, une chaloupe mâtée, portant un numéro peint en noir sur ses flancs, fit voile vers le navire. Le capitaine Campbell expliqua aux époux Shandon qu'il s'agissait d'un pilote venant proposer ses services pour les guider jusqu'à Québec. En effet, l'aide d'un natif ayant une bonne connaissance du fleuve était nécessaire pour éviter les accidents, car le chenal du Saint-Laurent était encombré de hauts-fonds et d'écueils qui avaient, par le passé, causé bien des naufrages.

Le capitaine et le pilote s'entendirent sur le prix et l'homme monta à bord.

Depuis que le navire avait atteint le golfe du Saint-Laurent, les Irlandais regardaient avidement cette terre d'Amérique qui avait été si longue à atteindre. Pour des gens ayant quitté un pays surpeuplé et déboisé, la surprise était grande d'apercevoir des arbres sans fin, une forêt qui arrivait jusqu'à la grève. Parfois, dans une anse, massé autour d'un quai, un groupe de maisons ou de cabanes – vu du milieu du fleuve, la différence était difficile à faire – indiquait un hameau de pêcheurs. La contrée était peu habitée, et ils y voyaient la preuve qu'il y aurait là de la place pour eux. L'heure était à l'optimisme, et l'équipage, qui savait que ce ne serait pas aussi simple, ne se mêlait pas de les détromper.

Les passagers s'étonnaient de la largeur du fleuve et du fait que la marée remonte aussi haut dans les terres. Au pilote, qui leur affirmait qu'elle était sensible jusqu'au lac Saint-Pierre, à plus de six cents milles du golfe, ils opposaient une mine incrédule. L'estuaire était parsemé d'îlots plus ou moins grands dont certains étaient habités. L'homme, un vieux marin bavard qui prenait plaisir à pérorer devant une cour d'auditeurs, les nommait au passage : île du Bic, île Verte, île du Pot à l'Eau-de-Vie, Grande île de Kamouraska, île aux Lièvres... Edward Shandon se méfiait de son côté charlatan, mais le capitaine, qui avait déjà eu affaire à lui, était sûr de l'homme. Il affirma au passager sceptique qu'il avait confié leur sort à quelqu'un qui connaissait parfaitement les pièges et les humeurs du cours d'eau. Le pilote prouva son efficacité et son sérieux avec l'apparition de la brume. Plusieurs jours durant, il naviqua à la sonde, scrutant le fleuve, sourd à tout le reste, donnant d'une voix sèche et précise les indications au capitaine qui tenait le gouvernail. Lui seul parvint à repérer la pâle clarté du bateau-phare de Saint-Roch-des-Aulnaies, ce qui finit de convaincre monsieur Shandon qu'ils étaient en bonnes mains.

Le soleil revint juste avant d'arriver à l'île de la quarantaine, la Grosse-Île, où le voilier se mit en rade pour l'inspection sanitaire.

L'été précédent, le choléra, amené par les bateaux d'émigrants, avait tué des milliers de personnes en l'espace d'une saison. Afin que la catastrophe ne se reproduise pas, les autorités de la colonie — accusées d'avoir fait preuve de laxisme et, pour cette raison, d'être en partie responsables de l'épidémie — avaient instauré un processus de vérification de l'état de santé des occupants de chaque navire, qui se voulait aussi strict que possible. S'il y avait parmi eux un malade suspect ou si le nombre de décès durant la traversée était anormalement élevé, tous les passagers étaient gardés en observation et le capitaine devait hisser un pavillon jaune en haut du grand mât de perroquet.

Située à peu de distance de Québec, la Grosse-Île — dont l'étendue médiocre ne justifiait pas le nom — avait un aspect avenant. Du côté du chenal où le *William Fell* était à l'ancrage, elle était bordée par une plage sablonneuse qui avait dû accueillir des pique-niqueurs en villégiature dans les temps d'avant le choléra. Maintenant, elle n'était plus foulée que par des malades ayant perdu tout espoir de guérison et par les gens qui se dévouaient pour tenter d'adoucir leurs derniers moments. L'île était boisée, à l'exception des clairières qui avaient été aménagées pour accueillir les bâtiments de la quarantaine : des hangars, un hôpital, deux chapelles – l'une catholique, l'autre protestante. Au sommet d'une éminence, une dizaine de moutons et une chèvre paissaient à côté d'un sémaphore qui servait à envoyer les messages.

Sur le voilier, chacun arrangeait sa mise du mieux qu'il le pouvait en vue de l'arrivée à bord du médecin-inspecteur. Le capitaine avait autorisé les passagers de la cale à profiter du soleil pour laver leurs hardes, qu'ils avaient accrochées au gréement. Mais il avait fallu les lessiver à l'eau de mer, qui nettoie mal, et dont le sel, en séchant, durcit l'étoffe. C'était donc raides, dans des vêtements paraissant amidonnés et fleurant la saumure, qu'ils s'apprêtaient à franchir la dernière étape les séparant de la terre promise. Les habits leur irritaient la peau et leur causaient des rougeurs, mais ils ne s'en souciaient pas, car ils se sentaient propres comme ils ne l'avaient plus été depuis des semaines, et cela leur rendait un sentiment de dignité.

Mary avait échappé à la disgrâce collective, car elle avait pu passer sa robe dans le baquet d'eau douce où elle avait lavé les affaires d'Elena. Certes, l'eau roussâtre, malodorante et grouillante de vers qui restait dans les tonneaux n'était pas très engageante, mais, du moins, elle assouplissait les tissus. Mary l'avait filtrée dans un linge pour retenir les vers qu'elle avait jetés par-dessus bord. Ainsi, elle était moins dégoûtée d'y tremper les mains. Elle essayait d'oublier que c'était la même eau qu'elle buvait, voulant croire, comme s'y efforçaient aussi tous les autres passagers, que le vinaigre que l'on y ajoutait la purifiait de cette vermine.

C'est avec les Shandon, eux-mêmes aux côtés du capitaine Campbell et de sa femme, qu'elle attendait, le châle en cachemire de sa maîtresse plié sur son bras pour le cas, fort improbable, où la température de cette fin de mois de mai exceptionnellement ensoleillée fraîchirait. C'était sa dernière journée de femme de chambre-confidente, et elle regardait avec nostalgie la jeune bourgeoise qu'elle allait quitter pour toujours. Elena était très belle dans sa robe de linon blanc brodée au plumetis et avec sa capote de paille blonde nouée sous le menton par un large ruban bleu assorti à ses yeux. Elle était appuyée au bras de son mari dont la redingote et le haut-de-forme noirs, un peu solennels, faisaient contraste avec sa toilette et la rendaient encore plus charmante. Elle tenait son ombrelle avec grâce et souriait aux propos du capitaine que Mary n'entendait pas. La fillette, pour sa part, même s'il était trop chaud pour la journée, arborait fièrement le châle fleuri de pivoines qu'Elena lui avait offert.

Sachant que les derniers moments seraient fort agités, la jeune femme avait fait ses adieux à Mary la veille au soir. Elle lui avait répété sa reconnaissance de l'avoir aidée, mais surtout d'avoir égayé la fin du voyage par ses facéties et sa bonne humeur, et elle avait regretté une fois de plus qu'il leur faille se séparer :

— Je n'en trouverai pas une autre comme toi. J'aurais préféré que tu sois là pour l'arrivée du bébé. Tu prieras pour moi quand le temps sera venu, n'est-ce pas?

Mary promit d'une voix enrouée.

— Je veux te donner un souvenir, ajouta Elena en parcourant la cabine des yeux. Qu'est-ce qui te ferait plaisir?

Elle tripota les objets qui jonchaient la coiffeuse.

— Un peigne pour les cheveux? Un éventail? Non! Quelque chose d'utile.

Elle avisa le châle sur le lit et son visage refléta la satisfaction.

— Voilà ce qui convient! Chaque fois que tu le porteras, tu te souviendras de moi, dit-elle en le posant sur les épaules de Mary que le bonheur rendit muette.

Mais son regard était éloquent, et Elena, touchée, la serra dans ses bras.

— Je te souhaite d'être heureuse, ma petite Mary.

La fillette avait fait une entrée remarquée dans l'entrepont. Sa robe marron, si terne, disparaissait en grande partie sous le châle flamboyant. De plus, elle était chaussée des souliers qu'Elena lui avait donnés dès ses débuts à son service, car, disait-elle, elle ne pouvait pas avoir une amie qui allait pieds nus. Comme, jusqu'à ce jour, Mary avait laissé les souliers dans la cabine des Shandon pour ne les enfiler que le matin, en arrivant, personne ne les avait encore vus.

Les conversations s'étaient arrêtées. Jusqu'à ce qu'elle rejoigne sa place, elle avait été suivie des regards envieux de toute la gent féminine. Quant à Nora, son visage exprimait une telle convoitise, alors qu'elle palpait l'étoffe du châle, que Mary, craignant qu'elle ne s'en empare, avait refusé de s'en séparer et l'avait gardé toute la nuit sur sa couchette, une main posée dessus. Madame Butler, qui était tout près, avait approuvé :

— Tu as raison, petite, si tu lui laisses dans les pattes, tu ne le reverras jamais.

Nora, folle de rage s'était jetée sur la femme, mais elle n'avait pas eu le dessus et y avait même perdu une poignée de cheveux, au grand plaisir de sa nièce.

De la Grosse-Île, ils virent arriver un grand canot mû par quatre rameurs. Le médecin était à la barre. C'était un homme âgé, vêtu d'un manteau de cuir, malgré la chaleur, et coiffé d'un chapeau de paille à larges bords. Il avait un visage fatigué et répondit sans sourire aux salutations du capitaine dont la bonhomie, un peu forcée, tomba à plat. Le docteur Fergusson n'avait pas de temps à perdre. Il passa rapidement en revue les passagers alignés sur le pont, scrutant les visages avec attention. Il s'arrêtait parfois, faisait tirer une langue, soulevait une paupière pour vérifier le blanc d'un œil et hochait la tête en marmonnant :

— Mal nourris. Ils sont tous mal nourris.

Le docteur s'engouffra ensuite dans l'entrepont dont il ressortit un moment plus tard pour demander le journal de bord. Il l'examina, puis signa les certificats de santé qu'il tendit au capitaine en disant :

— Ça va, vous pouvez repartir.

Il redescendit dans sa barque et s'éloigna en direction d'un autre voilier qui attendait son inspection.

Le capitaine Campbell, dont le soulagement était visible, fit hisser le pavillon rouge
au grand mât du *William Fell* et ordonna
aussitôt de lever l'ancre afin de parcourir
les derniers milles qui les séparaient de leur
destination.

Les bagages des Shandon étaient prêts et
attendaient dans la cabine tandis que leurs
propriétaires restaient accoudés au bastingage
pour ne pas manquer l'apparition de Québec.
Elena était nerveuse et elle envoyait sans cesse
Mary chercher divers objets tout à coup indispensables : un mouchoir, un éventail, un
châle. À l'un de ses retours de la cabine, la
fillette vit que son oncle et sa tante exécutaient
une bizarre pantomime derrière les Shandon.
Nora poussait Dermot en lui disant :
— Vas-y ! Mais vas-y donc !
Dermot grognait qu'elle n'avait qu'à y
aller elle-même, puisqu'elle y tenait tant.
— Non ! insistait Nora, il vaut mieux que
ce soit toi.
Insidieusement, elle le poussait vers eux
et, quand il fut tout près, elle toussa pour
attirer leur attention. Monsieur Shandon se

retourna. Il les reconnut et leur demanda ce qu'ils voulaient.

Dermot, gêné, se dandinait. Puis il se lança, aiguillonné par les coups de coude de Nora :

— On s'est dit… enfin, je me suis dit… Mary doit aller à New York. Ça va prendre du temps pour organiser son voyage. Alors, si ça arrange votre dame, vous pouvez la garder quelques jours de plus. Une semaine, peut-être.

— Oh oui ! intervint Elena.

— Très bien, c'est entendu, accepta monsieur Shandon.

Mais les Connoly restaient là. Ils avaient visiblement autre chose à demander. Comme Dermot ne se décidait pas, c'est Nora qui réclama :

— Et pour ses gages…

— Nous vous paierons quand vous viendrez la chercher, répondit monsieur Shandon, un peu impatient.

— C'est que, insista Nora, ça nous aurait aidés pour acheter son billet.

En entendant cela, Mary ne put se contenir :

— Ce n'est pas vrai ! cria-t-elle à sa tante en se dressant devant elle. Mon père vous a donné de l'argent.

Edward Shandon, qui avait amorcé un geste vers son gousset, s'interrompit. Il regarda Nora avec mépris et confirma :

— Vous aurez ses gages au moment où elle quittera notre service.

Puis il tourna le dos. Se penchant vers Elena, il lui désigna un pêcheur qui venait de faire une belle prise dans une barque qui croisait à proximité.

Les Connoly, dépités, s'en allèrent les mains vides. Puisqu'elle ne devait pas débarquer avec eux, Mary les suivit jusqu'à l'entrepont dans l'intention de récupérer ses affaires. Elle était heureuse de prolonger son séjour auprès d'Elena, surtout que cela diminuait d'autant la cohabitation avec sa tante. Les paquets étaient faits depuis la veille et ils étaient entassés sur la couchette de Dermot. Mary allait prendre son sac, quand Nora s'interposa :

— Laisse-le, on va s'en occuper. De toute façon, tu n'en as pas besoin. Et puis, tu n'auras pas assez de tes deux mains pour porter les affûtiaux de «madame», alors, inutile de t'encombrer de ton sac.

Mary fut étonnée de cette sollicitude. Nora disait vrai, mais elle ne s'attendait pas à être aidée. Curieusement, sa tante ne semblait pas lui tenir rigueur de la scène qui venait de se produire. Le plaisir de se débarrasser de sa nièce devait être plus fort que l'humiliation. Pendant le voyage, elle avait sans cesse répété à Mary qu'elle était une charge. De toute façon, cet argent que monsieur Shandon venait de lui refuser, elle finirait par l'avoir. Et aussi, perspective réjouissante, les Shandon auraient la charge de nourrir sa nièce jusqu'au départ pour New York. Quoi qu'il en soit, la proposition de Nora rendait service à Mary, et elle la remercia sans toutefois parvenir à lui sourire.

Avant qu'elle ne reparte, sa tante lui suggéra d'ôter le châle d'Elena et de le mettre dans le sac. Mary refusa, car il lui semblait de bon augure d'arriver sur le nouveau continent dans ses plus beaux atours. Nora insista beaucoup, alléguant qu'elle risquait de l'abîmer en portant les bagages, mais la fillette n'en voulut pas démordre : elle garderait le châle sur elle.

Elle s'apprêtait à regagner le pont quand son oncle s'avança pour la prendre dans ses bras avec une tendresse maladroite et tout à fait inattendue. Il l'embrassa et lui souhaita bonne chance. Nora le rabroua. Ils allaient la retrouver dans une semaine. Il serait temps à ce moment-là de faire du sentiment. Dermot eut l'air confus et presque honteux. Mary fut surprise de la curieuse attitude de son oncle qui venait de lui manifester de l'affection pour la première fois. S'il n'avait pas eu aussi peur de Nora, regretta-t-elle, il aurait sans doute été plus gentil, et cela lui aurait rendu le début du voyage moins pénible.

Après un ultime regard dégoûté à l'entrepont où elle avait passé des moments si difficiles, elle s'engagea pour la dernière fois dans l'échelle qui menait à l'air libre.

On longeait maintenant une île beaucoup plus importante que les autres : l'île d'Orléans, toute proche de Québec. Les maisons aux murs chaulés, entourés de bâtiments de ferme, les vaches et les moutons au pacage, un clocher de loin en loin – que le pilote, originaire de l'île, nommait avec fierté –, tout concourait à lui donner une apparence de prospérité. Les pauvres se repaissaient de cette vision, qui leur inspirait des rêves d'abondance, et les nantis imaginaient de plaisantes promenades en calèche sur le chemin surplombant les battures.

Aux environs de Québec, dans chaque anse du fleuve, ceux que le pilote appelait «les sauvages» avaient établi des campements. Un canot d'écorce de bouleau à l'amarre, une tente, d'écorce elle aussi, une couverture de laine défraîchie, séchant entre deux arbres, et un chaudron accroché à une crémaillère de fortune, pendant à une branche, parlaient un autre langage que les fermes de l'île d'Orléans. Tout ici évoquait l'indigence, à l'instar de la vêture des gens qui mêlait de manière anarchique les éléments de fabrication ancestrale à des pièces empruntées aux Français ou aux Anglais. Les mocassins et les jambières de peau associés aux capots de laine et aux ceintures fléchées, sans oublier les chapeaux de feutre noir ou les bérets rouges agrémentés de plumes, provoquaient l'ahurissement des voyageurs.

Québec apparut enfin. Dominé par un plateau sur lequel s'élevaient une citadelle, un château et de nombreux bâtiments religieux reconnaissables à leurs clochers, le port, situé au pied d'une falaise abrupte, grouillait de bateaux. Ceux qui arrivaient déchargeaient des émigrants, alors que les autres faisaient le plein de bois, de céréales ou de pelleteries, avant de repartir. Tous étaient originaires du Royaume-Uni, car la colonie n'avait pas le droit de commercer avec d'autres pays.

Le *William Fell* s'avança jusqu'au quai, louvoyant entre les canots des Amérindiens et les radeaux de bois que des hommes armés de perches guidaient vers des navires ancrés au large. Chaque pouce de terrain de l'étroite bande de terre, entre fleuve et falaise, était construit de maisons étroites et d'entrepôts. Cet entassement au niveau de l'eau contrastait avec l'aspect de la crête, visiblement bâtie de demeures spacieuses et cossues. Bien que, pour la plupart des arrivants, Québec ne fût qu'une étape, ils regardaient la ville de tous leurs yeux. Après tant de jours en mer, la tempête du début de la traversée et la crainte toujours présente des épidémies, toucher terre paraissait relever du miracle.

Les passagers des cabines se préparèrent à descendre en premier. Avant de quitter le navire, Mary se retourna vers les émigrants qui attendaient leur tour. Ils avaient tous le même air angoissé avant la plongée dans l'inconnu, et l'intense activité des quais n'était pas pour les rassurer. Elle fit un dernier signe d'amitié à madame Butler qui serrait sa marmaille contre elle, redoutant d'égarer un enfant dans le désordre du débarquement. L'oncle Dermot détourna son regard avec gêne, tandis que Nora arborait un sourire content. Le capitaine, après avoir fait ses dernières amabilités aux Shandon, se tourna vers le menu fretin, la mine revêche, pour s'assurer qu'il n'y aurait pas de bousculade.

En s'engageant sur la passerelle, Mary se souvint de la promesse solennelle faite au lendemain de la tempête : « si elle survivait à cette traversée, elle ne referait plus jamais un voyage en mer de toute sa vie, dût-elle vivre jusqu'à cent ans. » Elle avait survécu, et elle n'avait pas changé d'avis. Un instant, elle songea à sa famille : Sean, Maureen, et les petits, Patrick, Paddy, Liam. Une boule se forma dans sa gorge. Elle ne reverrait pas les siens en ce monde. Elle devrait désormais se contenter d'avoir de leurs nouvelles une fois l'an, lorsque son père demanderait au curé d'écrire à Nuala. Ce serait si peu de chose. Mary repoussa l'afflux de tristesse et de regrets. Arrangeant sur ses épaules le châle aux pivoines, elle débarqua d'un pas ferme sur la terre d'Amérique qui allait désormais être la sienne.

Conseillés par le capitaine du *William Fell*, qui connaissait parfaitement Québec pour y avoir relâché pendant des années, les Shandon descendirent à l'auberge Tessier. La patronne avait transformé en pension le vaste magasin de la place du marché hérité de son époux en le divisant en petites chambres. Elle les accueillit avec une chaleur toute commerciale, passant sans arrêt de l'anglais souriant qu'elle réservait aux nouveaux venus à un français autoritaire et sec destiné à l'homme de peine qui transportait leurs bagages. Avec une fierté manifeste, elle précéda ses clients à l'étage où elle leur fit les honneurs d'une chambre étriquée encombrée de meubles. Après les avoir plusieurs fois assurés de son entier dévouement à leur égard, elle s'en alla sur une dernière courbette.

Edward se rafraîchit, puis il quitta Elena, la laissant aux bons soins de sa femme de chambre. Muni de la lettre d'introduction de son père à monsieur Chambers, le grand patron du chantier naval qui portait son nom, il s'en fut en quête d'un fiacre qui le conduirait sur le bord de la rivière Saint-Charles où se trouvait le chantier.

Épuisée par la chaleur orageuse, Elena s'effondra sur le lit. Mary l'aida à se dégrafer et lui bassina le front et les tempes avec l'eau fraîche que l'aubergiste avait fait monter. La jeune femme ferma les yeux, et Mary s'assit pour ne pas la déranger. Au bout d'un moment, la respiration régulière d'Elena lui apprit qu'elle s'était endormie.

Mary n'osait pas ranger les bagages, de crainte de l'éveiller, ni sortir dans la rue parce qu'elle pourrait avoir besoin d'elle. Elle se mit à la fenêtre, les bras ballants, désœuvrée. Elle n'avait pas vraiment de curiosité pour cette ville. Pourquoi s'y intéresser, puisqu'elle n'y resterait que quelques jours? Pour se désennuyer, elle regardait les passants. Il y avait beaucoup de soldats. Des soldats anglais. Comme en Irlande. Ils riaient et parlaient fort, par groupes de trois ou quatre. Des femmes pressées levaient un regard méfiant vers le ciel plombé avant d'entrer dans le bâtiment qui occupait le centre de la place. Un marché, sans doute, puisqu'elles en ressortaient chargées de légumes qui dépassaient de leurs paniers. Mary supposa, au vu de leur mise modeste, que c'étaient des servantes. Parfois, un équipage passait, soulevant un nuage de poussière. On apercevait à la portière un élégant chapeau de paille et un éventail agité mollement par une main gantée de dentelle blanche. Dans quelques jours, cette femme serait peut-être l'amie d'Elena.

Dans quelques jours… Mary se demandait comment elle serait reçue à New York. Elle n'avait pas d'inquiétude au sujet de sa grand-mère : Nuala la réclamait depuis longtemps, elle serait contente de la voir. Mais son oncle new yorkais et surtout sa tante ? La récente expérience avec les Connoly lui avait appris que vivre avec des parents n'est pas toujours facile. Elle supposait qu'ils n'allaient pas la nourrir à ne rien faire. Quelle sorte de travail lui trouveraient-ils ? La formation de femme de chambre qu'Elena lui avait donnée pendant le voyage lui éviterait peut-être des travaux plus rudes. Mais les Irlandais des docks avaient-il accès au monde qui emploie des femmes de chambre ?

Elena s'éveilla, la tirant de ses réflexions. La chaleur accablante incommodait la jeune femme fatiguée par son début de grossesse.

Mary s'empressa, fit remplacer l'eau tiédie par de la fraîche, l'éventa. L'orage, qui menaçait depuis des heures, paraissait imminent. Quand il aurait éclaté, il ferait meilleur. Mais en attendant, on étouffait. Elena était démoralisée. Elle geignait qu'il n'y avait rien à espérer d'un pays dont le climat vous vidait de toute énergie. Mary essayait de l'encourager, mais elle était elle-même trop affectée par l'incertitude pour être convaincante.

Edward arriva comme les premières gouttes de pluie s'écrasaient sur les vitres. La lettre du père Shandon avait fait merveille, et il put annoncer à sa femme qu'il avait une situation : monsieur Chambers l'avait nommé responsable des échanges commerciaux entre ses chantiers et ceux de son père. Comme il lui avait aussi ouvert un crédit à la Banque de Québec, ils allaient pouvoir se mettre en quête d'une maison digne de ses fonctions et quitter cette auberge où ils n'avaient pas beaucoup plus de place que sur le bateau. Le moral d'Elena remonta en flèche, et elle était tout sourire en se préparant pour le souper.

Dans la matinée du lendemain, un domestique en livrée vint apporter une invitation : madame Chambers, l'épouse du patron d'Edward, priait madame Shandon pour le thé. Ce fut un grand branle-bas. Elena voulait réussir son entrée dans la société de Québec, mais sa peur d'échouer lui faisait perdre tous ses moyens. Il lui fallait choisir une toilette appropriée. Elle les sortit toutes : celle-ci était trop décolletée pour l'après-midi, celle-là n'était pas assez légère avec le nouvel orage qui menaçait, une autre manquait d'élégance et sa préférée commençait à être démodée. Elle s'affala sur le lit au milieu des chiffons et se plaignit :

— Je n'y arriverai jamais !

— Si nous étions à Belfast, demanda Mary, laquelle conviendrait le mieux ?

Sans la moindre hésitation, Elena désigna une robe taillée dans une cotonnade fleurie dont le camaïeu de violet était éclairé par une berthe en organdi blanc.

— Alors, c'est celle-là qu'il faut mettre, décréta Mary avec une assurance tranquille.

Elena la regarda, interloquée, puis elle éclata de rire.

— Tu as sûrement raison. Pourquoi les choses seraient-elles différentes ici ?

Mais elle ne fut apaisée qu'un instant. Les doutes la reprirent. Comment madame Chambers allait-elle la recevoir quand elle saurait qu'elle était catholique ? Peut-être aurait-elle la même attitude que Victoria Shandon ? Malgré ses efforts pour l'oublier, Elena avait gardé vivace le souvenir de l'accueil glacial et méprisant de la sœur aînée d'Edward. Victoria, qui tirait fierté de porter le même prénom que la fille du duc de Kent, affectait de vouer à la famille royale une admiration sans bornes qui la poussait à imiter ses attitudes, croyances et opinions. On ne pouvait, évidemment, trouver grâce à ses yeux si l'on n'était pas anglican. Dès l'arrivée d'Elena sous son toit, elle n'avait cessé de se plaindre d'être obligée de cohabiter avec une papiste, comme s'il s'agissait d'une maladie honteuse qu'elle risquait de contracter. Mais Elena était sûre que Victoria aurait reçu n'importe quelle jeune fille de la même façon, quelle que soit sa confession. En réalité, ce qu'elle ne pardonnait pas à sa belle-sœur, c'était d'être l'épouse du seul fils Shandon, ce qui l'élevait au rang de maîtresse de maison. Or, Victoria tenait beaucoup à ce rôle, qu'elle jouait depuis plusieurs années, et elle n'entendait pas le céder. Le célibat d'Edward s'étant prolongé jusqu'à trente-cinq ans, elle avait imaginé que c'était définitif et la soudaine décision de son frère d'épouser Elena avait fait naître chez elle une jalousie mêlée d'amertume.

Un moment prise de court, Victoria Shandon n'avait pas tardé à réagir en montant contre le couple les tantes, oncles et cousins ainsi que la bonne société anglicane de Belfast. La vieille fille, aigrie d'avoir été laissée pour compte, régnait en tyran sur la maison familiale depuis la mort de sa mère, et leur père laissait faire, car elle s'entendait à rendre la vie impossible à qui lui résistait. Pour excuser sa lâcheté à ses propres yeux, il s'était dit que cela ne ferait pas de mal à Edward d'être obligé de prouver sa valeur. Cependant, il avait demandé à son vieil ami Chambers de veiller sur lui et, comme son fils venait de le découvrir, il lui avait ouvert un crédit dans une banque de la ville afin qu'il puisse tenir son rang. Ainsi, le vieil homme avait donné satisfaction à sa fille en bannissant le couple, ce qui lui avait assuré la paix au quotidien, mais il avait secrètement arrangé l'avenir des jeunes gens, de manière à avoir la conscience tranquille.

Le même domestique revint chercher Elena pour la mener, en calèche, à la résidence de madame Chambers. Après avoir quêté une dernière fois l'approbation du miroir et celle de sa femme de chambre, elle s'en fut, anxieuse et fébrile. Mary, convaincue qu'il y en aurait pour des heures, décida d'aller faire un tour dans la ville; il y ferait sans doute moins chaud qu'à l'auberge.

Elle fut vite détrompée. Place du marché, il n'y avait pas un souffle d'air. Mary avait entendu, sur le bateau, des émigrants dire que le Bas-Canada avait un climat très froid et elle se dit que c'était encore une de ces faussetés que les gens répètent bêtement, sans les vérifier. Jamais elle n'avait eu aussi chaud de sa vie, excepté dans la cale, bien entendu. En Irlande, entre deux pluies, le soleil ne tapait jamais fort, alors qu'ici, il était suffocant. Dès qu'elle mit un pied dehors, la poussière qui venait du sol en terre battue la piqua à la gorge et elle se mit à tousser. La chaleur l'oppressait, et elle se demandait si elle ne ferait pas mieux de retourner à l'auberge, quand la cloche sonna les heures à l'église toute proche. Mary n'était pas allée à l'église depuis son départ d'Irlande et elle eut envie d'y entrer, mais elle ignorait si c'était possible en dehors des offices. Tandis qu'elle balançait, une femme passa devant elle et entra. Elle la suivit.

La fraîcheur du lieu et sa relative obscurité la prirent par surprise. Elle ne put réprimer un frisson. Mais, très vite, elle s'y habitua et regarda autour d'elle. Il n'y avait pas de comparaison possible entre la grande chaumière qui tenait lieu d'église dans son hameau et ce lieu qui rutilait de dorures. Elle resta un moment bouche bée, jusqu'à ce qu'elle se rende compte qu'un prêtre, qui allait et venait dans le chœur, s'était arrêté pour l'observer. Alors, elle jeta un coup d'œil à la femme qui était entrée avant elle pour imiter son comportement. Agenouillée, le visage dans les mains, elle écarta légèrement ses doigts pour guetter le prêtre. Voyant qu'il s'était désintéressé d'elle, elle se détendit.

Le silence incitait au recueillement, et elle se mit à prier machinalement, disant les paroles tant de fois répétées en famille. Comme toujours, cela lui rendit les siens à la fois très présents et terriblement inaccessibles. Une sorte de détresse l'envahit, bientôt remplacée par la colère. Si elle était ici, loin de ceux qu'elle aimait, c'était à cause de son père. Sean O'Connor était responsable de ce gâchis. Jamais elle ne lui pardonnerait !

Au retour d'Elena, il y avait longtemps que Mary était revenue de son incursion à l'église. Elle était à la fenêtre, à regarder un baladin escalader un mât. Une petite foule amassée à l'entour lui criait des encouragements et une fillette, un bonnet de laine rouge à la main, sollicitait la générosité des badauds.

Elena revint joyeuse et rassurée. Tout s'était passé au mieux. Dans le salon de madame Chambers, elle n'était pas la seule catholique : les deux ou trois dames canadiennes présentes l'étaient également. Et elle avait appris, au hasard d'une conversation, que Lady Aylmer, l'épouse du gouverneur, était au mieux avec la supérieure des Ursulines, sœur Saint-Henri, bien qu'elle ne soit pas de la même confession.

De toute façon, chacun savait déjà que les Shandon étaient sous la protection du puissant monsieur Chambers. Cela seul comptait. Tout le monde s'était empressé auprès d'elle, demandant des nouvelles d'Europe. On voulait connaître les dernières modes et les plus récents potins au sujet des grands de ce monde. Pour la semaine à venir, Elena était invitée partout. Cet afflux de mondanités la ravissait. Le séjour canadien ne serait pas l'exil qu'elle avait craint.

Mais ce ne fut pas par cela qu'elle commença le récit de son après-midi. Ce qui l'avait frappée le plus était un détail stupéfiant : madame Chambers avait servi des glaces à ses invités !

— Tu te rends compte, avec la chaleur qu'il fait ! Elle a une glacière sous la terre. Elle me l'a montrée. L'hiver, elle y fait mettre des blocs de glace qui sont coupés sur le fleuve. Ainsi, en été, elle peut offrir des glaçons pour refroidir les boissons. Si tu savais comme c'est agréable !

Mary n'en doutait pas, qui venait de boire l'eau tiédasse de la carafe. La veuve Tessier n'offrait malheureusement pas ce type de raffinement à ses clients.

Elena décrivit ensuite à Mary la résidence d'été de son hôtesse. Située sur la côte de Beauport, où la chaleur était moindre qu'à Québec, Chambers House permettait à ses propriétaires d'échapper à la ville durant les mois les plus chauds. Majestueux et cossu, le manoir était construit dans un paysage d'une grande beauté. Le luxe de la maison et des jardins avait ébloui Elena, et elle se demandait ce que la résidence principale pouvait avoir de plus pour que madame Chambers présente Chambers House comme un lieu modeste. Elena rêvait tout haut d'une maison semblable, située sur les abords du grand fleuve qu'elle contemplerait depuis la terrasse. Comme sa mère autrefois, elle planterait des orangers en pots qu'en hiver, on conserverait dans une serre chauffée – madame Chambers en possédait une – et elle aurait aussi une roseraie et un salon d'été installé sous un érable centenaire. Elle en était à meubler son manoir de précieux cabinets de Chine laqués en noir et incrustés de nacre, lorsque la veuve Tessier vint lui demander à quelle heure elle souhaitait prendre son repas. Elle replongea dans le présent avec un sourire confus de petite fille et dit à Mary :

— On peut rêver, tu ne crois pas ?

Mary voulait bien le croire, même si elle n'en avait guère l'habitude. En attendant, elle aida Elena à se recoiffer en l'encourageant à parler encore de la demeure de ses rêves.

Au retour d'Edward, la jeune femme reprit son récit avec enthousiasme, et Mary devina qu'il était soulagé de la voir contente. L'après-midi passé chez madame Chambers avait appris beaucoup de choses à Elena. Elle put expliquer à son mari qu'avant de trouver un logis à Québec, il fallait s'efforcer d'obtenir la location d'une maison de paysans – d'habitants, comme ils se désignaient eux-mêmes – à l'extérieur de la ville. Tous ceux qui ne possédaient pas de résidence secondaire faisaient cela, tant pour échapper à la chaleur qu'aux dangers de la cité envahie par une population en transit qui créait du désordre.

Pendant la saison où le port était actif, il y avait à Québec une multitude d'immigrants. Leur destination était Montréal, le Haut-Canada ou les États-Unis, mais ils restaient là le temps de gagner l'argent nécessaire à la suite de leur voyage. Les marins aussi étaient nombreux : certains jours, le port abritait jusqu'à une centaine de bateaux. À ces matelots en bordée, il fallait ajouter les cageux qui prenaient du bon temps avant de repartir vers l'Outaouais et faire une nouvelle descente du fleuve. Sans oublier, évidemment, les soldats de la garnison. Mais à eux, il fallait s'habituer, car ils étaient présents été comme hiver. Bien que les rixes soient plus fréquentes aux alentours du port, les autres quartiers n'étaient pas à l'abri des débordements.

En été, ajouta Elena d'une voix où perçait l'inquiétude, Québec était loin d'être un séjour recommandable, et la sagesse conseillait d'aller ailleurs.

On l'avait informée que certaines familles d'habitants s'installaient durant l'été dans les dépendances pour louer leur maison afin d'en tirer profit. Il y aurait même moyen d'obtenir, en même temps que le logis, les services de la paysanne ou de sa fille aînée pour la cuisine et le ménage. La saison était avancée, et les maisons les plus confortables déjà prises, mais il en restait sans doute. Edward promit de s'en occuper dès le jour suivant, et Elena battit des mains comme une enfant à la perspective de quitter la touffeur de la ville qu'elle trouvait encore plus insupportable depuis qu'elle en était sortie un moment.

❦

Mary, qui n'arrivait pas à s'intéresser à des projets d'avenir qui ne la concernaient pas, s'ennuya toute la semaine. Pendant qu'Elena courait les réceptions, elle restait là, n'ayant plus rien à faire après son départ. Sa maîtresse l'avait avertie qu'il eût été imprudent de s'aventurer seule dans la ville, alors, elle passait son temps à la fenêtre, à regarder les ménagères entrer au marché et en ressortir. Elle ne quittait la pension que pour aller à l'église. De l'aubergiste, elle avait appris son nom : Notre-Dame-des-Victoires, et aussi que c'était la plus ancienne du Bas-Canada. Sachant la jeune servante Irlandaise, et donc peu portée à aimer les Anglais, la veuve Tessier, l'œil embué de nostalgie, lui avait raconté qu'on l'avait d'abord appelée Notre-Dame-de-la-Victoire pour commémorer la défaite de l'amiral Phipps, du temps du gouverneur Frontenac. Le pluriel lui était venu une vingtaine d'années plus tard, grâce à une tempête qui avait englouti dans le fleuve la flotte de l'amiral Walker. La femme sourit un instant à ce passé. «En ce temps-là, dit-elle, Dieu nous protégeait.» Puis son visage et sa voix se durcirent pour expliquer que si l'église n'avait plus sa belle décoration intérieure du début, c'était parce qu'«ils» l'avaient bombardée, un été entier, du temps de sa grand-mère.

Mary aimait aller à l'église. Cela lui permettait d'échapper un moment à la chaleur qui continuait d'écraser la ville, et elle avait plaisir à contempler les peintures des murs. Elle les trouvait très belles, quoi qu'en dise l'aubergiste. Ce lieu tranquille allégeait un peu son angoisse, qui augmentait au fil des jours. Le terme était proche, le temps qu'il lui restait à passer avec Elena s'effilochait. Sur le bateau, tante Nora avait maintes fois répété sa hâte d'arriver dans le Haut-Canada où le couple comptait s'établir : il ne s'attarderait pas à Québec. Mary savait qu'elle allait partir bientôt. Demain, peut-être ? Cette pensée ne la quittait plus, et elle eût voulu retenir le temps. Pourtant, son existence actuelle présentait peu d'attraits. Mais, au moins, auprès d'Elena, elle se sentait en sécurité.

Dans l'église presque vide, Mary rêvassait. Pour ne pas perdre courage, elle se refusait à évoquer sa vie d'autrefois. À la place, elle essayait de se représenter New York dont elle s'était fait une image à mi-chemin entre Belfast et Québec, les deux seules villes qu'elle ait vues. La fillette, qui avait soin d'adopter une attitude recueillie dès qu'elle voyait le prêtre, ne priait pas pour autant : la seule chose qu'elle aurait vraiment voulu – se retrouver en Armagh avec ses parents –, Dieu ne pouvait pas la lui accorder. Alors à quoi bon ?

❧

Après quelques jours, monsieur Shandon arriva triomphalement en annonçant qu'il avait trouvé une maison. C'était une ferme située sur l'île d'Orléans où estivaient plusieurs de leurs nouvelles connaissances. Elle n'était pas grande, mais elle avait une bonne situation, sur la falaise qui dominait le fleuve. Elle serait fraîche et plaisante à habiter. Ils pouvaient emménager dans les deux jours. Elena s'écria joyeusement :

— Vite, Mary, commençons les bagages !

Mais Mary semblait statufiée. Les Shandon quittaient Québec avant que son oncle et sa tante ne soient venus la chercher. Qu'allait-elle devenir en les attendant ? Elle ne pouvait pas suivre Elena sur l'île d'Orléans, car il serait difficile aux Connoly de la récupérer. Elle ne pouvait pas non plus rester à l'auberge dont ils connaissaient l'adresse :

elle était beaucoup trop chère pour elle. Mary jeta un regard éperdu à monsieur Shandon qui comprit son malaise.

— Ne t'en fais pas, la rassura-t-il aussitôt, je vais aviser tes parents. Sur les quais, on saura me dire où les trouver.

Il prit son chapeau et sortit tandis qu'Elena entraînait sa femme de chambre dans la confection des malles.

Elle était d'une inefficacité remarquable. Enthousiaste et brouillonne, elle passait derrière Mary pour mettre du désordre, en toute bonne foi, dans ce que celle-ci venait de ranger. Mary réprima son agacement. Elle aurait largement le temps de tout préparer plus tard, pendant que les Shandon seraient à leur soirée. En attendant, Elena était heureuse d'avoir l'impression d'agir pour faire venir plus vite le moment de quitter cette auberge qu'elle avait prise en grippe : elle ne supportait plus ni le manque d'espace ni les meubles trop encombrants ni l'amabilité poisseuse de la veuve Tessier qu'elle n'était pas loin de tenir pour responsable de la chaleur qui la rendait malade.

Monsieur Shandon revint la mine perplexe. Il avait cherché les Connoly sans succès dans toutes les auberges de la Basse-Ville, puis, de guerre lasse, il s'était rendu à la Société des immigrants de Québec dont un aubergiste lui avait appris l'existence. Ces gens s'occupaient des nouveaux arrivants qui voulaient aller plus loin à l'intérieur du pays. Ils pourraient peut-être le renseigner. Mais Edward avait trouvé leurs bureaux fermés. Il faudrait y retourner le lendemain.

Les Shandon s'en allèrent, et Mary resta seule, à remâcher la phrase de monsieur Shandon qui, la croyant hors de portée, avait dit à Elena : « Je me demande où ils sont passés. Ces gens-là ne m'inspirent aucune confiance. »

Au matin, monsieur Shandon, qui était parti tôt, revint assez vite. Il jeta un regard étrange à Mary avant d'aller s'enfermer avec sa femme. Persuadée que cela la concernait, elle colla son oreille à la porte, mais ils parlaient bas et elle n'entendit rien. Après un temps qui lui parut interminable, monsieur Shandon l'appela et la fit asseoir entre

Elena et lui-même. Il lui tapotait gentiment une main tandis que sa femme lui serrait l'autre avec affection. Cette attitude inusitée ne pouvait que précéder l'annonce d'un malheur. Mary sentit que tout son être se nouait d'appréhension.

— Mary... commença Elena.

Puis elle s'arrêta et jeta un coup d'œil à son mari. Ce fut monsieur Shandon, finalement, qui lui annonça le départ des Connoly. Ils avaient quitté la ville aussitôt qu'arrivés, sans indiquer leur destination, et en emportant armes et bagages.

— Mais... mon sac, balbutia Mary, et l'argent que mon père leur a donné pour mon voyage à New York ?

— Ils n'ont rien laissé, Mary, répondit monsieur Shandon navré.

— Rien ? cria-t-elle.

Alors, sa tête se mit à tourner, elle se sentit devenir toute molle et elle perdit conscience.

En revenant à elle, Mary s'aperçut qu'on l'avait déposée sur le lit et qu'Elena la bassinait avec un linge mouillé. Cette inversion des rôles prouvait à quel point la situation était grave.

Voyant qu'elle avait ouvert les yeux, Elena voulut la réconforter :

— Ne te fais pas de souci, lui dit-elle, nous allons payer ton trajet jusqu'à New York. Edward va trouver un voyageur qui acceptera de prendre soin de toi et de t'amener chez ta grand-mère à l'arrivée.

— Je ne sais pas où habite ma grand-mère, répondit-elle d'une voix morne.

— Mais tu dois avoir son adresse sur un papier, intervint monsieur Shandon. On saura t'y conduire.

— C'est ma tante qui a le papier.

Un silence consterné suivit. Puis Elena, se reprenant, la serra dans ses bras :

— Nous, on va te garder, Mary. Tu pourras m'aider à la naissance du bébé. Tu verras comme tu seras bien. On va aller sur l'île d'Orléans, il y fera frais…

Elena continua de parler, mais Mary ne l'écoutait plus. L'agitation de sa maîtresse l'empêchait de réfléchir. Il lui semblait que sa tête allait éclater. Il lui fallait absolument un moment de paix pour parvenir à assimiler la nouvelle. Elle avait besoin d'être seule. L'image de l'église s'imposa à elle : c'était là qu'elle devait aller. Elle demanda aux Shandon la permission de s'y rendre, ce qu'ils lui accordèrent volontiers.

Mary s'agenouilla dans l'église comme elle avait pris l'habitude de le faire depuis son arrivée à Québec. La pose familière et le silence l'aidèrent à se contrôler. Les phrases de monsieur Shandon, qui se bousculaient dans sa tête jusqu'à en perdre leur sens, reprirent toute leur force d'évocation. Mary devait faire face à la réalité : son oncle et sa tante l'avaient abandonnée sur une terre étrangère sans argent, sans bagages et sans l'adresse de sa grand-mère qui était son point de chute.

C'était Nora qui avait tout manigancé. Aucun doute là-dessus : ce ne pouvait être qu'elle, et elle seule, l'instigatrice de cette iniquité. Dermot n'aurait pas fait une chose pareille. Elle se remémora la scène du dernier jour, sur le bateau : il l'avait embrassée en lui souhaitant bonne chance. Et avant de descendre à quai, ce regard coupable qu'il avait! Dermot n'était pas méchant, il avait même dû essayer de la défendre. Mais Nora! En pensant à Nora Connoly, Mary vibrait de haine. Que le Diable emporte Nora! Qu'elle rôtisse en enfer jusqu'à la fin des temps! Mary haïssait Nora de toutes ses forces. Elle haïssait le sourire fourbe qu'elle avait pour ceux qui pourraient lui servir et la voix sèche et coupante qu'elle réservait aux autres, celle dont elle avait abondamment usé avec sa nièce. Nora était méchante : elle l'avait maintes fois giflée et pincée, elle lui avait pris une partie de sa nourriture pendant le voyage, elle lui avait volé tout ce qu'elle avait et elle l'avait abandonnée sans la moindre ressource dans un pays inconnu. Dieu lui en demanderait compte. Mary prierait tous les jours pour qu'Il n'oublie pas de le faire. Ah, elle n'avait pas l'air coupable, Nora, la dernière fois qu'elle l'avait vue! Au contraire, elle arborait le sourire satisfait de celle qui vient de faire un bon coup. Et son aide pour les bagages, elle s'expliquait maintenant! Nora n'était pas femme à porter les paquets de sa nièce pour lui rendre service. Mais pour s'en emparer, c'était autre chose ! Un souvenir revint soudain à Mary, qui lui donna une petite joie : le châle ! Avait-elle assez insisté, la voleuse, pour qu'elle mette le châle dans ses bagages ! Nora n'aurait pas le châle. Maigre consolation, mais consolation tout de même : elle n'avait pas gagné sur toute la ligne.

L'indignation porta Mary un moment, puis vint le désarroi. Nuala, le dernier lien avec sa famille, était désormais inaccessible. La lettre annuelle, qui aurait donné des nouvelles des siens et qui lui avait semblé dérisoire, lui apparaissait maintenant comme un bien extrêmement précieux dont on l'avait dépouillée. Elle ne saurait plus jamais rien de son père ni de sa mère, ni de Patrick, de Paddy et de Liam. C'était comme s'ils étaient morts. À son désespoir, elle comprit que, contre toute raison, elle avait espéré les revoir. Elle, elle ne retournerait jamais en Irlande, mais eux viendraient peut-être en Amérique. Si c'était le cas, ils ne la retrouveraient pas.

Le visage de Mary montrait à son insu qu'elle vivait un moment difficile. Le prêtre s'en aperçut. Il s'approcha de la fillette, dont la présence lui était devenue familière, pour lui offrir son soutien.

Encouragée par la bienveillance du vieil homme, Mary raconta son malheur. Il hochait la tête de temps en temps et attendit qu'elle ait fini de parler pour prendre la parole à son tour dans un anglais à l'accent un peu étrange :

— Mon enfant, dit-il, ton histoire est triste. Tu as rencontré de mauvaises personnes, mais ton cœur ne doit pas être empli de fiel : il faut pardonner à ceux qui t'ont fait mal. Ne garde pas la haine dans ton cœur, oublie les méchants, réserve-toi pour ceux qui t'ont montré leur générosité et remercie Dieu d'avoir mis les Shandon sur ta route.

Il lui parla de la grande bonté de Dieu, dont les desseins sont impénétrables, mais que nous devons accepter sans murmurer, en bons chrétiens. Il continua ainsi longuement, et sa voix douce finit par endormir la douleur de Mary. Au sortir de l'église, elle se sentait mieux. Le prêtre avait raison : les Shandon étaient les personnes les plus généreuses du monde, et Mary se promit de faire tout son possible pour leur prouver sa reconnaissance. Quant à Nora, n'en déplaise au brave curé qui venait de la réconforter, elle n'était pas sur le point de lui pardonner, et elle maintint sa résolution de prier Dieu qu'il la punisse, de crainte que, dans sa grande clémence, il n'oublie de le faire.

ÉTÉ 1833

I ls arrivèrent à Sainte-Famille en cha-loupe, portés par la marée basse. Accompagné de son jeune fils, leur hôte, Martin Prévost, était venu les prendre sur le quai. Un voisin irait chercher le reliquat de bagages le lendemain, en allant vendre ses légumes à la ville.

Mary était montée dans le canot avec une grande appréhension : le fleuve ne lui inspirait pas plus confiance que la mer, et elle répugnait à lui confier sa vie. Il y avait des quantités de maisons sur la côte de Québec, par quelle malchance monsieur Shandon en avait-il trouvé une de l'autre côté du Saint-Laurent ?

Sans se douter de la phobie de Mary, les Shandon voulurent engager la conversation avec monsieur Prévost. À leur grande surprise, c'est le garçon qui leur répondit : il parlait l'anglais, alors que son père l'ignorait. Elena, intriguée, mit à profit la traversée, qui durait une heure, pour demander à l'enfant comment il avait appris la langue.

Le gamin devint grave pour raconter son histoire. Thomas était en fait un jeune Irlandais dont la famille était partie pour l'Amérique dans l'espoir d'une vie nouvelle. Leur but était New York, mais aucun d'eux n'irait jamais : lui était resté au Bas-Canada, et le choléra avait emporté les autres. Son père, qui paraissait si fort, avait été le premier à être englouti par l'Atlantique, puis était venu le tour de sa mère que l'on avait jetée par-dessus bord sans même un linceul, car il y avait eu beaucoup de morts et il ne restait plus de draps. Ses jeunes frères et sa grande sœur avaient survécu jusqu'à la Grosse-Île où ils étaient enterrés. Et lui était vivant. Par quel miracle? Jamais il ne le saurait. Thomas vivait maintenant avec la famille Prévost, qui l'avait adopté.

Elena, touchée par cette histoire, caressa la joue de l'enfant.

— Mary aussi a perdu ses parents, dit-elle. Et comme elle est Irlandaise, vous allez pouvoir...

— Regardez, il est si beau !

C'était Mary qui l'avait interrompue. Elle montrait du doigt un héron cendré qui prenait son envol, un poisson argenté en travers du bec. Elle obtint l'effet escompté : on l'oublia pour l'oiseau qui passa tout près d'eux avant d'aller se poser sur la batture voisine. Mary avait perdu ses parents, elle le savait, mais elle supportait mal de l'entendre énoncer comme une vérité indiscutable.

Eudora Prévost les attendait avec la carriole. Sous sa coiffe empesée, la paysanne avait un sourire avenant. Elena, ravie de découvrir qu'elle était enceinte, lui prit les mains d'un geste spontané et lui dit qu'elle l'était aussi. Devant le regard d'incompréhension de la femme, madame Shandon posa leurs mains jointes sur son ventre, qui était encore tout plat, et elles éclatèrent de rire.

Martin Prévost entassa les malles dans la carriole. Après qu'Edward eut installé Elena sur l'inconfortable banc de bois, il prit la bride du vieux cheval qui entreprit de grimper péniblement le raidillon. Bien que l'on fût à la fin de l'après-midi, le soleil n'avait pas faibli et les marcheurs attrapèrent une suée avant de parvenir au premier plateau. Ils soufflèrent quelques instants avant d'attaquer la deuxième côte, qui menait au plateau supérieur. Quand ils parvinrent au chemin parallèle au fleuve, ils étaient tous en nage, et la paysanne frotta son dos avec une mimique douloureuse.

Thomas expliqua aux nouveaux venus que le chemin du Roy faisait tout le tour de l'île, reliant les six paroisses qui s'y étaient implantées. Ils passèrent à proximité d'une belle église de pierre flanquée de deux clochetons latéraux. L'enfant, prenant très au sérieux son rôle de guide, raconta qu'il y avait autrefois un troisième clocher, entre les deux autres et plus haut qu'eux. Malheureusement, la foudre l'avait détruit. Madame Shandon s'alarma, et son mari dut la tranquilliser : le clocher avait été frappé parce qu'il dominait les alentours; dans une maison, il n'y aurait aucun risque.

Les voyageurs dépassèrent ensuite l'échoppe du forgeron. Un homme, assis à l'extérieur sur une vieille souche à attendre que l'on s'occupe de lui, lança une plaisanterie à Martin Prévost qui lui répondit dans un grand rire. Mary se détourna : elle préférait ignorer la forge, comme tout ce qui ravivait ses souvenirs d'Irlande.

Le paysan s'engagea enfin dans un chemin de traverse qui menait à la ferme. De la petite maison en pierre qui surmontait la falaise, la vue portait loin : au-delà du fleuve et de la côte de Beaupré, jusqu'aux montagnes des Laurentides qui barraient l'horizon après avoir laissé le regard flotter sur un paysage d'eau et de terre, paisible et harmonieux. Les bâtiments de ferme entouraient la demeure principale, qui avait été louée aux Shandon, et le paysan expliqua qu'il y aurait toujours l'un d'eux à proximité pour faire le train, faucher sur le plateau ou mener les bêtes au pâturage. En cas de besoin, madame Shandon n'aurait qu'à demander.

Eux s'étaient installés en contrebas, dans la petite maison de bois. Construite par le premier Prévost établi sur l'île, elle abritait maintenant la cuisine d'été et la laiterie. En hiver, elle servait d'atelier au paysan qui devenait menuisier pour réparer les chaises ou fabriquer les jouets que l'Enfant Jésus apportait aux fillettes le jour de l'An.

Les filles Prévost guettaient l'arrivée de leurs parents. Elles se pressèrent autour de leur mère en jacassant, voulant vraisemblablement lui faire régler un conflit qui opposait deux d'entre elles. Mais elle les écarta d'un geste las pour précéder madame Shandon dans le tour du propriétaire.

Les murs épais de la maison maintenaient dans les pièces du bas une fraîcheur agréable. L'ameublement était loin d'offrir le luxe auquel Elena avait été habituée en Irlande, mais il était confortable et suffisant. De toute manière, après la cabine du *William Fell* et l'auberge Tessier, elle était prête à se contenter de peu.

Tandis que Thomas, entre les deux femmes, traduisait leur conversation, Mary suivait avec les filles. L'aînée paraissait de son âge et les cinq autres étaient échelonnées à brefs intervalles. Elles marchaient regroupées en affectant de laisser un espace entre elles et Mary, comme si elles craignaient quelque mystérieuse contamination. Mary rengaina le sourire qu'elle s'apprêtait à leur adresser tandis qu'elles se parlaient, la main devant la bouche, et se poussaient du coude en ricanant. À l'évidence, elles détaillaient les vêtements de l'arrivante pour s'en moquer. «Ah! si j'avais le châle aux pivoines…» Mais il faisait trop chaud pour le châle qu'elle avait soigneusement plié en attendant un moment opportun. Elle cessa de les regarder et essaya de se convaincre que ces sottes lui étaient indifférentes.

Après avoir fait le tour de la maison, Elena régla avec Eudora Prévost les détails de son service : la paysanne ferait la cuisine et sa fille aînée, Charlotte, s'occuperait du nettoyage. Pour ce soir-là, un repas froid de charcuteries et de fromage attendait sur la table avec un pain de ménage, le tout recouvert d'un torchon pour le préserver des mouches. L'après-midi touchait à sa fin, et la famille Prévost repartit.

Elena rejoignit Edward qui fumait une pipe sur la galerie. Mary mit à profit ce temps-là pour installer la chambre de sa maîtresse. C'était une pièce carrée, de proportions modestes. Elle avait été aménagée dans un angle de la grande salle qui occupait tout le rez-de-chaussée. Celle-ci faisait office de cuisine et d'atelier de tissage, comme le prouvaient le rouet et le métier, relégués pour l'heure contre un mur, mais que l'on imaginait sans peine installés entre les deux fenêtres sud, à l'endroit où il y avait le plus de lumière.

Mary déposa la chemise de nuit de sa maîtresse sur le lit et, sur un dossier de chaise, le châle qu'Elena réclamerait dans la soirée. Elle vérifia que le pot à eau était plein et déposa sur la table de toilette le miroir, les brosses et les boîtes de fard. Après avoir tout arrangé selon les goûts de la jeune femme, elle gagna sa propre chambre.

Située sous le toit, tout en haut de la maison, la minuscule pièce donnait sur le ciel par une lucarne. Elle était meublée d'un lit recouvert d'une courtepointe bariolée, d'une chaise et d'une petite table en coin sur laquelle il y avait une cuvette en faïence blanche et un broc dépareillés. Au-dessus du lit, pour protéger la dormeuse, un rameau de cèdre bénit était glissé entre les branches d'un crucifix. Mary n'en revenait pas : une chambre pour elle seule! Et si bien arrangée! Elle effleura voluptueusement de l'orteil la catalogne qui recouvrait le plancher de bois clair, puis alla s'accouder à la fenêtre. Sa fenêtre!

En contrebas, les plus jeunes filles Prévost jouaient à chat perché. Comme point de ralliement, elles avaient choisi le pied d'une croix, à l'intersection de deux chemins. Avec ses voisines, en Armagh, Mary aussi jouait à ce jeu et s'agrippait à une croix en criant «Pouce!». Celle-ci était légère, aérienne, surmontée d'un soleil ardent et d'un coq en fer forgé. L'autre était de pierre, haute et massive, sculptée de personnages de la Bible, les bras reliés en couronne.

L'une des filles l'aperçut et la désigna à ses sœurs qui se mirent à glapir en la montrant du doigt. C'était en français, et Mary ne comprenait pas, mais elle sentit la malveillance du ton. Quittant sa fenêtre, elle redescendit d'un pas morne et servit le repas.

Après la vaisselle, elle alla jusqu'à la croix désertée par les joueuses que leur mère avait rappelées. Elle se laissa choir dans l'herbe, accablée de solitude. Pourquoi ces filles, qui ne la connaissaient pas, la rejetaient-elles? Elles auraient pu devenir ses amies. Sur le voilier, l'intimité avec Elena l'avait comblée, mais depuis leur arrivée au Bas-Canada, la jeune femme avait fait la connaissance de gens de son milieu qu'elle fréquentait assidûment. Son attitude envers Mary restait chaleureuse, mais elle était si peu présente que la fillette, qui s'ennuyait, avait tout loisir de remâcher ses malheurs. En débarquant à l'île d'Orléans, Mary avait eu l'espoir que tout changerait à la vue de la nombreuse famille Prévost. Mais les filles ne voulaient pas d'elle. Sa tante non plus ne l'avait pas voulue, et ses parents s'en étaient débarrassés en l'envoyant de l'autre côté de l'océan. Personne ne l'aimait. Si elle mourait, peut-être qu'on ne s'en apercevrait même pas.

Des pierres roulant sous des pas l'avertirent qu'on approchait. Craignant que ce ne fussent les filles, elle se redressa, prête à fuir : elle avait eu son compte d'avanies pour la journée. En voyant Thomas, elle se détendit. C'était un beau petit garçon, roux et bouclé, les bras et les jambes hâlés par le soleil. Il lui manquait deux dents sur le devant, ce qui le faisait zézayer.

Il s'assit à côté d'elle et la supplia :

— Parle-moi. Je t'en prie, parle-moi. Quand je ferme les yeux, c'est comme si ma sœur était revenue.

Touchée, Mary l'attira contre elle et, tandis qu'elle caressait la tête qu'il avait posée sur ses genoux, elle lui raconta le voyage en bateau, la trahison de sa tante, la générosité d'Elena. Elle lui confia toute son histoire, sans se faire prier, comme elle l'avait fait avec le prêtre avant de quitter Québec. Et parler à ce petit garçon aux yeux clos, qui l'écoutait de toute son âme, adoucit sa peine. Thomas, pour lequel elle évoquait la grande sœur perdue, lui rappelait Paddy, qu'elle avait si souvent rabroué ou consolé. Il lui manquait tant! Comme Patrick, Liam, son père et sa mère.

Mary se tut et Thomas parla à son tour. Il s'exprimait avec maladresse, mêlant beaucoup de mots français à sa langue maternelle qu'il commençait d'oublier, mais elle n'eut pas de mal à comprendre son histoire. Cette famille, qui avait adopté le jeune orphelin, le traitait comme un fils. Au début, l'enfant n'avait pas compris à quel point il avait eu de la chance d'avoir été choisi par les Prévost, car à son chagrin d'avoir perdu tous les siens, s'ajoutait la difficulté de vivre dans un monde dont la langue lui était inconnue. Mais très vite, il s'était aperçu que ces gens-là ne cherchaient pas un domestique : ils voulaient un fils pour remplacer celui qui leur avait été repris. Depuis la mort en bas âge de l'aîné, chaque automne, comme une malédiction, apportait une nouvelle fille. Or c'était un garçon qu'il fallait à Martin Prévost, et il le voulait jeune pour lui apprendre à travailler à sa manière. À Sainte-Famille, conclut Thomas avec fierté, tout le monde le considérait comme le fils Prévost. Mais, à présent, ajouta-t-il d'une voix qui se brisa, plus personne ne l'appelait Thomas Barry.

C'est alors qu'ils entendirent crier : « Thooomas ! Thooomas Prévost ! »

Le jeune garçon regarda Mary d'un air implorant et demanda à voix basse :

— Toi, quand personne n'entendra, tu m'appelleras Thomas Barry ?

Elle promit avec solennité :

— Oui, Thomas Barry, je le ferai.

Il se leva d'un bond.

— À demain soir, au même endroit !

Et il dévala la pente en direction des appels.

Mary resta encore un moment au pied de la croix. Elle n'était plus aussi triste : elle avait un ami, presque un petit frère.

Le lendemain, Charlotte alla vider les pots sur le fumier, charria les seaux d'eau pour la journée et rentra du bois sans se départir d'un silence hostile. Les deux filles vaquaient à leur travail dans la cuisine ou la chambre sans échanger un regard. Le seul signe prouvant que Charlotte voyait Mary était l'écart ostensible qu'elle faisait en la croisant. Elena, qui brodait des pantoufles pour Edward, assise sur la galerie, envoyait sans cesse Mary lui chercher des objets oubliés. Lorsque Charlotte, pliant sous le poids des deux gros seaux qu'elle venait de remonter du puits, croisa Mary qui portait un éventail de plumes d'autruche, elle marmonna un commentaire dont la jeune Irlandaise n'eut aucun mal à deviner le sens général.

Thomas passa près de la maison. Il poussait un troupeau de moutons dont il contrôlait, à l'aide d'un gros chien hirsute, la tendance à s'égailler. Il fit à Mary un geste d'amitié auquel elle répondit en souriant. Charlotte surprit l'échange et devint encore plus sombre. En regardant Mary, elle cracha un mot que celle-ci reconnut. Les jeunes sœurs Prévost le lui avaient crié la veille alors qu'elle les regardait jouer de la lucarne de sa chambre. Blessée, la fillette se détourna. Qu'est-ce que ces filles pouvaient bien lui dire? Il faudrait qu'elle le demande à Thomas.

Dans l'après-midi, un jeune militaire, qu'Elena avait connu chez madame Chambers, vint la chercher dans une voiture découverte. Elle minaudait sous son ombrelle tandis qu'il l'aidait galamment à s'installer. Puis il prit les rênes et enleva les chevaux dans un nuage de poussière qui fit éternuer Mary et disperser les volailles. La fillette se retrouva seule, et l'après-midi se traîna. Tandis qu'elle rôdait dans la maison comme une âme en peine, elle se souvint qu'à Québec, pour tromper l'ennui, elle allait à l'église. Puisqu'à Sainte-Famille, il y en avait une aussi, elle allait faire la même chose. Contente d'avoir trouvé une occupation, elle se dirigea vers le village.

En chemin, elle croisa des gens qui la dévisageaient. Elle tenta un sourire et un timide signe de tête auxquels ils répondirent. Cela lui réchauffa le cœur : tout le monde n'était pas aussi méchant que les filles Prévost. Alors qu'elle avait presque atteint l'église, un chiot s'approcha. Il flaira ses chevilles et lui lécha la main. Elle s'accroupit pour le flatter, mais une voix fluette rappela l'animal. Mary se redressa et vit s'approcher un garçonnet qui fut bientôt suivi par un petit groupe de camarades. Le propriétaire du chien prit la bête dans ses bras, comme pour la protéger de l'étrangère et, de nouveau, elle entendit les trois syllabes méprisantes que les garçons reprirent en chœur. Renonçant à l'église, elle retourna vers la maison. Ils la suivirent. Apeurée, elle se mit à courir. Ses poursuivants, excités par sa fuite, la prirent en chasse en hurlant. Ils étaient plus rapides qu'elle et se rapprochaient dangereusement. Une pierre vola, qui la manqua, mais finit de la terroriser. Alors qu'elle se croyait perdue, Martin Prévost sortit providentiellement d'une grange et intervint. Devinant, au ton de sa voix, que les enfants se faisaient tancer, elle comprit qu'elle ne risquait plus rien, mais elle continua de courir tant qu'elle ne fut pas à l'abri, au plus haut de la maison, dans sa petite chambre sous le toit où elle demeura prostrée l'après-midi durant.

La traduction de Thomas laissa Mary pantoise : les enfants lui criaient « L'Irlandaise » ! Pourquoi croyaient-ils que cela pouvait être insultant ? Elle se souvenait de son père qui relevait la tête en disant avec fierté : «Moi, je suis Irlandais!» Et avec son père, les clients à la forge, les fidèles au sortir de la messe. Même Nuala, qui écrivait de New York : «Nous, les Irlandais…» Comment ce qui était pour les uns sujet de fierté pouvait-il devenir une insulte pour les autres? Thomas ne pouvait pas le lui expliquer, car il ne comprenait pas davantage. Un an plus tôt, il lui était arrivé la même chose, mais la famille Prévost y avait mis bon ordre. Depuis, plus personne ne faisait allusion à son origine.

Il raconta à Mary la discussion qui avait eu lieu durant le souper au sujet de l'incident de l'après-midi. Le père avait dit que la conduite des garçons du village était honteuse et qu'il comptait sur ses filles pour être gentilles avec Mary. Elle avait eu des malheurs et il lui fallait des amies pour les oublier. Les fillettes avaient fait mine d'approuver. Le sujet paraissait clos, lorsque Émilie, la petite de trois ans, déclara :

— Moi, l'Irlandaise, je l'aime pas parce qu'elle va me prendre mon frère Thomas.

Le père Prévost ouvrit de grands yeux.

— Qu'est-ce qui te fait croire ça?

— Il est allé lui parler hier soir à la croix, révéla Sérafine, accusatrice.

— Oui, on l'a vu, confirma Jeannette.

— Et il ne nous a pas raconté ce qu'ils ont dit, ajouta Josèphe.

— C'est donc ça, soupira le père, vous êtes jalouses!

— Pas du tout, affirmèrent, offensées, Charlotte et Marie-Anne, les deux grandes.

Martin Prévost expliqua patiemment à ses filles que le cœur des humains était assez grand pour aimer beaucoup de gens et que, pour donner de l'affection à une nouvelle personne, il n'était pas besoin de la reprendre à ceux que l'on aimait déjà. Thomas n'aurait pas moins d'attachement pour ses sœurs à cause de cette fille. Au lieu d'être aussi égoïstes, elles devraient se dire que la jeune Irlandaise lui rappelait sans doute sa première sœur, celle qui était morte du choléra et avait été enterrée sur la Grosse-Île. Les propos du père avaient fait honte aux fillettes qui s'étaient par la suite discrètement arrangées pour lui montrer leur affection par un baiser ou une caresse.

— Parce qu'elles m'aiment, tu sais, comme si j'étais leur vrai frère. Et je les aime aussi. Mais toi, c'est pas pareil… Quand je serai grand, on se mariera. On aura des enfants et tu leur chanteras *Róisín Dubh**, comme faisait ma mère.

Elle faillit protester qu'elle était beaucoup trop vieille pour lui, mais elle renonça à lui faire de la peine. À quoi bon ? Alors, elle l'attira contre elle et le berça doucement avec la ballade que Maureen chantait elle aussi à ses enfants :

Is fada an réim a thug mé fhéin
 liom ó inné go inniu,
'Siúil sléibhte 'n mo chadhan
 aonraic 's ní rabh aon neach liom;
Loch Éirne chaith mé dhe léim
 í cé go mb' ard a bhí a' sruth;
Ó, tá m'anam gléigeal ligthe go léig
 *a'm le mo Róisín Dubh**.*

---

*   Sombre petite rose.
** Long est le chemin que j'ai pris moi-même d'hier à aujourd'hui ;
 Par les montagnes comme un oiseau solitaire, sans personne avec moi,
 J'ai franchi le lough Erne d'un bond malgré ses eaux en crue.
 Oh ! j'ai laissé mon âme gaie se décomposer pour ma sombre petite rose.

La nostalgie l'envahit, plus forte que jamais, mais le petit garçon souriait, blotti dans ses bras. Pour ce sourire et cette confiance, cela valait la peine de se faire souffrir un peu.

En partant, Thomas lui avait dit :
— Pour les garçons, ne t'en fais pas, ils se lasseront.

Mary, qui en était moins sûre, aurait voulu comprendre ce qui motivait leur méchanceté. Avant de se glisser entre les rudes draps de lin, elle regarda longuement les étoiles. Tout ce qui s'était produit depuis la veille se bousculait dans sa tête, et elle se sentait perdue. Il fallait qu'on lui explique pourquoi tout le monde lui était hostile. Elena ne le saurait probablement pas : elle avait toujours été protégée. La seule personne qui pouvait l'aider, c'était monsieur Shandon.

Alors qu'Elena dormait encore, il prenait son petit déjeuner seul dans la cuisine. Mary devait saisir l'occasion de lui parler. En effet, elle ne le reverrait pas de la semaine, car il logeait à proximité du chantier, sur la rive nord du fleuve, en raison de la situation insulaire de leur résidence d'été qui ne lui aurait pas permis de respecter ses horaires de travail.

Mary n'avait pas l'habitude de s'adresser directement à lui. Elle était gênée, ne sachant comment débuter. Surpris de la voir rester plantée à ses côtés, il la questionna avec bienveillance :

— Il y a un problème, Mary?

Soulagée, elle se lança :

— Les garçons du village m'ont traitée d'Irlandaise, comme si c'était une insulte. Je veux savoir pourquoi.

Monsieur Shandon soupira :

— Pauvre Mary! Rien ne te sera épargné.

Il réfléchit, chercha ses mots pour trouver une explication qui ne la blesserait pas davantage.

— Les gens, vois-tu, ont souvent peur de ce qui leur est étranger. Parce que tu es différente d'eux, ils te perçoivent comme une menace.

— Qu'est-ce que je pourrais leur faire de mal?

— Rien, je le sais, mais ils n'ont pas réfléchi. C'est leur première réaction.

L'explication ne parut pas lumineuse à Mary, mais monsieur Shandon avait replongé dans ses œufs et semblait n'avoir rien à ajouter.

Elle tenta une autre question :

— Est-ce que ça va être toujours comme ça ? Toute ma vie, ils vont me poursuivre et m'insulter ?

— Non, bien sûr, s'empressa-t-il, apaisant. Quand ils se seront habitués à toi, ils t'accepteront.

Edward se rendait compte que ses réponses n'avaient pas été satisfaisantes, mais il ne savait plus que dire, et il se dépêcha de partir, prétextant l'heure de la marée, afin d'échapper au chagrin de cette fillette qu'il était incapable de consoler.

Mary retournait les paroles de monsieur Shandon dans sa tête. Elle n'arrivait pas à imaginer en quoi elle pouvait menacer les garçons du village. Pour les filles Prévost, c'était plus compréhensible : les Shandon occupaient leur maison, et la chambre qu'elle-même avait tant de plaisir à considérer comme la sienne était sans doute celle de Charlotte, qui devait lui en tenir rigueur. Mais pourquoi s'en prenait-on à elle? Elle n'y était pour rien. Elle était juste une servante. Elena, qui avait loué la maison, personne ne la traitait d'Irlandaise. Au contraire, ils étaient tous à ses petits soins. Parce qu'elle était riche? «Probablement», supposa Mary avec amertume.

Elena partit dès le matin avec le fringant cavalier du premier jour. Mary et Charlotte se retrouvèrent seules dans la maison. N'ayant pas à servir sa maîtresse, Mary mit la main à la pâte. Cette aide imprévue gêna Charlotte. L'Irlandaise aurait pu s'asseoir sur la galerie, sans que personne ne le lui reproche, mais voilà qu'elle balayait la cuisine! Dans ces conditions, il devenait difficile de la détester. Pourtant, Charlotte avait du mal à désarmer, car c'était effectivement sa chambre que Mary occupait. Enfin, sa future chambre, celle qui avait été à ses parents et qu'ils avaient désertée pour celle du bas après le décès de la grand-mère. Elle espérait y emménager avec Marie-Anne, loin des petites qui écoutaient toujours leurs confidences et les répétaient aux moments les plus inopportuns.

Avec sa sœur, elle avait fait le grand nettoyage et blanchi les murs à la chaux. Elles avaient changé le lit de côté, mis la table de toilette dans un angle, pour que ce soit coquet, et obtenu de haute lutte la plus jolie catalogne et une courtepointe neuve. Tout cela pour que l'on y installe cette fille ! Leur mère avait insisté sur le fait que cela ne durerait pas : un été, c'est vite passé. Et l'argent des Anglais serait le bienvenu pour payer la nouvelle chaloupe que l'on espérait pour la Sainte-Anne. Avec les mauvaises récoltes de l'an passé, on n'y serait pas parvenu sans cet appoint. Tous les arguments raisonnables, Marie-Anne et elle les avaient acceptés jusqu'à ce qu'elles aperçoivent l'Irlandaise à la lucarne. Leur lucarne !

Des explications confuses de monsieur Shandon, Mary avait gardé l'impression que les choses dépendaient d'elle : étrangère au village, inconnue de tous, il lui incombait de prouver qu'elle était une bonne fille. Mary voulait qu'on l'accepte. Elle ne pouvait pas vivre ainsi, isolée, avec la seule compagnie d'une maîtresse distraite et d'un petit garçon qui lui donnait un peu d'affection chaque soir. Maureen, sa mère, disait que lorsqu'on se conduit comme il faut, on est toujours récompensé. Si elle aidait Charlotte au nettoyage, peut-être voudrait-elle être son amie ?

Dès l'arrivée de l'aînée des Prévost, Mary se mit à l'ouvrage : elle balaya la chambre d'Elena, fit son lit, rangea son linge. Charlotte ne devint pas aimable pour autant, mais, ce matin-là, elle n'insulta pas Mary ni ne fit de détour pour éviter de la frôler. La fillette refoula le découragement qui menaçait de la gagner en se répétant qu'il y avait du progrès et que cela irait mieux le lendemain.

D'ordinaire, Eudora Prévost apportait les repas, aidée par les petites. Comme ce jour-là Elena était absente, elle envoya Thomas chercher Mary.

— La mère dit que tu viennes manger à la maison.

Assise à la table familiale, où on lui avait fait une place, Mary ne comprenait rien de ce qui se disait, mais elle interprétait sans mal les sourires des adultes et les visages fermés des filles.

Eudora Prévost servit à pleines louches la soupe aux pois et au lard. En prenant son assiette, Mary voulut la remercier en français. Elle ne connaissait que deux mots de cette langue : « bonjour » et « merci », enseignés la veille par Thomas. Seulement, elle ne se souvenait plus lequel des deux elle devait employer. En croisant les doigts pour que ce fût le bon, elle articula de son mieux un « bonjour » qui provoqua un silence éberlué. Il fut vite suivi d'un fou rire quand Thomas lui dit : « Non, c'est l'autre ! » avant d'expliquer vaille que vaille que sa leçon avait été mal retenue. Mary était rouge de confusion, mais ils riaient de si bon cœur qu'elle finit par se joindre à eux. La petite Émilie, assise à côté d'elle, voulut entreprendre son éducation et lui fit répéter le nom des objets qui étaient sur la table. Mary s'y prêta de bonne grâce jusqu'à ce que la mère fasse taire l'enfant en lui disant que la soupe allait refroidir. Mary, pleine d'espoir, regarda Charlotte qui avait ri avec les autres, mais elle refusait obstinément de lever les yeux.

Le matin suivant, Elena, qui était nauséeuse, demeura au lit. Mary eut fort à faire, car il manquait toujours quelque chose à la malade. Trop occupée, elle n'aida pas Charlotte. Cependant, l'aînée des Prévost voyait Mary aller et venir, portant un verre de lait ou une cuvette d'eau chaude. Elle l'apercevait au passage, qui tapait un oreiller, ouvrait une fenêtre, la refermait, l'ouvrait encore, et elle se disait que le travail de l'Irlandaise n'était pas de tout repos, contrairement à ce qu'elle avait cru. Dans le courant de la matinée, Mary ferma la porte de la chambre et, n'ayant pas de mots pour le dire, mima à la jeune paysanne l'attitude de la dormeuse. Charlotte fit signe qu'elle avait compris et s'éloigna sur la pointe des pieds. Elle imagina que Mary, qui courait depuis des heures, allait s'asseoir pour se reposer. Mais non, elle se mit à ranger les objets que sa maîtresse avait éparpillés dans la salle : un châle, un ouvrage de couture, une ombrelle… L'Irlandaise n'était pas feignante, c'était le moins que l'on puisse dire.

Charlotte sentait qu'elle commençait de s'attendrir, mais ne le voulait pas. En remontant du puits, elle se répétait, pour entretenir son ressentiment, que cette fille occupait sa chambre et qu'elle n'y avait aucun droit. Tête baissée, les bras tendus sous le poids, elle ne vit pas approcher Mary, elle sentit simplement qu'on la délestait de l'un de ses seaux. Alors, vaincue, elle lui sourit. Comment continuer d'en vouloir à quelqu'un qui montrait autant de bonne volonté?

Néanmoins, cela prit du temps avant d'arriver à des relations amicales libres de toute contrainte. Pour cela, il fallut l'intervention de Marie-Anne, la future religieuse.

Les dispositions de la deuxième fille Prévost avaient décidé les sœurs à proposer à ses parents de l'éduquer. Depuis deux ans, elle fréquentait le couvent en échange de petits services. Durant l'hiver, son père réparait les clôtures de la ferme attenante au couvent, et elle-même venait tous les matins préparer la classe avant l'arrivée de ses camarades, une douzaine de petites bourgeoises dont les parents payaient la pension. Elle enlevait la cendre du poêle, faisait démarrer le feu et donnait un coup de balai à la salle. Marie-Anne aimait ces moments de solitude dans la classe : les tâches serviles lui laissaient l'esprit libre, et elle se plaisait à jouer le rôle de sœur de la Rédemption. Arrangeant autour d'elle les plis imaginaires d'une ample robe noire, elle vérifiait que la mentonnière blanche entourait strictement son visage et disait d'une voix pointue : «Mesdemoiselles, les futilités ne sont pas de mise ici!»

Marie-Anne n'avait pas d'amies au couvent. Ses compagnes, d'un autre milieu, méprisaient la petite habitante que l'on avait admise par charité. Elle n'en souffrait pas, n'ayant rien en commun avec ces filles qui ne parlaient que de leurs toilettes et de leurs futurs époux, alors qu'elle avait décidé depuis toujours de se consacrer à la religion et à l'enseignement. Elle vivrait dans un couvent et donnerait des leçons de grammaire à des fillettes studieuses qu'elle subjuguerait par son autorité tranquille.

Ses amies, c'étaient ses sœurs. Cependant, même avec elles, elle n'avait pas de véritable intimité, car le sérieux de son attitude rebutait un peu les autres. Seule de la maisonnée à savoir lire, son instruction lui donnait du prestige, y compris auprès de ses parents.

L'école était fermée pour l'été, et Marie-Anne eut tout loisir de prendre l'Irlandaise sous son aile, déterminée à tester ses talents de future pédagogue en lui apprenant le français. Avec une patience inébranlable, elle lui désigna chaque chose en la nommant et lui fit répéter les mots afin d'obtenir une prononciation aussi correcte que possible. Mary s'appliqua de son mieux, car elle avait compris que c'était une étape indispensable pour se faire admettre.

Charlotte rendit les armes – elle cédait toujours à Marie-Anne qui cachait sous un sourire angélique une volonté sans défaut – et oublia ses dernières préventions vis-à-vis de l'étrangère qu'elle traita enfin avec amitié. L'aînée imposa à son tour sa nouvelle attitude aux plus jeunes. Dès lors qu'elle fut acceptée par les filles Prévost, la vie de Mary changea. L'existence mondaine d'Elena lui laissant beaucoup de liberté, elle passa tout ce temps à la ferme. Les parents la traitaient comme une enfant de plus. Il y en avait déjà sept : qu'il y en eût une huitième ne changeait pas grand-chose. Comme elle partageait les corvées et les jeux, elle connut vite assez de français pour se faire comprendre. Elle confondait souvent des mots qui se ressemblaient, provoquant de grands éclats de joie, principalement à table, quand ils étaient tous réunis, mais ne s'en offensait pas, car ils n'y mettaient pas malice et elle sentait que tout le monde l'aimait bien.

À mesure qu'elle devenait capable de communiquer autrement que par signes, sa nature facétieuse reprit le dessus. Charlotte aimait rire elle aussi, et, sous le regard désapprobateur de Marie-Anne, qui n'appréciait pas ce manquement à la charité chrétienne, elles s'amusaient aux dépens des plus jeunes, toujours à leurs trousses et à l'affût de leurs conversations. Émilie échappait aux agaceries, car elle était toute petite, et elles la considéraient volontiers comme une poupée vivante. Mais les autres allaient souvent pleurnicher dans le giron de leur mère en geignant que les grandes ne les voulaient pas. Eudora Prévost soupirait que ses filles la rendraient folle, sommait Charlotte d'être raisonnable, puisqu'elle était l'aînée, et retournait à ses multiples tâches sans plus s'occuper de leurs histoires. La semonce ne changeait en rien le comportement des grandes, et les petites, pour se venger, complotaient des représailles dont elles se réjouissaient par anticipation. Mais si l'une d'elles se risquait à crier «L'Irlandaise» à l'adresse de la nouvelle amie de Charlotte, elle avait intérêt à courir vite pour se mettre hors de portée de sa sœur, sans quoi l'aînée lui administrait une paire de claques dont elle eût été mal avisée d'aller se plaindre. Les filles Prévost l'ayant adoptée, les garçons du village laissèrent Mary en paix, et la jeune exilée recommença à croire que la vie avait du bon. Quant à Thomas, seul garçon au milieu de toutes ces filles qui le chouchoutaient, son bonheur était parfait.

Le soir, après le repas, les travaux de la journée terminés, les enfants jouaient autour de la croix avec les deux derniers de la couvée des voisins : Basile et Eudoxie Pouliot. Mary, qui n'était plus obligée de se contenter de les regarder du haut de sa lucarne, participait aux jeux avec fougue, comme en Armagh autrefois. En se perchant sur le socle de la croix d'où elle criait : «Pouce!», elle avait eu, les premières fois, un petit pincement au cœur, mais avec le temps, cela s'estompait, comme faiblissait aussi peu à peu la douleur de l'éloignement. À Sainte-Famille, chez les Prévost, où l'on était si gentil avec elle, elle finissait par oublier qu'on l'avait abandonnée.

Quand ils étaient las de courir et de crier, les enfants allaient s'asseoir sur les marches de la galerie des Pouliot où Césarie, la grand-mère, se berçait en prenant le frais. Regroupés autour de la vieille femme qui connaissait toutes les légendes de l'île et de la côte de Beaupré, ils lui demandaient une histoire. Cabotine, elle se faisait prier, mais ne résistait pas longtemps aux cajoleries d'Eudoxie ni aux supplications des autres.

Alors, elle leur parlait du bonhomme Messie qui empêche les chevaux d'avancer ou du quêteux qui jette un sort en s'en allant et fait mourir toutes les poules. Leur préférée était celle du démon qui se transforme en cheval noir. Ce cheval, assez fort pour transporter en un instant de lourdes charges de pierres, aide à la construction des églises, qui ainsi montent très vite. Par contre, il se paie de sa peine en s'emparant de la première âme qui pénètre dans l'édifice. Si un humain parvient à lui retirer sa bride, il disparaît aussitôt et le charme est rompu. C'est pour cela qu'il manque une pierre à l'église de Saint-Laurent. Le démon, dépouillé trop tôt de sa bride, a disparu avant d'en terminer la construction.

Les enfants, apeurés mais ravis, se serraient les uns contre les autres. Lorsqu'elle s'en apercevait, Césarie Pouliot disait : « Allons, ça suffit, vous allez faire des mauvais rêves ! » Mais ils en demandaient encore, et la conteuse se laissait fléchir, jusqu'à ce que, fatiguée, elle se lève avec peine, en déplorant que ses jambes n'aient plus vingt ans.

— Ah, si vous m'aviez vue danser la gigue! soupirait-elle.

À la voir marcher cassée en deux, les enfants, qui croyaient dur comme fer à ses histoires de démons – lesquelles commençaient toujours par la phrase magique : « Ce que je vous conte là, les enfants, je l'ai vu de mes yeux! » –, étaient fort sceptiques quant au fait que Césarie Pouliot ait pu un jour danser la gigue.

Pendant la sieste d'Elena, lors des après-midi de chaleur accablante, les filles cousaient en bavardant, assises sur la galerie, car Mary devait rester à portée de voix de sa maîtresse. La jeune Irlandaise, qui ourlait des torchons sans enthousiasme, regardait avec envie Charlotte coudre, à points délicats, une jolie coiffe du dimanche tandis que Marie-Anne brodait un napperon qui irait sous un vase, à l'église, dans la chapelle du Sacré-Cœur.

— Toi aussi, plus tard, tu feras de belles choses, la consolaient ses amies, mais pour apprendre, les torchons, c'est parfait.

Alors Mary s'appliquait à faire, sur la toile rêche, les points minuscules qui la sacreraient habile couturière.

À la vue de la broderie de Marie-Anne, Elena manifesta son admiration pour un travail aussi fin. La fillette lui apprit, dans l'anglais sommaire qu'on lui avait enseigné au couvent, et qu'elle osait utiliser pour la première fois, encouragée par l'attitude bienveillante de la jeune femme, que sœur Sainte-Émérence réalisait des choses beaucoup plus belles.

— Elle accepterait peut-être de faire le trousseau du bébé, s'exclama Elena. Il faut qu'on aille la voir tout de suite!

Pendant que Marie-Anne courait à la ferme pour que l'on attelât le cheval, la jeune femme revêtit sa tenue la plus susceptible de faire bonne impression sur les religieuses. Installée dans la carriole, l'ombrelle assortie à la cotonnade de la robe, le petit chapeau de paille sagement noué sous le menton, elle ressemblait davantage à une fillette qu'à une future mère. Marie-Anne marchait à côté du vieux cheval dont elle tenait la bride. Les gens que croisait la carriole saluaient sa passagère qu'ils reconnaissaient pour l'avoir vue à la messe du dimanche.

Édifié en contrebas de l'église, le couvent tournait le dos au fleuve. C'était une vaste construction à deux étages dont le toit en pente, percé de lucarnes, était surmonté d'imposantes cheminées. Le curé Gagnon y avait son logis. Il en sortait, pour se diriger à grands pas vers l'église, lorsqu'il vit arriver sa nouvelle paroissienne. Il s'approcha pour la saluer. Le corps massif, la tête carrée, le double menton coincé par le rabat, le regard sévère sous des sourcils noirs, le prêtre en imposait. Mary, se souvenant du curé de Québec, si affable, songea que s'il avait ressemblé à celui-ci, elle n'aurait jamais eu la tentation de se confier à lui. Elle avait noté que les Prévost – à l'exception de Marie-Anne, qui affectait de ne jamais porter de jugement sur quiconque – en parlaient avec une certaine réticence. Sans toutefois comprendre de quoi il retournait, elle avait deviné qu'il était souvent en conflit avec ses paroissiens. Pour l'heure, il faisait l'aimable avec la distinguée madame Shandon à qui il était fier de montrer qu'il connaissait bien sa langue. Il l'accompagna jusqu'à la porte du couvent où il la quitta après une bénédiction.

Là aussi, Elena fut reçue avec empressement. Sœur Sainte-Émérence l'accueillit, s'excusant, dans un anglais un peu plus laborieux que celui du prêtre, de l'absence de la supérieure générale, sœur Sainte-Madeleine, actuellement en retraite. Après les politesses d'usage, Elena, installée devant un verre de sirop de framboise et un biscuit au sucre d'érable confectionnés au couvent, exposa le but de sa visite. Comme elle l'avait espéré, les religieuses faisaient des travaux de couture sur commande. Sœur Sainte-Émérence put lui montrer la layette qu'elle achevait pour une dame de Beauport. La jeune femme, impressionnée par la qualité du travail, manipula avec précaution les minuscules chemises, robes et bonnets joliment brodés. La religieuse lui promit de se mettre à son trousseau dès qu'elle en aurait fini avec celui-ci, et elles se quittèrent, enchantées l'une de l'autre.

Partie un matin radieuse dans la voiture de son accompagnateur habituel, Elena revint le soir avec le laquais de madame Chambers, triste et abattue. Elle alla se réfugier tout de suite dans sa chambre, se prétendant fatiguée. D'ordinaire, Mary aurait attendu qu'elle l'appelle en vaquant à ses occupations, mais là, elle était inquiète : Elena ne semblait pas être dans son état normal. La fillette, qui rôdait devant la chambre, soucieuse et indécise, entendit des bruits suspects. Sans y être invitée, elle entra. Le visage enfoui dans les oreillers, Elena pleurait. Mary se posa sur le bord du lit et lui caressa les cheveux en murmurant :

— Là… là… ça va aller…

Mais ça n'allait pas. La jeune femme paraissait inconsolable. Mary imagina toutes sortes de catastrophes : monsieur Shandon avait eu un accident, Elena avait perdu le bébé, la sœur d'Edward venait s'établir au Bas-Canada… Or ce n'était rien de tout cela. Elena avait été victime de la médisance.

Entre deux sanglots, elle hoquetait :

— Les gens sont mauvais… Les gens sont si mauvais…

Mary, pour l'encourager, l'assurait que les méchants ne comptaient pas, qu'il ne fallait pas les écouter.

— Mais Edward les écoute, lui ! protesta-t-elle avec indignation avant de s'effondrer de nouveau. Ah, Mary, je suis malheureuse ! Edward est si cruel avec moi ! Il ne m'aime plus.

Cruel, monsieur Shandon ? Mary n'y comprenait rien. Elle l'avait toujours vu prévenir le moindre désir de sa femme en la couvant d'un regard adorateur. Comment Elena pouvait-elle dire des choses pareilles ?

Après des pleurs et des reniflements, des accalmies et des recrudescences de désespoir, Mary finit par démêler le drame : une bonne âme avait glissé à Edward qu'Elena s'amusait bien avec son chevalier servant dont elle encourageait les assiduités. Le mari, jaloux et blessé, avait reproché à l'imprudente de le ridiculiser en s'affichant avec ce jeune homme pour lequel il avait eu les mots les plus durs.

— Tu te rends compte, il traite Harry de parasite et d'inutile ! Lui qui sert le roi dans le Royal Engineers que Sa Majesté apprécie tant. Et il m'a interdit de le revoir ! Comme si je faisais quelque chose de mal, alors que je considère Harry comme un frère.

Mary revit le gandin pommadé qui faisait le beau dans son uniforme rutilant en aidant la jeune femme à monter dans la voiture qu'il menait à fond de train, semant la terreur dans la basse-cour des Prévost, tandis qu'Elena riait aux éclats de ses plaisanteries, et elle n'eut pas grand mal à imaginer les sentiments du mari.

— Je vais m'ennuyer maintenant. Ce monstre m'a interdit d'aller à des réceptions sans lui. Je vais être coincée ici, à tourner en rond toute la semaine, se plaignait Elena.

À ces mots, les larmes repartaient de plus belle.

La jeune femme consacra désormais son temps à se plaindre de son sort. Elle traînait la matinée durant en vêtements de nuit, de la chambre à la cuisine, pour retourner à la chambre où elle s'allongeait en geignant :

— Ce n'est que le matin. Qu'est-ce que je vais faire du reste de la journée ?

À Mary, qui lui suggérait de s'habiller, elle répondait :

— Pourquoi ? Personne ne me verra.

Vers le milieu du jour, elle finissait par enfiler une quelconque robe et s'asseyait sur la galerie avec sa boîte à couture. Elle en sortait les pantoufles d'Edward, qu'elle avait commencé de broder sur le bateau, et plantait l'aiguille avec autant de ressentiment qu'elle l'eût fait dans la chair de leur futur propriétaire. Ces pantoufles la mettaient en rage, et Mary, reconduite dans le rôle de confidente à plein temps, écoutait les jérémiades d'Elena sous le regard apitoyé de Charlotte qui fuyait la morosité des lieux dès qu'elle avait terminé son ménage.

Ce fut une suggestion de Marie-Anne qui vint tirer Elena de l'ennui dans lequel elle se morfondait : les sœurs préparaient fiévreusement la procession de la Fête-Dieu, et elles accueillaient toutes les bonnes volontés. La jeune femme proposa ses services qui furent acceptés avec reconnaissance. La tristesse et la mauvaise humeur, si étrangères au tempérament d'Elena, disparurent comme par magie, et son rire joyeux se fit entendre de nouveau.

Il y avait eu une certaine tension dans l'église, le dimanche précédent, lorsque le curé Gagnon était monté en chaire. Malgré leur apparence attentive, ses paroissiens auraient été en peine, par la suite, de résumer le prône, car personne ne l'avait vraiment écouté. Ils attendaient, avec des sentiments divers, mais la même impatience, que le curé annonce le parcours de la procession.

En attelant le cheval, le père Prévost avait dit entre ses dents :

— S'il ne vient pas jusqu'ici…

Sa femme l'avait supplié :

— S'il ne vient pas jusqu'ici, ne dis rien !

Mais il n'avait pas voulu promettre, et la nervosité d'Eudora avait été visible. Avant d'entrer à l'église, son mari avait échangé quelques mots avec François Audet, leur voisin, mauvais coucheur s'il en fût et opposant déclaré du prêtre, ce qui n'avait pas contribué à la tranquilliser. Pendant toute la messe, elle avait prié : « Ma bonne sainte Anne, faites que la procession arrive chez nous... Ma bonne sainte Anne... »

Par chance, le curé n'avait pas voulu provoquer un affrontement supplémentaire, et la croix, située à la limite des terres Prévost et Audet, figurait sur son parcours. Il s'était contenté – satisfaction mineure, mais ô combien jouissive ! – de faire durer l'homélie pour le plaisir de voir ses paroissiens croiser et décroiser les mains d'énervement.

Les enfants Prévost se chargèrent de nettoyer les abords de la croix de ses mauvaises herbes, puis ils la lavèrent avec une brosse, le tout sous la direction de Marie-Anne, reconnue comme une compétence en matière de religion. Les roses, géraniums et gueules-de-lion cultivés pour la circonstance, auxquels Eudora donnait tous ses soins et qu'elle protégeait de la convoitise des poules, ne seraient placés qu'au dernier moment.

Au couvent, les préparatifs allaient bon train. Les sœurs avaient envoyé leur homme engagé couper des branches de pin, de sapin et de cèdre dans le boisé. Celles-ci serviraient à fabriquer des arcades de verdure dans lesquelles on glisserait des fleurs, avant de les installer au-dessus de la route. Elena, munie de gants épais pour ne pas abîmer ses mains, se mit gaiement à tresser les branchages en chantant avec les sœurs les cantiques latins qu'elles avaient en commun. Tous les jours, elle partait au couvent en compagnie de Marie-Anne, et Mary, qui restait pour s'occuper de la maison avec Charlotte, ressentait un petit pincement au cœur en les entendant rire sur le chemin. Elena se distrayait à corriger l'anglais de la fillette qui en était ravie : à la reprise des cours, après l'été, les religieuses et ses compagnes de classe seraient impressionnées par ses progrès. Elles s'amusaient beaucoup toutes les deux, Elena étant la seule personne avec laquelle Marie-Anne consentait à abandonner sa componction.

Le temps ne fut pas favorable à la cérémonie. Il ne plut pas, certes, mais de gros nuages noirs menacèrent tout le jour, écrasant bêtes et gens sous leur masse plombée. Pas un souffle d'air ne venait alléger la chaleur poisseuse qui faisait coller aux corps les inconfortables vêtements du dimanche, raides, empesés, souvent devenus trop serrés au cours des années qui avaient suivi leur acquisition – en général pour un événement d'importance, comme le mariage de leur possesseur.

On ne distinguait plus tout à fait les limites entre le fleuve, le ciel et les montagnes, camaïeu de gris-bleu avec ici une touche de violet, là une nuance de brun. Parfois, une risée de vent soulevait des vaguelettes perceptibles à la blancheur de l'écume, mais elle ne suffisait pas à rafraîchir les processionnaires qui peinaient sur le chemin du Roy à la suite d'un porte-croix nerveux dont ils auraient souhaité un train moins vif. L'embonpoint du curé et son habitude de marcher à pas comptés ne l'avaient pas préparé à cette procession échevelée, et il regrettait d'avoir confié la responsabilité de la mener à un imbécile qui allait lui provoquer un coup de sang. Cherchant son souffle, il se pencha vers l'un des acolytes :

— Va dire à Gabriel de marcher moins vite.

Le gamin remonta le cortège en courant et transmit le message. Au soulagement général, la procession prit le pas de promenade qui convenait aux circonstances, et les paroissiens sortirent de leurs poches de larges mouchoirs pour essuyer leurs fronts ruisselants.

Derrière le porte-croix – le meilleur élève de l'école des garçons à qui cet honneur avait un peu tourné la tête – venaient deux acolytes. Les fillettes suivaient, des nœuds de couleur dans les cheveux, puis les garçonnets, la démarche gauche à cause des souliers qui écrasaient leurs pieds habitués à courir nus depuis le début de la belle saison. Coquettes, les jeunes filles arboraient des coiffes d'une impeccable blancheur et des fichus colorés dont les pointes, nouées dans le dos, enserraient leur taille. Les mères, pour la plupart, utilisaient moins le châle pour mettre leur silhouette en valeur que pour tenter de cacher une sempiternelle grossesse. Les hommes suivaient pesamment. Le dais, porté par les marguilliers, les dissimulait aux yeux du curé qui fermait la marche, l'ostensoir en mains, et ils en profitaient pour échanger une phrase sur le temps ou les récoltes.

À chaque reposoir, on s'arrêtait et chacun se mettait en place selon un ordre préétabli et immuable. Le curé déposait l'ostensoir, entonnait le *Tantum ergo* repris en chœur par ses paroissiens et récitait une oraison avant d'encenser champs et fidèles. Tandis que le cortège se reformait pour se diriger vers l'étape suivante, dans les rangs des femmes, les commentaires faisaient rage, quoique avec discrétion, sur l'ornementation du reposoir, la beauté des fleurs et leur abondance. Chacune, sachant que sa prestation serait jugée sans indulgence, y avait placé tout son talent et toute sa vanité.

À la fin de la procession, les sœurs avaient coutume de complimenter celle qui avait réalisé la plus belle décoration, et la concurrence était féroce pour obtenir ce premier prix qui, pour être non officiel, n'en était pas moins fort convoité.

Bien que les jeunes filles aient aidé à fleurir les reposoirs, la compétition les touchait peu : c'étaient les garçons qui les intéressaient. À l'insu des nonnes qui les encadraient en les surveillant, elles échangeaient leurs appréciations sur les jeunes gens endimanchés.

Elena avait eu droit à la place d'honneur, au premier rang des dames, aux côtés de Marie-Anne Létourneau, la seigneuresse de Sainte-Famille et de Saint-Jean. En avant des hommes se tenait son mari, le seigneur Louis Poulin, meunier de son état, qui avait hérité les biens et le titre de son père, lequel les avait lui-même achetés quelques années auparavant. Quant à Mary, qui suivait la procession avec les filles Prévost, elle avait eu son moment de gloire en apparaissant drapée dans le châle aux pivoines qui avait laissé ses amies béates d'admiration.

Il n'était pas de saison et la faisait transpirer d'abondance, mais elle ne l'aurait ôté pour rien au monde.

La procession de la Fête-Dieu était l'un des sommets de l'été, l'événement dont on parlait des semaines à l'avance et que l'on préparait de longue main en soignant ses fleurs ou en brodant avec minutie une coiffe neuve ou bien un nouveau châle. À l'exception de Baptistine Turcotte, dont le reposoir avait été déclaré le mieux réussi et qui allait s'en gargariser jusqu'à l'année suivante, la fête passée, tout le monde se sentait vide et désœuvré, malgré le travail des champs qui battait son plein. Et Elena, qui n'avait rien à faire, se sentait plus morne encore que les autres. Elle promenait son ennui de pièce en pièce, entretenant avec soin son ressentiment pour Edward. Elle avait maintenant une nouvelle raison de lui en vouloir.

Le curé, ayant constaté son absence à la procession – qui avait pourtant eu lieu un dimanche, jour où monsieur Shandon était présent à Sainte-Famille –, était venu dès le lendemain en demander compte à son épouse. Apprenant avec horreur qu'il était anglican, il avait persuadé Elena qu'elle perdait son âme en vivant avec un hérétique et qu'il était de son devoir de le convertir. Il avait ensuite abordé le chapitre de leurs futurs enfants, exigeant de la jeune femme qu'ils soient élevés dans la religion catholique. Elena n'avait pu résister au curé qui avait joué de tout son prestige et de toute son autorité pour lui arracher cette promesse. Elle avait passé le reste de la semaine à se demander comment obtenir d'Edward qu'il honore son engagement, passant du plus bel optimisme : « Il ne me refuse jamais rien, il ne voudra pas me faire de la peine » au pessimisme le plus noir : « S'il est assez méchant pour m'enfermer ici toute la semaine, il n'hésitera pas à compromettre le salut de mon âme. » Mary se contentait d'écouter. Elle n'avait pas de réponses, seulement de la compassion pour Elena, torturée par ses doutes, et pour monsieur Shandon, un homme bon que cette situation allait faire souffrir.

Quand elle parvenait à s'intéresser à autre chose qu'à son âme, Elena s'asseyait devant son miroir et demandait à Mary de la coiffer. Tandis que la fillette brossait la longue chevelure dorée, sa maîtresse lui racontait, la voix chargée de nostalgie, les plaisirs passés dans telle ou telle maison amie. Un jour, ils étaient allés faire un pique-nique aux chutes de Montmorency. Une journée comme elle n'en vivrait plus.

Conduite par Harry, toujours empressé...

— Et respectueux! précisait-elle avec colère. La peste soit des maris jaloux et des médisants!

Mais elle oubliait vite son mouvement d'humeur qui l'aurait privée de revivre son plaisir. Les yeux dans le vague, alors que sa femme de chambre, gagnée par le charme de l'évocation, alanguissait le mouvement de la brosse, elle disait les toilettes légères, les chapeaux de paille, les enfants faisant la sarabande à proximité tandis que les hommes rappelaient leurs chiens partis sur la trace de quelque gibier.

Ce jour-là, elle avait mis sa robe de percale à motifs de fleurs d'oranger et son châle en soie vert d'eau. Sa peau fragile de blonde protégée par l'ombrelle, elle avait fait une promenade en compagnie de Harry sur le plateau qui borde le précipice. La chute, en face d'eux, faisait grand tapage, et ils s'étaient contentés de marcher sans rien dire. Harry avait pris sa main, d'un geste très doux, et l'avait baisée. Un geste naturel, sans arrière-pensées, qui avait pris des couleurs d'adultère sous le regard de madame Godfrey. La vieille chipie avait surgi à cet instant du couvert des arbres où elle s'était aventurée en compagnie de madame Ward, qui ne valait pas mieux qu'elle. Sans doute pour satisfaire un besoin naturel. À cet âge, on est incontinent, insinua Elena avec une perfidie qui ne lui était pas coutumière. Les deux femmes avaient dévisagé le couple avec suspicion, puis madame Godfrey avait pris le bras d'Elena en susurrant de sa voix vinaigrée :

— Revenons donc vers la compagnie, ma chère, le sous-bois est infesté de maringouins.

Sans se douter que la femme allait médire sur son compte, racontant à son mari qu'elle s'était rendue coupable de Dieu sait quelles horreurs, elle avait docilement troqué l'agréable compagnie du jeune homme pour la conversation acidulée de la harpie qui en avait profité pour dire du mal de toutes celles qui étaient plus jeunes et plus belles qu'elle – c'est-à-dire du plus grand nombre. Harry suivait derrière, feignant le plus grand intérêt pour la deuxième mégère qui lui faisait des grâces en chantant les louanges de l'une de ses nièces qu'elle voulait caser.

— Croyez-moi, disait-elle, la fréquentation des femmes mariées ne peut que vous créer des ennuis.

À Harry, qui protestait de son respect pour madame Shandon – une sœur pour lui ! –, elle rétorquait d'un air entendu :

— Taratata ! Écoutez ce que je vous dis.

Ayant rejoint les autres, ils s'étaient mêlés à leurs amis sans plus se soucier des commères. Un valet avait étendu un drap sur l'herbe et l'on avait sorti toutes sortes de victuailles des grands paniers d'osier. Les pâtés et les fruits côtoyaient les bouteilles de vin de Bordeaux amenées par le dernier bateau.

La compagnie était gaie. Elena heureuse de l'existence qu'elle menait.

Après le pique-nique, ne tenant pas compte du coup de semonce, elle avait refusé la proposition de madame Godfrey de la ramener, préférant, pour rentrer chez elle, la voiture de Harry.

— C'était la dernière fois que j'étais avec lui, et je ne le savais pas…

Le charmant souvenir se noyait dans des larmes de rage et de regret. Mary faisait diversion en proposant une tasse de thé.

Edward arriva pour passer le dimanche avec sa femme, souriant et aimable, comme à l'accoutumée. Il l'embrassa et lui tendit un long paquet étroit qu'il sortit de la poche de sa redingote. Malgré sa résolution d'attendre les circonstances les plus favorables pour lui parler, Elena, que le sujet avait obsédé toute la semaine, l'attaqua sur la religion du bébé sans même prendre le temps d'ouvrir son cadeau.

Edward voulut temporiser, mais rien n'y fit. Alors, avec un grand soupir, il lui révéla les exigences de son père : ils ne rentreraient

en grâce que pourvus de plusieurs enfants
«anglicans». Elena cria, trépigna, pleura,
essaya tous les chantages possibles : elle
allait périr de chagrin, se jeter dans le
fleuve; Dieu ferait mourir le bébé dans
son sein; elle serait damnée pour l'éternité. Edward tenta de discuter, mais elle ne
l'écoutait pas; il voulut la serrer contre lui,
mais elle le repoussa. Lassé de la vanité de
ses efforts, il finit par abandonner. Se laissant tomber sur une chaise de la galerie, il
se détourna de sa femme pour fixer au loin
une barque qui traversait le fleuve.

Elena continua un moment sur sa lancée,
mais elle finit par s'apercevoir qu'elle parlait
dans le vide. Alors, elle se tut, désorientée,
et regarda Edward. Elle l'avait traité en
adversaire, n'imaginant pas qu'il puisse être
malheureux. Or il l'était, c'était visible. Le
chagrin de son mari la prenait de court.
Elle lui avait attribué le rôle du bourreau
sans chercher plus avant, et sa douleur la
perturbait. Elle n'avait jamais eu l'intention
de lui faire de la peine : elle voulait seulement cesser d'en avoir elle-même. Un instant indécise, elle finit par se jeter dans ses

bras. Soulagé qu'elle cesse les hostilités, il la serra très fort. Puis, d'un accord tacite, ils délaissèrent le sujet et, avec l'un pour l'autre les délicatesses que l'on a avec les convalescents, ils reprirent les choses du début.

Edward cueillit son paquet abandonné sur une chaise et le lui tendit. Elle fit des mines, remercia, défit avec des gestes précieux la faveur qui l'entourait, puis s'extasia devant son contenu. Le collier en argent orné de grenats que son mari lui offrait pour se faire pardonner cette réclusion imposée était, et de loin, le plus beau bijou qu'elle ait jamais possédé. La joie qu'Elena éprouva à le découvrir effaça tout le reste. L'orage était passé.

Madame Chambers les conviait, le lendemain, à une réception où tout ce qui comptait à Québec serait présent : il fallait qu'Elena fasse honneur à Edward. Enchantée de la perspective, elle s'en alla choisir une toilette qui mettrait le collier en valeur. À l'entendre fouiller dans sa malle en chantonnant, Edward crut le différend oublié. Mais c'était compter sans l'obstination du curé, qui revint à la charge dès le lundi, replongeant Elena dans des affres que la réception lui avait fait oublier.

Pour éloigner sa femme de l'emprise du prêtre, monsieur Shandon ne trouva pas d'autre moyen que de l'autoriser à reprendre sa vie mondaine. Il n'y mit qu'une restriction : Harry ne serait plus son chevalier servant et la jeune femme devrait désormais l'éviter. Elena promit. Elle eût promis n'importe quoi pour échapper à l'ennui de la solitude et au harcèlement du prêtre.

Désormais, lorsque le curé Gagnon arrivait, après le repos vespéral, pour assaisonner le thé de madame Shandon de menaces d'enfer éternel, comme il avait accoutumé de le faire depuis la Fête-Dieu, il ne trouvait plus que Mary, occupée à sa couture avec les deux aînées de la famille Prévost. L'âme en perdition qu'il aurait voulu sauver s'était envolée vers des conversations plus futiles et plus plaisantes. Alors, il repartait, furieux, sous le regard de Césarie Pouliot dont la chaise berçante grinçait comme un ricanement.

Après une semaine de fortes chaleurs et d'orages, à la fin d'un après-midi, un petit noroît vint nettoyer le ciel de ses derniers nuages et fit éclore un arc-en-ciel. Le père Prévost observa le phénomène avec satisfaction et déclara à la maisonnée :

— On a du beau temps devant nous. Demain, je fauche les battures.

Charlotte expliqua à Mary que la belle vie était terminée : la coiffe et les torchons allaient retourner dans la boîte à couture pendant qu'elles troqueraient l'aiguille pour la fourche.

À l'exception de la mère, qui assurait le train et faisait le repas, toute la maisonnée, lestée par un copieux déjeuner de lard salé, de pommes de terre et de crêpes tartinées de mélasse, descendit dès le point du jour la Côte-du-Fond jusqu'aux abords du fleuve. Elena étant invitée pour trois jours chez madame Chambers, Mary put se joindre à eux. Sur les prairies qui jouxtaient la berge poussait une végétation que les paysans appelaient «foin de mer» parce que la marée la recouvrait à intervalles réguliers.

Le père Prévost et son homme engagé entreprirent de faucher l'herbe d'un mouvement lent et régulier. Ils ne s'arrêtaient qu'au bout de la ligne pour essuyer du revers de la main la sueur qui leur coulait sur le visage et repartaient aussitôt. Thomas, pourvu d'une faux à sa taille, imitait de son mieux le père qui l'encourageait de temps en temps.

Comme les autres, Mary avait été munie d'une fourche et retournait le foin pour qu'il sèche de manière égale. Ce n'était pas très difficile, et elle prit vite le pli. Les fillettes riaient et bavardaient en travaillant, s'amusant de voir fuir les petites bêtes que la faux des hommes délogeait. Les sauterelles, mulots et crapauds, qui tentaient éperdument de se mettre à l'abri, zigzaguaient devant les faneuses, ne sachant où se trouvait le salut. D'un coup de lame, le père trancha une grosse couleuvre verte dont les tronçons s'agitèrent spasmodiquement, arrachant des cris d'horreur aux fillettes qui s'égaillèrent loin du reptile.

À mesure que la matinée avançait, les conversations devinrent plus rares : la fatigue se faisait sentir et chacune avait besoin de toute son énergie pour garder le rythme. La pause repas fut brève, car le travail pressait. Quand Mary se retrouva sur la batture, alourdie par sa soupe aux pois, avec la perspective de continuer à retourner le foin jusqu'à la fin du jour et de recommencer le lendemain et le jour suivant, elle fut prise d'une grande envie de se coucher sur place pour oublier le mal au dos, les ampoules aux mains et les pieds endoloris. Mais les autres tenaient bon : elle ne pouvait pas faire moins. Alors, elle continua jusqu'au moment où elle eut un grand éblouissement et s'écroula au milieu du champ. Elle revint à elle, éventée par Charlotte qui la ramena à la maison avec l'aide de Marie-Anne.

La mère les gourmanda :

— Il ne faut pas la faire travailler comme ça, elle n'a pas assez de force. Voyez comme elle est maigre !

Ses amies retournèrent à la fenaison, et Mary, honteuse de sa faiblesse d'Irlandaise mal nourrie, alla s'asseoir sur la galerie, ses mains bandées reposant sur les accoudoirs de la chaise berçante. Madame Prévost avait écrasé des feuilles de géranium sur un linge et l'avait assurée que cet emplâtre cicatriserait très vite ses plaies.

Consciente de sa déception de ne pas avoir été capable de suivre les autres, elle lui avait tapoté la joue :

— Ne t'en fais pas, l'an prochain, tu seras aussi forte que mes filles. La soupe aux pois, il n'y a rien de mieux pour donner des bras !

Mary l'avait remerciée, reconnaissante de ses soins et de sa gentillesse, mais elle n'avait pas pu chasser la tristesse de se sentir inutile. Elle resta là jusqu'à la fin de l'après-midi et les vit rentrer, sales et exténués. Thomas se précipita vers elle avant même de se débarbouiller à l'eau que le père tirait du puits. L'empressement du garçonnet fit plaisir à Mary, et la sollicitude des autres acheva de la convaincre qu'elle était non seulement acceptée mais aimée. La dernière gentillesse vint de Charlotte qui lui dit :

— Ne sois pas inquiète pour le service de madame Shandon. Si tes mains ne sont pas guéries, je le ferai à ta place.

Bien que la recette d'Eudora Prévost fût bonne, Mary ne cicatrisa pas assez vite pour reprendre la fourche. Il y avait toutefois un travail à sa portée : surveiller l'attelage de bœufs.

La dernière étape de la fenaison consistait à charger l'herbe sèche sur la charrette pour l'amener à la limite du champ, hors de portée des grandes marées. Mary fut placée devant une paire de bœufs, avec mission de les empêcher de bouger pendant le chargement. Elle était armée d'une gaule et on lui expliqua qu'elle devait en donner un petit coup sur le joug en disant «Oh là!» d'un ton à la fois autoritaire et apaisant si l'une des bêtes faisait mine d'avancer. Pendant que le père grimpait sur le plateau de la charrette pour y disposer les fourchées que les faneurs lui apportaient déjà, Mary se plaça devant les bœufs.

Elle n'avait jamais approché d'aussi grosses bêtes et elle était terrorisée, mais elle ne l'eût avoué pour rien au monde. Un sourire crispé plaqué sur son visage pâli, la main serrée sur la gaule au point que ses articulations blanchirent, elle se tint à un pas des monstres, priant en silence saint Patrick de la protéger et rassemblant son courage pour ne pas s'en aller à toutes jambes. Révulsée de dégoût, elle regardait les mouches bourdonner autour des bœufs, s'agglutiner au coin de leurs yeux, se poser sur les mufles d'où pendaient des filets de bave. Ils tentaient de chasser les insectes en agitant les oreilles, en clignant des paupières et en battant leurs flancs de coups de queue. À chacun de leurs mouvements, Mary sursautait, mais elle restait en place, toute sa volonté tendue pour ne pas fuir. Soudain, un des bœufs, probablement attaqué par une mouche plus agressive que les autres, agita violemment la tête, entraînant celle de son compagnon de joug, et ils avancèrent d'un pas. De saisissement, Mary poussa un cri, lâcha la gaule et fit un grand bond en arrière. Du haut de la charrette, le père Prévost arrêta les bêtes d'un « Oh là ! » impérieux, et la fillette, confuse, reprit sa place. Elle regarda autour d'elle pour vérifier si sa lâcheté avait eu des témoins, et constata, soulagée, que chacun était à son ouvrage.

Lorsque le père se retrouva juché au sommet d'un monticule qui aurait atteint les lucarnes du toit, l'homme engagé conduisit l'attelage à la lisière de la prairie, jusqu'aux longues tables montées sur pilotis où le foin salé allait attendre que l'on vienne le chercher en traîneau, tout au long de l'hiver, pour nourrir le bétail qui en était friand.

Mary reprit son poste pendant que les deux hommes déchargeaient. Ensuite, ils lièrent en bottes le surplus de la récolte, car il était promis à un acheteur de la rive nord du fleuve. Ils chargèrent les bottes sur la charrette, toujours surveillée par Mary, et les amenèrent à proximité du lieu où le paysan viendrait les chercher en goélette. À mesure que la journée avançait, la fillette, qui avait fini par se convaincre que les bœufs ne lui voulaient aucun mal, s'était légèrement détendue.

La tâche terminée, le père Prévost reprit la gaule des mains de Mary et lui dit avec un sourire :

— C'est bien, petite, tu deviens une vraie habitante !

Fière d'avoir mérité ce compliment, elle rejoignit ses amies. La fourche à l'épaule, celles-ci remontaient vers la ferme en parlant du pèlerinage à Beaupré que l'on ferait pour fêter la Sainte-Anne, la semaine suivante.

Les fillettes étaient très excitées, car c'était la seule fois de l'année qu'elles quittaient l'île. À l'exception de Beaupré, elles ignoraient tout de ce qui n'était pas Sainte-Famille, ne connaissant même pas Québec, où le père allait pourtant vendre des fruits ou des légumes. Brûlant d'en savoir plus sur la ville que leur méconnaissance parait de tous les attraits, elles avaient harcelé Mary de questions pour qu'elle la leur décrive. Mais la jeune Irlandaise, qui s'était cantonnée dans les abords de l'auberge Tessier, n'en connaissait pas grand-chose.

Elle avait pu leur dire le port et tous ces gens qui avaient affaire sur les quais : les miséreux et les gredins, les femmes trop hardies et les marins qui les interpellaient, les immigrants angoissés et leur marmaille dépenaillée. Elle se souvenait d'avoir eu l'impression d'étouffer en descendant du navire et qu'elle aurait eu peur sans la présence de monsieur Shandon. Le peu que Mary avait vu de la ville ne l'avait pas attirée, et elle préférait de loin Sainte-Famille où l'on se sentait plus en sécurité. Mais ce n'était pas de cette misère que les filles Prévost voulaient entendre parler ni, surtout, de la chance qu'elles avaient de vivre dans un endroit parfaitement ennuyeux. Ce qui les intéressait, c'étaient les quartiers du haut de la ville, les riches maisons, les beaux attelages, la garnison, aussi, avec ses soldats aux habits rouges comme le cavalier qui venait chercher madame Shandon au début de son séjour. Elles auraient voulu voir la relève de la garde, les défilés militaires avec la musique en tête, l'arrivée des invités aux bals du gouverneur, toutes choses que Mary ignorait autant qu'elles.

Elles suppliaient leur père de les amener avec lui à tour de rôle, affirmant pouvoir l'aider aussi efficacement que Thomas. Mieux, même, puisqu'elles étaient plus grandes et plus fortes, mais il ne voulait rien entendre et prétextait que la connaissance de l'anglais du garçonnet lui était indispensable. C'était faux, et tout le monde le savait : les rares mots dont il avait besoin, Prévost les avait appris depuis longtemps. La vraie raison résidait dans les sermons de l'abbé Gagnon. Le prêtre stigmatisait à l'envi les dangers de la cité, lieu de perdition par excellence. « Les hommes y boivent plus que de raison et s'y adonnent à tous les vices, gaspillant au cabaret l'argent de leur peine et rentrant chez eux pour battre femme et enfants. Quant aux filles, celles qui s'en vont servantes en ville, attirées comme les tourtes crédules dans le filet des chasseurs par le mirage d'une vie de facilité et d'abondance, elles finissent *toutes* – et, après avoir laissé passer un silence, il répétait d'une voix sépulcrale *toutes* – à l'hôpital, rongées par les maladies honteuses et fatales que leur donne la racaille des quais. »

Les filles Prévost savaient que ce désir de voir la ville était sans espoir, car leur père, qui n'hésitait pas à affronter le curé sur des sujets qui lui tenaient à cœur, ne s'opposerait pas à lui pour satisfaire un de leurs caprices. D'ailleurs, sur ce point, il partageait son avis. Ne voulant pas l'admettre, il continuait à prétendre que son refus avait des motifs de commodité commerciale.

Mais le pèlerinage de Sainte-Anne, c'était autre chose. Tous ceux qui le pouvaient s'y rendaient, soit pour remercier la sainte de sa protection, soit pour lui demander d'accomplir un miracle. Pour ces insulaires, qui possédaient tous une chaloupe et devaient souvent affronter le fleuve, la dévotion à la patronne des marins allait de soi. Marie-Anne, très fière de porter à la fois le nom de la mère de Dieu et celui de la sainte de Beaupré, raconta à Mary les premiers miracles de sainte Anne tels que les religieuses les lui avaient enseignés. Elle lui parla de Louis Guimont venu, presque deux siècles plus tôt, poser quelques pierres pour la construction de la chapelle de sainte Anne, malgré de terribles maux de reins, et qui fut guéri de ses douleurs; de Marie-Esther Ramage, l'infirme qui marchait courbée en deux et qui se redressa aussitôt qu'elle eut invoqué le nom de la sainte; des trois voyageurs sauvés après avoir passé vingt-quatre heures accrochés à leur épave lors d'une tempête devant le cap Tourmente.

— Sainte Anne, affirmait Marie-Anne, fait marcher les paralytiques, voir les aveugles, redresser les contrefaits.

C'est pourquoi, chaque 26 juillet, les Orléanais s'entassaient dans leurs chaloupes et traversaient le chenal pour aller honorer la sainte. Ils retrouvaient à Beaupré un grand concours de monde, car la réputation du lieu s'étendait loin, et nombreux étaient les malheureux qui venaient implorer un miracle.

Cette année, on irait avec la nouvelle chaloupe, celle que Martin Prévost avait commandée voilà deux hivers au chaloupier Godbout, le plus réputé de Saint-Laurent. Il allait la chercher cette semaine, profitant d'un creux entre fenaison et récolte.

Le village de Saint-Laurent était situé de l'autre côté de l'île, sur la rive sud. Prévost s'y rendrait à pied, par le chemin du Mitan, passerait la nuit chez la parenté de Saint-Jean et ne reviendrait que le lendemain, par le fleuve. Il eût pu le faire dans la journée, à condition de partir avant le lever du soleil. Mais à ceci, même les plus téméraires n'auraient pas oser se risquer, car ce chemin avait mauvaise réputation : c'était le lieu privilégié des feux follets, loups-garous et lutins qui profitent de la nuit pour s'en prendre aux voyageurs.

Le père avait décidé d'amener Thomas, et ses sœurs, un peu envieuses, ne parlaient plus que de cette expédition à laquelle elles auraient aimé se joindre. C'est donc vers Mary, plus susceptible de le comprendre, que le petit garçon, pris de peur, se tourna la veille du départ pour chercher du réconfort. Il lui confia ses appréhensions dans la langue de son enfance, et Mary, le prenant contre elle, comme jadis Patrick, Paddy ou Liam, le rassura :

— N'aie pas peur, Thomas Barry, il ne t'arrivera rien !

Elle lui rappela que les horreurs dont Césarie Pouliot les abreuvait se passaient toutes de nuit. En partant sur le midi, les voyageurs ne couraient aucun risque. Elle essaya aussi de donner du prix à l'expédition en reprenant ce que disaient ses sœurs : il allait découvrir l'intérieur de l'île, un village inconnu, de nouvelles personnes. Mais ces arguments avaient peu de poids auprès du petit Irlandais qui avait traversé l'océan, parcouru le fleuve et séjourné à Québec. Du nouveau, tout comme Mary, il estimait qu'il en avait vu assez pour sa vie entière, et ce à quoi il aspirait, c'était à des choses qui ne changent pas. Tout ce qui lui faisait plaisir dans cette aventure, c'était que le père Prévost avait choisi de l'amener, lui, Thomas, ce qui montrerait à tous qu'il avait un fils dont il était fier.

Cette fois encore, Mary l'avait bercé en lui chantant *Róisín Dubh*. La ballade, qui avait réconforté Thomas, avait remué en elle souvenirs et regrets. À l'évocation de sa famille et de l'Irlande, à jamais inaccessibles, la fillette avait été prise d'un accès de désespoir comme elle n'en avait pas eu depuis longtemps. Sans compter que l'île d'Orléans, où elle avait trouvé l'amitié de la famille Prévost et la tendresse de Thomas, il faudrait la quitter, elle aussi, dès la fin de l'été. Tout serait à recommencer : le rejet, les insultes, la confiance chèrement acquise. Et puis, peut-être, de nouveau, un autre départ, une autre séparation ?

L'aube la surprit éveillée. Elle entendit le trio de corneilles s'insulter à plein gosier tout en haut de l'érable. Le coq des Prévost s'éveilla, solennel et obstiné, auquel répondirent celui des Pouliot, un rien poussif, et ceux, plus lointains, du village et du moulin. Ce fut ensuite le tour du merle, probablement perché sur le linteau du puits – penchait-il la tête, de côté et d'autre, comme pour admirer son reflet dans l'eau noire qui chatoyait tout en bas ? –, et elle finit par s'endormir, épuisée, sur l'image de l'Oiseau-Narcisse annonçant à tous les échos qu'il avait commencé sa journée.

Le lendemain, comme prévu, Thomas et son père prirent la route après avoir mangé. Eudora, en donnant à son mari la musette dans laquelle elle avait mis du pain, du fromage, des pommes et une gourde, le tint longuement embrassé sous le regard surpris de leurs enfants qui n'étaient pas accoutumés à de semblables effusions. À voir leur mère, si prude, montrer ainsi ses sentiments, les filles Prévost, qui n'avaient pensé qu'aux côtés plaisants du voyage, se souvinrent de ses dangers : le père allait devoir contourner l'île en chaloupe, et il y avait eu quantité de naufrages dans ces environs. Prévost connaissait le fleuve entre Sainte-Famille et Québec, mais il était moins familier avec la côte sud de l'île et la pointe de Saint-François. La peur les prit que les voyageurs ne reviennent pas, et c'est avec des mines affligées qu'elles les accompagnèrent jusqu'à l'entrée du chemin du Mitan. Le père, que cette affectation de tristesse avait d'abord ému, finit par s'en agacer et les renvoya aider leur mère à faire le train.

En l'absence des deux hommes de la maison, il y eut beaucoup d'ouvrage, ce qui leur changea les idées. Le soir, elles retrouvèrent leurs peurs, agenouillées autour de la mère, devant le crucifix de la cuisine, à réciter un rosaire pour la protection des voyageurs. Mais c'était interminable et elles eurent vite très mal aux genoux. En faisant porter leur poids d'une jambe sur l'autre afin de soulager la douleur, elles n'avaient plus qu'une envie : que cela finisse.

La prière enfin terminée, les filles firent une course échevelée autour de la croix en hurlant comme des possédées. Après avoir épuisé leur besoin de bouger, elles atterrirent sur la galerie de Césarie Pouliot. La vieille femme, mise en verve par les circonstances, s'en donna à cœur joie avec les feux follets et les lutins aux chapeaux pointus du chemin du Mitan. Durant la nuit, conséquence prévisible, Eudora dut tranquilliser plusieurs fois les petites réveillées par des cauchemars.

La nuit de Mary ne fut pas plus paisible. Dans ce moment qui précède le sommeil, où l'esprit est sans défense contre les fantasmes les plus effrayants, le chemin aux maléfices décrit par l'aïeule se confondit pour elle avec celui d'Armagh où l'homme sans tête était apparu à ses parents. La nuit, le chemin creux, les êtres surnaturels : tout concordait, et il ne pouvait rien en sortir de bon. Alors, la fillette craignit que les prières à sainte Anne faites dans la cuisine des Prévost ne suffisent pas à sauver du mal un petit Irlandais. Elle se remit à prier, saint Patrick cette fois, pour que le petit frère que le hasard lui avait donné soit protégé des sortilèges du démon et de la malfaisance du fleuve.

Dès le matin, les filles voulurent se rendre sur la berge pour guetter l'apparition des voyageurs, mais Eudora les renvoya à leur tâche. Elle leur rappela que le père n'arriverait pas avant le soir, car il devait s'arrêter à Saint-François pour embarquer leur cousin Jean-Baptiste. Le jeune homme venait chercher l'ancienne chaloupe qu'il leur rachetait. Marié depuis peu, il n'avait pas encore d'enfants, et l'embarcation des Prévost, qui n'était plus assez grande pour eux, lui suffirait.

La petite Émilie, que ses sœurs avaient envoyée scruter le fleuve parce qu'elle était la seule à n'avoir rien à faire, annonça l'arrivée de la chaloupe peu avant l'heure du souper. Elles lâchèrent tout : qui le seau sur la margelle du puits, qui la fourche à l'étable, qui la bêche au jardin. Eudora elle-même les suivit à la hâte, tout en faisant des signes de croix et en marmonnant : « Merci, ma bonne sainte Anne. Merci, ma bonne Sainte Vierge. Merci, mon bon saint Joseph... »

La chaloupe leur arracha des cris d'admiration : longue de vingt-trois pieds, munie d'un mât et d'une voile blanche, sa coque était peinte d'un beau rouge vermillon, alors que l'intérieur était en jaune. Elles auraient souhaité l'essayer tout de suite, mais il n'en était pas question : les deux hommes et leur jeune compagnon avaient faim. De toute façon, le pèlerinage approchait. Elles n'auraient pas beaucoup à attendre.

En remontant de la grève, l'intérêt se déporta de la chaloupe sur le cousin. De l'avis de ses cousines – opinion que Mary et Eudoxie Pouliot partageaient sans réserves –, Jean-Baptiste était beau : grand, élancé, le visage souriant et la tignasse abondante, toujours prêt à lancer une plaisanterie, il avait brisé des cœurs en épousant Odile, l'aînée des Pouliot, l'année précédente. Plusieurs de ses jeunes cousines, qui avaient secrètement rêvé qu'il attendrait qu'elles grandissent pour se choisir une épouse, en avaient été dépitées. Au moins, elles avaient un avantage sur Eudoxie : il était leur cousin, alors qu'elle n'était sa parente que par alliance. Néanmoins, après le souper, leur voisine ne fut pas moins bien traitée qu'elles, puisque les deux familles se réunirent pour la veillée afin de partager les nouvelles d'Odile et de la paroisse de Saint-François.

Les fillettes furent déçues par leur héros : Jean-Baptiste était beaucoup moins drôle qu'avant. Au lieu de chanter et de raconter des histoires, comme autrefois, il parlait de récoltes, de la maison qu'Odile et lui avaient installée, de ses nouveaux soucis de futur père de famille. Elles se lassèrent vite de cette conversation d'adultes et préférèrent attirer Thomas au dehors pour qu'il leur raconte le voyage.

Selon le garçonnet, le chemin du Mitan n'était guère effrayant : il était surtout poussiéreux et interminable. On longeait d'abord des fermes, puis des champs cultivés et enfin des bois, pour recommencer dans le sens inverse lorsque l'on était parvenu au milieu de l'île, à la frontière entre la paroisse de Sainte-Famille et celle de Saint-Jean.

— La nuit, dit Thomas, je n'aimerais pas y aller, mais de jour, ça ne fait pas peur.

Ce qui avait impressionné l'enfant, c'était la chalouperie. Comme ses voisines – il y en avait au moins une quarantaine à Saint-Laurent –, elle était installée au bas des coteaux, en dessous du chemin du Roy, de manière à accéder directement au fleuve pour lancer, à partir d'une rampe, les embarcations terminées. Chez Godbout, il y en avait trois, dont la leur, qui attendaient que l'on vienne en prendre livraison.

— Elles étaient toutes jolies, l'une peinte en bleu, l'autre en vert, mais la plus belle, c'était la nôtre.

Dans l'atelier, où ils étaient restés un moment, Thomas avait été fasciné par la prestesse du plus jeune fils du chaloupier qui faisait passer les outils à son père ou à l'un de ses aînés. Tout le monde semblait avoir besoin de lui en même temps, et il volait de l'un à l'autre, ne se trompant jamais entre la tille, l'herminette, la tarière, l'épiçoir ou les clavets – des mots que Thomas entendait pour la première fois de sa vie. Non content d'être rapide et efficace, il répondait du tac au tac aux taquineries du plus vieux de ses frères.

Le grand-père, dont les mains n'étaient plus assez sûres pour manier la varlope, fumait la pipe dans un angle de l'atelier, assis sur sa chaise berçante à proximité de l'étuve qui jouxtait l'âtre où un grand feu brûlait en permanence. Il surveillait le passage à l'étuve des membrures et des bordées : celles-ci y demeuraient juste le temps nécessaire pour qu'il soit aisé de leur imprimer la courbure voulue. Ce faisant, il suivait avec attention les gestes de chacun, donnait souvent un conseil, faisait parfois un commentaire appréciatif.

Deux ou trois vieux avaient coutume de venir traîner à l'atelier pour se désennuyer. Ils parlaient du temps passé, de l'époque où ils étaient pêcheurs ou bien pilotes et avaient toujours la force de faire vivre leur maisonnée. Sans lever la tête de l'établi, les chaloupiers les écoutaient raconter les prises miraculeuses, les tempêtes auxquelles ils avaient échappé, les naufrages qui avaient englouti tant de maîtres pilotes. La qualité de la chaloupe comptait pour beaucoup dans la sécurité de la navigation, et les conteurs finissaient toujours par célébrer l'adresse des artisans qui les fabriquaient. Les chaloupiers, à qui ils rappelaient ainsi que la vie des marins dépendait en partie de leur savoir-faire, semblaient alors mettre plus de soin encore à leur ouvrage.

Comme il le dirait plus tard à Mary – car il n'eût pas voulu risquer de blesser ses sœurs –, Thomas avait un peu envié le jeune Godbout qui allait apprendre ce beau métier de chaloupier et passer sa vie dans les odeurs de bois, de goudron et de peinture. La chalouperie lui avait rappelé des souvenirs d'Irlande : les copeaux qui tombaient de l'établi Godbout moutonnaient sur la terre battue comme ceux de McGarr, le tonnelier du village. Thomas y allait souvent chercher son père, le soir, après sa journée d'homme de peine, et il avait rêvé qu'un jour, quand il serait plus grand, l'artisan le prendrait comme apprenti.

— Mais ça, c'était avant. Maintenant, dit-il résolument, je vais devenir un véritable habitant. Et je vais quand même travailler le bois : l'hiver prochain, le père va me montrer comment fabriquer une petite brouette pour Émilie.

À la surprise de Mary, les souvenirs d'autrefois ne semblaient pas rendre Thomas malheureux. Sans doute était-ce dû à son jeune âge ? Le passé devait lui paraître irréel. Pour elle, c'était le contraire, à tel point qu'elle redoutait toujours le passage devant la forge de Jean-Baptiste Prémont. Les coups de marteau sur l'enclume lui restituaient l'image de Sean O'Connor, de son torse nu et musclé luisant de sueur dans la lumière des flammes. Sean O'Connor, son père, l'homme fort qui devait la protéger de tous les dangers et qui l'avait envoyée sur un autre continent d'où elle ne reviendrait pas.

La nécessité d'être à jeun depuis minuit pour recevoir l'eucharistie incitait les fidèles à arriver tôt à Beaupré. Parfois, ils étaient là dès la veille, ou même quelques jours avant – c'était le cas des tribus amérindiennes de Gaspé et du Bas-du-Fleuve. Les Orléanais, quant à eux, traversaient le chenal dès la barre du jour. Le père Prévost avait averti tout le monde – y compris madame Shandon, mais en termes plus mesurés – qu'il ne tolérerait aucun retard. Pour elle, il avait allégué des raisons de sécurité de navigation, alors que tous les autres savaient qu'il voulait pouvoir déjeuner le plus tôt possible. C'était la première excursion d'Elena avec les Prévost, et ils ne savaient trop à quoi s'attendre. Mary s'était dit qu'ils verraient par eux-mêmes : ce n'était pas la peine qu'ils s'impatientent à l'avance.

Elena avait décidé de participer au pèlerinage, car elle était désireuse de mettre sa future maternité sous la protection de la sainte. Comme ses relations étaient essentiellement de confession protestante, elle avait tout naturellement demandé à se joindre aux Prévost. C'était le genre de requête que l'on ne pouvait pas refuser, mais dont à peu près tout le monde se serait passé. À part sans doute Marie-Anne, qui se faisait une joie d'étaler ses connaissances en anglais devant sa famille et son savoir religieux auprès d'Elena, tous les autres prévoyaient beaucoup d'embarras, à commencer par la probable nécessité de l'attendre le matin, car l'heure prévue pour le départ n'était pas celle à laquelle madame Shandon était habituée à se lever. Il fallut néanmoins faire contre mauvaise fortune bon cœur et accueillir la demande avec un raisonnable empressement.

La veille, Eudora envoya ses enfants au lit plus tôt que d'habitude afin qu'ils soient en forme. Pour le lever, elle savait qu'il n'y aurait pas de problème : la perspective de l'expédition mettrait tout le monde sur pied au premier appel.

— C'est dommage qu'on ne puisse pas aller chez Césarie Pouliot, regretta la petite Josèphe, elle nous aurait chanté la *Complainte de la noce de Louis Beaudoin et Agnès Paré.*

Charlotte haussa les épaules :

— On n'a pas besoin de Césarie pour ça : on la connaît par cœur la complainte !

On pourra la chanter dans la chaloupe, demain.

— Si la mère veut, dit Marie-Anne, sceptique.

À Mary, qui voulut savoir de quoi elles parlaient, elles racontèrent qu'une noce, de retour de Beaupré, s'était noyée en traversant le chenal. Il y avait eu treize morts : deux seulement avaient survécu. C'était l'année où Césarie avait eu son aîné, qui avait cinquante ans maintenant. Par la suite, quelqu'un avait écrit une complainte pour raconter le naufrage. On la chantait aux veillées.

— Mais dans la chaloupe, à l'endroit où c'est arrivé, ça m'étonnerait que la mère veuille l'entendre, insista Marie-Anne.

La fillette avait raison. Quand tout le monde fut installé dans l'embarcation et que Charlotte lança d'une voix qui portait loin :

Peuple chrétien, écoutez la complainte
D'un honnête homme qui vient de
s'marier...

sa mère l'interrompit sèchement :

— Tais-toi ! Tu vas attirer le malheur !

Charlotte se le tint pour dit. La tension était assez forte dans la chaloupe pour que le moindre prétexte provoque une explosion. Mary en fut soulagée. Elle avait assez peur d'être sur l'eau sans qu'en plus on la bassine avec des histoires de naufrage. *À la claire fontaine*, qu'Eudora entonna peu après pour alléger l'atmosphère, lui convenait beaucoup mieux.

Lorsque Elena était arrivée, souriante et apprêtée, il y avait deux bonnes heures que les Prévost l'attendaient, raides dans leurs vêtements du dimanche. Eudora houspillait les plus jeunes, qui allaient se salir en jouant à chat perché, et le père grommelait des choses qu'il valait sans doute mieux ne pas comprendre. Mary, pourtant, avait fait son possible pour presser le mouvement, mais tout était allé de travers.

D'abord, au lever – « Grand Dieux, pourquoi m'éveilles-tu si tôt ? Il ne fait pas encore jour » –, Elena avait eu une nausée, ce qui, pourtant, n'arrivait presque plus. Elle s'était recouchée un moment pendant que Mary lui rafraîchissait les tempes avec de l'eau fraîche. Après qu'elle fut parvenue à mettre pied à terre, s'était posé le problème de l'habillage. Sur les instances de Mary, qui avait tout préparé la veille, Elena avait accepté de mettre sa robe la plus simple et ses chaussures les plus confortables, admettant que c'était ce qui convenait le mieux aux circonstances. Mais elles n'avaient pensé ni l'une ni l'autre qu'Elena n'avait pas mis cette robe depuis longtemps et, qu'ayant pris de la taille, elle n'y rentrerait plus. Mary essaya d'en proposer une autre. Mais non, c'était celle-là qu'il fallait, et elle dut l'élargir sur le champ. En plantant son aiguille dans l'étoffe le plus vite possible, elle songeait aux Prévost qui les attendaient et, nerveuse, elle se piqua plusieurs fois. Elena, remise de son malaise, papotait gaiement sans se douter qu'à quelques toises, dans la cour de la ferme, on la vouait aux gémonies.

La traversée fut facile. Il faisait beau et le chenal n'était pas encombré, car les gens de Sainte-Famille étaient partis depuis longtemps. Les Prévost s'émerveillèrent à qui mieux mieux de la beauté de la chaloupe, de sa stabilité, de l'espace dont ils disposaient. Elena, ne voulant pas être en reste, admira à son tour, faisant dire par Thomas qu'elle n'en avait jamais vu d'aussi belle. Elle obtint un petit sourire d'Eudora, mais pas de Martin qui avait la rancune plus tenace. À leur arrivée, ils partirent en quête de la parenté de Saint-Jean et de Saint-François qu'ils avaient coutume de retrouver chaque année pour pique-niquer. Les retrouvailles se firent dans de grandes effusions, et ils se mirent à parler tous en même temps, volubiles et joyeux. Cependant, les nouveaux venus se rembrunirent vite, car ils étaient obligés de jeûner au milieu des effluves de pâtés et de fromages. Levés aussi tôt que les autres, ils avaient également très faim, mais ils durent résister à la tentation pour pouvoir recevoir l'eucharistie à la deuxième messe, qui serait célébrée après midi. Elena essuya plusieurs coups d'œil peu amènes et comprit enfin de quel désagrément elle était responsable. Mal à l'aise, elle s'éloigna de ses hôtes, accompagnée de Mary qui aurait préféré rester avec ses amies et leurs cousins, à rire et courir hors de portée des réprimandes des adultes, trop occupés à échanger des nouvelles.

En faisant le tour du site, elles s'aperçurent que les pèlerins formaient une population extrêmement bigarrée. Rassemblés le long du fleuve, les Amérindiens – Micmacs, Montagnais, Hurons et autres – avaient tiré leurs canots sur la berge et planté leurs wigwams à proximité de l'eau. En bons nomades, ils s'étaient installés en un tournemain, et les tentes d'écorce, qui avaient poussé dans le paysage peu de temps auparavant, constituaient un village parfaitement organisé. Des femmes s'activaient aux feux tandis que d'autres mettaient à sécher sur des perches le poisson ramené par les hommes, chassant du pied les chiens qui tentaient de s'en saisir. Les enfants s'ébattaient dans le fleuve avec de grands rires alors que les vieux, assis en cercle, fumaient leur pipe, immobiles et silencieux. Des hommes étalaient sur l'herbe des peaux de caribous, de rats musqués ou de visons, qu'ils troqueraient contre quelque objet, de la nourriture ou, mieux encore, de l'eau-de-feu.

Effrayée par l'odeur et le bruit, Elena ne voulut pas s'approcher. Par contre, elle s'arrêta pour admirer les sculptures d'un habitant de Sainte-Famille, un vieil homme que Mary avait déjà vu à la messe du dimanche. Pour passer le temps pendant l'hiver, il façonnait dans le bois des personnages et des animaux qu'il avait exposés sur une couverture dans l'espoir d'en vendre. Taillées dans le pin, les figurines étaient sculptées avec une extrême précision. Le vieillard avait représenté des scènes de la vie quotidienne : une femme au rouet, vieille et ridée – sa femme, peut-être ? –; un marin dans sa barque, le filet à la main; une paire de bœufs sous le joug, qui tirait une charrette.

Elena les manipulait et les reposait, tentée, mais hésitante. Soudain, elle avisa une sculpture religieuse qu'elle n'avait pas encore remarquée. C'était une représentation de la façade de l'église de Sainte-Famille. Tout y était : les deux tourelles d'escalier avec leurs clochers surmontés de flèches, le clocher central tel qu'il se présentait avant que la foudre ne le détruise, les statues nichées dans la façade – Jésus, Marie, Joseph, sainte Anne et saint Joachim –, ainsi que le cadran solaire au-dessus de la porte centrale. Voilà qui ferait plaisir aux Prévost et qui serait une façon élégante de s'excuser pour les avoir fait attendre.

Elle accepta sans sourciller le prix demandé par le vieil homme. Estomaqué, il regardait l'argent dans sa main sans trop savoir quoi faire, car c'était beaucoup trop cher payé. Habitué aux marchandages, il avait énoncé un montant élevé, prévoyant le rabattre pour le moins de moitié. Sauf qu'il ne pouvait pas le faire si on ne le lui demandait pas : c'était contraire à toutes les règles du commerce. Indécis et mécontent, il commençait à regretter sa transaction, lorsqu'il eut une idée. S'avisant que la jeune femme était enceinte, il sortit de sa besace une sculpture qu'il n'avait pas prévu de vendre et la lui offrit. Elena contempla la figurine qu'elle tenait dans ses mains : il s'agissait d'une jeune femme qui donnait le sein à son enfant. Très émue, elle serra la main du vieil homme à qui elle dit :

— Merci, elle va me porter bonheur.

Et elle s'éloigna, serrant contre son cœur la petite sculpture, suivie de Mary qui portait la Sainte-Famille sous le regard content du vendeur. Il avait fait une bonne affaire et il avait la conscience tranquille.

Il y avait foule à la messe. Tous les déshérités de la création semblaient s'y être donné rendez-vous. Tordus, boiteux, pieds-bots, paralytiques et aveugles, conduits par une même foi dans le miracle, étaient venus prier sainte Anne de les secourir. Certains s'appuyaient au bras charitable d'un membre de leur famille. D'autres, le plus souvent des Amérindiens, franchissaient à genoux la distance de la berge au sanctuaire. Beaucoup marchaient nu-pieds sur les galets de grève. Des mères, les yeux brillants d'espérance, portaient leur enfant malade auquel elles chuchotaient des promesses de guérison.

Mary, troublée par toute cette souffrance, n'osait plus rien désirer. Ils semblaient tous tellement plus à plaindre qu'elle ! D'ailleurs, quel miracle pouvait-elle demander ? Que la vie à Sainte-Famille continue ? C'était impossible : aux premiers signes de fraîcheur, tous les estivants regagneraient Québec, et Elena s'empresserait d'en faire autant. D'ailleurs, monsieur Shandon avait un logement en vue. Il en avait parlé le dimanche précédent. Mary ne savait pas quoi demander à la sainte. Elle pensa fugitivement à sa tante Nora, sans laquelle elle serait à New York, avec sa grand-mère Nuala, hors de toute incertitude, et elle eut envie, dans un élan de rancune, de réclamer son châtiment à sainte Anne. Mais elle se reprit aussitôt, se disant que Dieu ne devait pas aimer ce genre de ressentiment. De toute façon, Nora n'en valait pas la peine. Alors, renonçant à demander pour elle-même elle ne savait quel bienfait, Mary pria pour Elena, afin que la naissance se passe bien et qu'elle retrouve le bonheur auprès de son époux.

Ils retraversèrent le chenal à la faveur de la marée basse. Tout le jour, ils avaient chanté des cantiques et ils continuèrent dans la chaloupe, portés par un reste de ferveur. Mais peu à peu la fatigue les fit taire, et c'est en silence qu'ils prirent le chemin de la ferme, mélancoliques à l'idée que c'était terminé et qu'il faudrait attendre un an avant de recommencer.

À l'arrivée, Elena offrit sa sculpture à Eudora Prévost. Elle avait vu juste en la choisissant : la paysanne s'extasia. Son mari, les sourcils froncés, était prêt à refuser, car il trouvait que c'était excessif, mais il ne dit rien, désarmé par l'attitude de la donatrice. Elle semblait aussi contente d'offrir son cadeau que l'étaient ses filles en donnant à leur mère un présent préparé avec amour dans le plus grand secret. Comme madame Shandon n'avait pas l'air de payer un service pour en être quitte, il ne voulut pas la blesser en ne l'acceptant pas, même si le cadeau était trop important. Et puis, Eudora était si contente de placer la sculpture sur le chambranle, au-dessus de la cheminée, entre le crucifix et le bougeoir, qu'il n'eut pas le cœur de l'en priver. Il dut même admettre que cela faisait un bel effet et que, lui aussi, il aurait plaisir à l'y voir.

Le mois d'août fila d'autant plus vite que les activités de la ferme ne laissaient pas de répit. Mary y passa le plus clair de son temps tandis qu'Elena, sous la conduite de valets en livrée, se rendait à des pique-niques et des réceptions.

Il y eut d'abord la récolte des fèves, que tout le monde considérait comme une corvée. Penchées toute la journée, les cueilleuses avaient le dos rompu quand elles se relevaient. « Et encore, disait Charlotte pour se donner du courage, c'est moins pire que les patates. Parce que les patates, oh là là ! » Ce disant, elle agitait la main pour souligner son appréciation avant de se courber de nouveau sur le sillon. Les gousses étaient ensuite mises à sécher dans la cour, en plein soleil, sur de grands bourras de chanvre, surveillées par les plus jeunes des fillettes qui les protégeaient des volailles. Il faudrait ensuite les écosser, mais ceci était réservé aux journées de pluie de l'automne, et les filles le feraient dans la grange, assises en rond, en chantant et en racontant des histoires. Cette étape du travail, Mary ne la verrait pas, car elle serait déjà repartie à Québec.

Il fallut ensuite plumer les oies. Mary se retrouva assise sur un tabouret, la tête d'une oie coincée sous le bras. À la première rémige qu'elle lui ôta, le palmipède poussa des cris stridents, se débattit de toutes ses forces et échappa à sa tortionnaire, trop apeurée pour le retenir. Avant qu'on ne puisse le rattraper, il avait fait tout le tour de l'enclos et éparpillé, à grands coups d'ailes furieux, les plumes déjà amassées. C'est dans une tempête de duvet, au milieu des rires des filles, qu'Eudora montra à Mary, sur l'oie qu'elle avait capturée, comment s'y prendre pour la faire souffrir le moins possible et, surtout, comment lui serrer le bec pour qu'on ne l'entende plus. Aux timides protestations inspirées par sa pitié pour l'oiseau, on lui répondit qu'il ne ressentait qu'un chatouillement. D'ailleurs, on ne dépouillait l'oie que du strict nécessaire pour bourrer les oreillers, édredons et autres coussins, tout en faisant attention de lui laisser assez de plumes pour qu'elle ne meure pas de froid pendant l'hiver.

Il y eut aussi la chasse aux tourtes. Toute la famille s'y mettait. Le soir, le père s'occupait de placer des filets sur une terre à proximité du bois où les oiseaux passaient la nuit. Le matin, après que les gros pigeons au plumage cendré avaient quitté la protection des arbres pour chercher leur pitance dans le champ, Prévost tirait les rets pour les emprisonner et le carnage commençait. Les enfants, pris de frénésie, les assommaient à coups de bâtons, comme pour les rats dans la cale du *William Fell*. Après cela, il n'y avait plus qu'à mettre le produit de la chasse dans de grands sacs. La mère Prévost confectionnait des pâtés bons à s'en lécher les babines et le père vendait les surplus à Québec. Bien que ses clients en soient friands, les tourtes étaient payées une misère en raison de leur abondance sur le marché. Mais le petit bénéfice récolté, ajouté à la vente des poireaux, oignons et navets, permettait d'acheter l'huile de marsouin pour la cuisson des aliments, le thé ou le sel.

Dans les jours précédant le départ des Shandon pour Québec, Elena se rendit au couvent pour vérifier où en était sa layette.

Sœur Sainte-Émérence, justement, y travaillait. Il lui restait encore beaucoup à faire, mais la naissance n'aurait lieu qu'à la fin du mois de décembre. D'ici là, tout serait terminé, madame Shandon pouvait en être sûre, et le paquet serait confié à Prévost qui le porterait à Québec. Pendant qu'Elena admirait l'ouvrage en cours – une robe sur laquelle apparaissait en partie le «S» de Shandon brodé au plumetis –, la religieuse alla chercher, dans un coffre où elle les avait rangés, les vêtements déjà prêts. Elena, ravie, mit sur son poing fermé un petit bonnet de dentelle finement ajouré et prit la sœur à témoin : «Il sera beau, n'est-ce pas, mon fils, avec ce bonnet sur ses boucles rousses.» La religieuse approuva en souriant, pleine d'amabilité pour la généreuse anglaise qui, outre le prix respectable du trousseau, avait laissé une somme rondelette afin que l'on dît des neuvaines pour elle-même et l'enfant. Mary, interrogée du regard, sourit aussi, mais le cœur n'y était pas tout à fait : elle regardait le mince poignet d'Elena, perdu dans le bonnet pourtant petit lui aussi, ainsi que la taille à peine épaissie de la jeune femme, en se demandant de quoi aurait l'air cet enfant qui tenait si peu de place dans le ventre de sa mère.

Très vite vint septembre et le moment tant redouté du départ. Elena, impatiente de s'installer en ville, dans une maison où elle serait vraiment chez elle pour la première fois de sa vie, n'avait aucunement conscience que la perspective de quitter Sainte-Famille était un déchirement pour Mary. La jeune madame Shandon allait retrouver à Québec les gens qu'elle avait fréquentés tout l'été et qui, comme elle, retournaient en ville au début de l'automne. Il lui serait même plus facile de les voir, puisque leurs demeures seraient moins éloignées de la sienne que ne l'étaient les résidences estivales.

Pour Mary, c'était tout autre chose : à Québec, elle ne connaissait personne, alors qu'ici, elle s'était fait des amis. Les parents Prévost l'avaient accueillie chez eux chaque fois qu'Elena s'était absentée, ce qui était arrivé souvent. Elle en était venue à avoir l'impression de faire partie de cette famille. Et puis, il y avait Thomas, qui lui rappelait ses frères et qui les avait un peu remplacés. À Québec, elle n'aurait qu'Elena. Elena qui était malheureusement très occupée à courir les thés de ses nouvelles relations. Elle aurait peu de temps pour Mary qui allait devoir s'habituer à beaucoup de choses. Monsieur Shandon avait loué la résidence d'un Écossais qui retournait au pays et l'avait prise avec sa domesticité. Mary ignorait combien il y aurait de serviteurs, mais elle savait qu'elle devrait se faire admettre d'eux : ils étaient déjà installés dans la maison et la traiteraient sans doute en intruse, peut-être même en ennemie au vu de ses relations d'amitié avec leur nouvelle maîtresse. S'ils étaient méchants avec elle, Elena ne lui serait d'aucun secours. Elle ne s'en apercevrait probablement même pas. Seule perspective heureuse dans les mois à venir : le bébé. Mary avait hâte de s'en occuper. Comme Elena n'y connaissait rien, elle le lui confierait. Mary en prendrait soin comme de Liam. Avec le bébé, elle ne serait plus aussi seule, mais en attendant…

Mary avait ressassé ses appréhensions durant tout le mois d'août. Elle eût voulu retenir le temps, provoquer un événement – elle n'arrivait pas à imaginer lequel – qui les obligerait à rester à l'île d'Orléans. Faute de pouvoir amener Charlotte à Québec, elle serait volontiers restée à Sainte-Famille sans les Shandon si les Prévost avaient voulu la garder. Mais il ne fallait pas l'espérer : qu'auraient-ils fait d'une fille de plus, eux qui en avaient déjà trop ?

Le dernier matin, Mary fit le tour des lieux qu'elle allait quitter avec le farouche désir d'engranger les moindres détails. Si elle était trop triste à Québec, elle pourrait se souvenir de Sainte-Famille et imaginer qu'elle y était encore.

Dans la cuisine, elle entendait Charlotte faire la vaisselle du petit déjeuner. De temps à autre, elle le savait, une larme tombait dans la cuvette. L'aînée des Prévost savait que l'Irlandaise ne reviendrait pas, car les parents ne reloueraient pas la maison : la famille avait été trop à l'étroit durant l'été et il y aurait un nouveau bébé l'an prochain. Charlotte n'aurait plus personne pour lui parler d'ailleurs, pour lui raconter le port de Québec, la place du marché et la pension Tessier. Le monde, qui s'était élargi le temps d'un été, allait reprendre ses dimensions habituelles, limitées à la paroisse de Sainte-Famille. Charlotte avait confié à Mary son rêve de la suivre à l'automne. Peut-être madame Shandon aurait-elle besoin d'une autre servante? Elles en avaient parlé tous les jours, imaginant leur vie à Québec, heureuses à l'idée de rester ensemble. Charlotte avait beaucoup hésité avant de le demander à ses parents et ne s'y était décidée que la veille parce qu'elle ne pouvait plus reculer. La réponse de Martin Prévost avait été ce qu'elle avait redouté, nette et sans appel :

— Tu n'iras pas perdre ton âme et ta réputation en ville. Je ne veux plus en entendre parler.

Marie-Anne avait essayé de la consoler en lui rappelant qu'elles allaient pouvoir occuper leur chambre. Mais qu'importait le confort à Charlotte en regard de la possibilité d'échapper à l'ennui de son existence étale! Le père ne changerait pas d'avis, elle en était sûre. Seul un miracle pourrait la sortir de là. Un garçon qui l'épouserait et l'emmènerait vivre à Québec. Il lui vint un sourire de dérision. Où l'aurait-elle connu ce merle blanc? Jamais personne ne venait se perdre à Sainte-Famille. Les Shandon avaient été une exception, et rien ne permettait de croire qu'il y en aurait d'autres.

En mettant le plus grand soin à lisser la courtepointe, Mary songeait qu'elle n'aurait probablement plus jamais une aussi jolie chambre. Dans les maisons de ville, les domestiques étaient petitement logés, quelle que soit l'importance de la demeure. Ce qui comptait, pour les maîtres, c'étaient les pièces d'apparat. La chambre sous le toit, avec ses murs chaulés si blancs et si frais, ses meubles au bois couleur de miel, sa catalogne multicolore et sa fenêtre ouvrant sur les étoiles, lui apparaissait comme un cocon duquel on allait l'arracher pour la projeter dans un inconnu hostile. Elle s'accouda à la lucarne pour avoir, une dernière fois, l'impression de se mettre à « sa fenêtre ».

En contrebas de la maison, Eudora Prévost, assise sur un tabouret, trayait Blanchette qui ruminait placidement. La paysanne avait déjà tiré un seau qui attendait sur le côté. Le front appuyé au flanc de la vache, elle s'activait à en remplir un autre. Sournoisement, la chatte rousse approcha. Efflanquée, toujours affamée par ses petits qui s'accrochaient à ses mamelles jour et nuit, elle chapardait tout ce qu'elle pouvait. Attirée par l'odeur, elle mit les deux pattes sur le rebord du seau et oublia d'être prudente, toute au plaisir de se gorger de lait tiède et crémeux. Une taloche derrière les oreilles la fit déguerpir tandis qu'Eudora criait :

— Cette feignante! Elle vient voler mon lait au lieu de chasser la vermine. Va-t'en, sale bête!

La chatte n'avait pas attendu avant d'obtempérer et avait vidé les lieux dans un feulement de colère et de douleur.

Mary vit passer les petites avec le troupeau de moutons. D'ordinaire, c'était le travail de Thomas, mais aujourd'hui, il accompagnait le père qui ramenait les estivants à la ville. Le grand chien berger noir et blanc refusait d'obéir aux fillettes qui devaient courir à sa place pour empêcher les bêtes de s'éparpiller dans le potager ou le champ de pommes de terre. Elles criaient et faisaient de grands moulinets avec leurs bras, mais les vieilles brebis n'en avaient cure : seules les dents du chien dans leurs chevilles étaient assez persuasives pour les mettre dans le droit chemin. Le spectacle des gamines hurlantes et échevelées fit sourire Mary. Pour une fois, Charlotte aurait la paix : ses sœurs étaient trop occupées pour la faire enrager.

Césarie Pouliot se berçait sur sa galerie. Elle ne faisait rien, car ses mains, perpétuellement agitées d'un tremblement, ne lui obéissaient plus. Elle les gardait croisées sur son giron, un chapelet glissé entre les doigts, et marmonnait toute la journée. Elle ne reprendrait vie que le soir, lorsque les enfants viendraient lui demander une histoire ou une chanson.

Deux écureuils disparaissaient sporadiquement dans un trou du grand érable auquel ils confiaient les mystérieuses provisions contenues dans leurs abajoues, tandis que le merle, fidèle à son poste, s'égosillait sur le puits.

Chacun ici avait sa place, et le départ de la jeune Irlandaise, dont le séjour avait été si bref, passerait presque inaperçu.

Martin Prévost et Thomas arrivèrent avec le cheval attelé et ils commencèrent à charger la carriole. Après avoir effleuré une dernière fois la courtepointe et jeté un ultime regard à la chambre, Mary descendit. Eudora Prévost était sur la galerie, venue faire ses adieux. On s'embrassa et on échangea avec émotion des promesses que l'on ne tiendrait pas. Le paysan coupa court à l'attendrissement en fouettant le cheval. On se fit des signes de la main, on agita les mouchoirs, et bientôt, ce fut terminé.

En traversant le fleuve dans la chaloupe conduite par Martin Prévost, Mary était crispée d'angoisse : sa peur de naviguer était intacte, quelles que soient la distance à franchir ou la taille de l'embarcation. Lors du pèlerinage, la présence de ses amies l'avait aidée à surmonter sa frayeur. Mais là, dans la chaloupe où personne ne disait rien, balancée par le courant du chenal, elle pensait à cette noce qui avait péri au retour de Beaupré. La complainte qu'Eudora n'avait pas voulu laisser chanter à Charlotte, le jour de la Sainte-Anne, et qu'elle avait entendue par la suite sur la galerie de Césarie Pouliot, lui revenait dans toute son horreur.

La vieille avait entonné d'une voix aigrelette :

Étant partis, Dieu préserv' le naufrage,
Les voilà donc à bon port arrivés.

Et les fillettes avaient enchaîné, du moins les plus grandes, qui la savaient par cœur :

Le lendemain, le lendemain des noces,
Quel triste jour et quel fatal retour !
Sont embarqués tous avec allégresse,
Quinze se sont mis dans la chaloupe à
Louis.
...
Ce cher Louison, par trop de complaisance,
Laisse gouverner par un novicier.
En déboutant la pointe à Porte-Lance,
Mal gouvernée la chaloupe a viré.

Mary n'avait aucun mal à imaginer la scène. Elle entendait les hurlements de ceux qui se noyaient, les voyait se débattre, tenter de s'accrocher à l'embarcation qui leur échappait, disparaître soudain dans un remous. Saisie d'effroi et de pitié, elle avait frissonné dans la douceur du soir.

Treize ont péri sur le bord du rivage,
Treize ont péri dans la mer, engloutis.
De tous côtés on voit venir le monde,
Gens de Beaupré qui les voient traverser.

L'histoire était terrible, mais Mary avait eu l'impression d'être la seule à y être sensible. La vieille en avait tant vu qu'elle ne pouvait plus s'émouvoir d'une tragédie si ancienne, et pour les fillettes, c'était une chanson comme les autres, qu'elles connaissaient depuis toujours. Mary avait senti une présence tout près d'elle : Thomas s'était rapproché, en quête de réconfort. Elle l'avait doucement entouré de son bras, sachant quelles images la complainte évoquait pour lui : les morts du choléra, comme ceux du naufrage, avaient fini dans les eaux, perdus à jamais pour ceux qui les aimaient. Parmi eux, la mère de Thomas, son père, ses frères et sœurs. Inconscientes de la douleur qu'elles avaient réveillée, les chanteuses continuaient :

Ils croyaient bien ce soir souper ensemble,
Se divertir et prendre du plaisir.
La table est mise, qu'on l'ôte en diligence,
Les draps seront pour les ensevelir.

Mary s'était souvenue des confidences du petit garçon : faute de draps, sa mère n'avait pas eu de linceul. Pour secouer la peine de l'enfant, elle avait aussitôt réclamé une chanson joyeuse, et Thomas, qui était encore bien jeune, avait vite oublié son chagrin en se joignant à ses sœurs pour plumer l'alouette :

Alouette, gentille alouette…

Québec se rapprochait et l'on distinguait monsieur Shandon qui était sur le quai, à les attendre. Elena, toute mélancolie effacée, retrouva son allant : la traversée du fleuve avait suffi pour reléguer Sainte-Famille et les dernières semaines dans le passé. Non seulement elle était prête à vivre la suite, mais elle avait hâte de le faire. Pour sa femme de chambre, ce serait moins facile.

Quand la chaloupe toucha au quai, Mary empoigna les paquets les plus fragiles et prit pied sur la terre ferme avec un grand soulagement. Les époux Shandon serrèrent la main de Martin Prévost, Elena baisa la joue de Thomas et ils montèrent dans la calèche qui les attendait. Le garçonnet se jeta dans les bras de Mary et s'accrocha à elle comme s'il ne voulait pas la laisser partir. Pressentant que les larmes n'étaient pas très loin, le père Prévost le détacha doucement de la fillette.

— Allons, allons, du calme! dit-il. Nous sommes au marché une fois la semaine. Elle viendra te voir et elle nous achètera des tourtes et des bons légumes pour madame Shandon.

Mary parvint à s'arracher un sourire et glissa à l'oreille de l'enfant : «À bientôt, Thomas Barry!», puis elle monta à son tour dans la calèche, pressée par monsieur Shandon qui lui faisait signe de se dépêcher.

AUTOMNE 1833 – ÉTÉ 1836

G roupés devant la porte d'entrée, les domestiques attendaient madame Shandon. Ils étaient quatre : deux hommes, le palefrenier et l'homme à tout faire, et deux femmes, la cuisinière et son aide. À l'exception du palefrenier, qui se tenait un pas à l'écart des autres avec, semblait-il, un certain mépris, ils étaient tous Canadiens et ne savaient de l'anglais que les mots indispensables à leur travail. Si monsieur Shandon, qui avait voyagé en France, connaissait passablement leur langue, ce n'était pas le cas de sa femme qui se tourna vers lui afin qu'il traduise sa phrase de salutations.

La maison était malcommode, du moins pour le service : la cuisine ne se trouvait pas au même étage que la salle à manger et la chambre était située encore au-dessus, ce qui obligeait les domestiques à monter et descendre des escaliers à cœur de jour. En revanche, la vue était belle : on dominait le port dont on pouvait suivre les activités depuis les fenêtres. Le soleil éclairait si bien le salon qu'Elena se déclara enchantée d'avoir une demeure aussi lumineuse. Elle demanda à Mary d'installer tout de suite son nécessaire à couture sur le guéridon qui jouxtait le fauteuil placé dans l'encoignure de la fenêtre.

— Pour me sentir chez moi, dit-elle, en y ajoutant la sculpture de la mère nourricière offerte le jour de la Sainte-Anne par le vieux pèlerin.

Tandis que Mary plongeait dans la malle au fond de laquelle elle avait rangé la corbeille, persuadée que tout ce qu'elle avait mis par-dessus serait utile avant, Elena commença le tour de la maison avec Edward. Les pièces où elle vivrait lui plurent et elle les regarda en détail. Par contre, elle ne s'attarda pas à la cuisine, située en demi-sous-sol et chichement éclairée par un soupirail qu'il fallait garder ouvert afin d'évacuer la fumée de la cheminée qui tirait mal, non plus qu'elle ne songeât à demander où sa femme de chambre coucherait.

Quant à Mary, ce fut sa première question à leur retour au salon. Un peu gênés, ils durent avouer qu'ils n'en savaient rien.

— En haut, sans doute, supposa monsieur Shandon. Nous allons appeler la cuisinière pour le lui demander.

Il tira un cordon qui actionnait une clochette accrochée à la cuisine et, au bout d'un moment, il virent arriver la femme. Elle était précédée d'un souffle rauque prouvant que son embonpoint ne faisait pas bon ménage avec les escaliers. Elena fronça les sourcils.

— Cette femme ne peut pas faire le service, elle peut à peine respirer.

La cuisinière, qui avait compris, s'empressa de répliquer :

— C'est ma nièce qui montera. Moi, mon travail, je le fais en bas.

Sans insister – après tout, on verrait à l'usage –, monsieur Shandon s'informa des pièces du galetas. La cuisinière lui apprit que le palefrenier en occupait une et sa nièce et elle-même les deux autres. Devant l'embarras de ses patrons, elle proposa de prendre sa nièce avec elle. Visiblement, l'idée lui souriait peu. Mais, sentant la précarité de sa position, elle s'efforçait d'être accommodante. Jugeant réglé ce problème domestique, les Shandon ne questionnèrent pas plus avant.

Elena, qui en pareilles circonstances se croyait indispensable, commença d'ouvrir les malles et d'en répandre le contenu sur tous les meubles.

— Vite, dit-elle à sa femme de chambre, installons-nous !

L'assistance de sa maîtresse était la dernière chose que souhaitait Mary. Elena allait mettre un tel désordre que cela prendrait des heures pour réparer les dégâts. Par chance, madame Chambers était déjà en ville et donnait, ce jour-là, un thé auquel Edward tenait à assister avec son épouse. Pour couper court aux tergiversations de sa femme, monsieur Shandon dit à Mary :

— Tu es capable de tout mettre en place sans aide, n'est-ce pas ?

La fillette confirma deux fois plutôt qu'une, et ils s'en allèrent.

Mary se mit à l'ouvrage. Elle s'activa jusqu'au soir, ne s'arrêtant qu'après avoir tout rangé. Elle était fatiguée, mais Elena serait contente : la demeure avait désormais l'air habitée et les choses étaient à portée de main. Son travail l'ayant cantonnée dans les pièces du haut, elle n'avait pas eu le temps de faire connaissance avec les autres membres du personnel. À l'heure du souper, elle descendit à la cuisine avec une certaine appréhension : si ces gens-là, avec lesquels elle devrait passer le plus clair de son temps, la rejetaient, sa vie allait être difficile.

— Ce n'est pas encore prêt, dit la cuisinière en la voyant entrer. Francine, va donc lui montrer sa chambre.

La fillette conduisit Mary au galetas. Tout en grimpant l'escalier de service raide comme une échelle, elle lui apprit qu'elle était arrivée de la campagne depuis deux jours à peine, à l'appel de sa tante, pour remplacer la précédente aide de cuisine partie elle ne savait où ni pourquoi.

— J'ignore ce qui s'est passé. Tante Margot ne veut pas en parler. Elle dit que c'est une pauvre fille et, chaque fois, elle ajoute qu'il faut se méfier de James, le palefrenier.

Elle fit un clin d'œil et ajouta :

— On va essayer d'en savoir davantage.

Les combles étaient divisés en pièces minuscules et les paillasses qui les meublaient n'étaient pas larges. Francine ramassa ses hardes pour les amener dans la chambre de sa tante. Mary, qui l'avait suivie, regarda la paillasse. Elle revit l'énorme cuisinière : sa nièce avait beau être mince, jamais elle ne parviendrait à se faire une place. Francine, semblant suivre ses pensées, commenta :

— Si elle se retourne en dormant, elle m'aplatit. Comme ça, elle pourra me servir à la place des crêpes, au petit déjeuner.

Et là-dessus, elle éclata d'un rire si communicatif que Mary s'esclaffa à son tour. Elles riaient tant qu'elles durent s'asseoir pour reprendre leur souffle. Dès que l'une d'elles reprenait son sérieux, l'autre pouffait de nouveau, et c'était reparti.

Quand elles furent calmées, Mary suggéra :

— Il vaudrait mieux que ce soit avec moi que tu dormes, ce serait moins dangereux.

— Je crois que oui, dit simplement Francine en remettant ses affaires dans la pièce d'où elle venait de les ôter.

Avant de redescendre, à l'initiative de Francine, elles allèrent voir la chambre de James. Rangée avec une rigueur militaire, une série de cravaches accrochées au mur, la pièce faisait peur : on aurait dit une salle de châtiment. Désagréablement impressionnées, elles s'empressèrent de refermer la porte.

Margot, à qui sa nièce annonça que, finalement, c'était avec la femme de chambre qu'elle dormirait et non avec elle, fit à l'intention de Mary un petit signe approbateur, mais elle n'eut pas le temps de commenter, car un bruit de voiture annonçait le retour des maîtres. Le rythme s'accéléra dans la cuisine. Francine était nerveuse, car c'était la première fois qu'elle allait servir à table. Même si sa tante lui faisait répéter les gestes depuis son arrivée, elle craignait de commettre un impair. Pendant ce temps, Mary mangeait sur un coin de la table de la cuisine, car Elena aurait besoin d'elle après le souper. Elle encourageait Francine d'un sourire chaque fois que celle-ci redescendait.

James entra. Venant de dételer et de bouchonner les chevaux, il apportait avec lui une forte odeur d'écurie qui fit froncer le nez de Margot dans une grimace de dégoût affecté. On sentait l'animosité entre le palefrenier et la cuisinière, et Mary, comme Francine, eut envie de savoir pourquoi. L'homme ne salua que la femme de chambre, et le fit en anglais. Il s'assit, prenant ses aises, et attendit d'être servi en posant à la fillette des questions sur les Shandon. Il voulait savoir d'où ils venaient, dans quelle mesure ils étaient prospères, s'ils étaient méfiants. Mary resta dans le vague : l'homme ne lui plaisait pas, et ses questions encore moins. Tout ce qu'il voulait apprendre le montrait à l'affût d'éventuelles faiblesses de ses maîtres pour en profiter. Or Mary, qui leur était redevable de ne pas s'être retrouvée à la rue et seule au monde, ne voulait rien dire qui pût leur nuire. James comprit qu'il avait fait fausse route et engagea la conversation sur un terrain plus neutre.

Margot posa une assiette devant le palefrenier sans rien lui dire, et il ne la remercia pas. Urbain, l'homme engagé, qui s'était assis près de l'âtre pour fumer une pipe après avoir déposé une brassée de bûches dans la boîte à bois, lui jetait des regards peu amènes que l'autre ignorait totalement. L'atmosphère était tendue dans la cuisine, et Mary comprit qu'elle ne pourrait pas avoir de bonnes relations à la fois avec James et avec les autres. Son choix ne fut pas difficile, tant le palefrenier faisait des efforts pour être antipathique. Pour montrer qu'elle ne partagerait pas de secrets avec lui, elle décida de lui répondre en français. Il ricana avec mépris, mais la cuisinière sourit de contentement, ce qui prouva à Mary qu'elle avait pris la bonne décision.

Francine descendit la dernière pile d'assiettes et s'écrasa sur une chaise en disant :

— Ouf, c'est fini. Je crois que je me suis bien débrouillée. Madame Shandon m'a dit « merci » en souriant.

Francine avait prononcé le mot avec un terrible accent irlandais. Mary éclata de rire, mais sa tante la réprimanda :

— Francine Campeau ! C'est mal de se moquer.

Faussement naïve, la coupable répliqua :

— Je ne me moque pas, ma tante, je répète seulement ce que j'ai entendu. Puis elle ajouta à l'intention de Mary :

— Elle t'attend, vas-y !

Mary avala sa dernière bouchée et s'élança dans les escaliers. Tout en montant, elle riait encore.

Avant de s'endormir, la jeune Irlandaise revécut la journée écoulée. Bien que sa chambre fût un taudis en comparaison de celle de Charlotte et que son travail promît d'être beaucoup plus fatigant à cause de tous ces escaliers à gravir et des réceptions que les Shandon allaient organiser, elle était contente. Ses craintes ne s'étaient pas confirmées : on l'avait reçue sans hostilité, au contraire. Avec sa grosse poitrine molle, Margot lui rappelait madame Butler, si gentille pour elle durant la traversée.

Pour l'heure, elle ronflait à faire vibrer les cloisons, et Mary trouvait ce vacarme plutôt rassurant. Quant à Francine, dont elle sentait la chaleur contre son flanc, elle allait devenir très vite son amie, Mary en était sûre. Dans ses prières, elle n'oublia pas de remercier sainte Anne et saint Patrick d'avoir protégé son retour de l'île d'Orléans et de l'avoir conduite vers de si bonnes personnes.

Un bruit atteignit Mary dans son sommeil : c'était un pas lourd et traînant qui montait péniblement en jurant à chaque marche. Sean O'Connor avait encore bu ! Maureen ne serait pas contente. Mary enfouit la tête sous ses couvertures pour ne pas les entendre se disputer. Son père, qui était le plus gentil des hommes, était effrayant quand il était saoul. Il n'avait pourtant jamais frappé personne, contrairement à Peter Best, le mari de la voisine, qui battait sa femme jusqu'à l'épuisement – le sien à lui, pas à elle –, mais on avait le sentiment que cela pourrait arriver, et c'était assez pour avoir peur. Elle repoussa

Patrick dont le coude lui entrait dans les côtes, et il grogna en se retournant.

Soudain, la porte s'ouvrit. À la pâle clarté de la lune qui entrait par la lucarne, Mary, dressée sur sa couche, distingua un individu qui titubait. Elle poussa un cri de terreur qui finit de la réveiller. Elle vit alors que ce n'était pas son père, mais James. Et à côté d'elle, au lieu de Patrick, c'était Francine, qui hurlait elle aussi. Le palefrenier, hébété par leurs cris stridents, resta planté, les bras ballants, dans l'embrasure de la porte. C'est alors que surgit une furie en jupon blanc et bonnet de nuit. Elle brandissait une canne dont elle lui donna une volée. Il battit en retraite en essayant de se protéger la tête avec les bras, tandis que la cuisinière, déchaînée, criait :

— Tu veux recommencer, maudit cochon? Je ne vais pas te laisser faire !

Les fillettes entendirent claquer la porte voisine : le palefrenier s'était mis à l'abri. Margot, essoufflée, revint dans la chambre des filles. Sa tête lunaire sur son corps rebondi faisait songer à des citrouilles superposées, et ses yeux, roulant d'indignation, étaient aussi ronds que tout le reste. Venant après la peur, l'apparition de ces citrouilles envolantées provoqua, par contrecoup, un fou rire chez les fillettes.

Vexée, elle les réprimanda :

— Vous n'avez pas de cervelle! Vous finirez comme Étiennette.

Et elle se prépara à sortir, drapée dans sa dignité et son jupon. Margot était vraiment fâchée, et Francine, pour se faire pardonner, lui sauta au cou. Elle la remercia avec effusion d'être intervenue et l'assura que si elles riaient, c'était en réaction, à cause de la frayeur qu'elles avaient éprouvée. Il fallut force cajoleries pour que la cuisinière consente à pardonner cette hilarité mal venue et parte se recoucher après leur avoir fait promettre de tirer une chaise contre la porte.

— Demain, je vous donnerai une canne à chacune, l'Écossais en a laissé des vieilles. Vous les garderez à côté de la paillasse, et si cette sale bête entre, frappez fort.

Elles promirent. La main dans la main pour se réconforter, elles tentèrent de se rendormir, mais elles étaient trop énervées pour cela.

Francine chuchota :

— Étiennette, elle doit être grosse…

— Sans doute…

— Il paraît qu'on les envoie chez les sœurs, qui les traitent comme des moins que rien. Elles leur font laver les parquets jusqu'à la fin, pour les punir, et quand l'enfant est né, elles le leur enlèvent.

— Il a dû la forcer.

— C'est sûr ! Elle n'aurait jamais voulu : il est laid et il sent mauvais. Et en plus, il fait peur.

— Et nous, comment on va faire pour lui échapper ?

— C'est simple, il ne faut jamais être seule dans la chambre. Il est fort, et même avec une canne, on ne pourrait pas se défendre.

— Tu as raison. Toutes les deux ensemble, on ne risque rien.

Rassurées, elles tombèrent dans le sommeil. L'aube cependant arriva vite et, lorsqu'elles se levèrent, elles avaient les traits tirés.

Dans la cuisine, James ne pouvait rien leur faire. Elles avaient hâte de voir sa tête après la raclée qu'il avait reçue. Elles furent stupéfaites de constater qu'il était comme la veille : apparemment, il ne se souvenait de rien.

— Il est d'autant plus dangereux, grogna la cuisinière, je vous conseille de ne pas l'oublier.

Le travail était dur. Levés à l'aube, alors que les maîtres avaient encore devant eux plusieurs heures de sommeil, les serviteurs se couchaient les derniers, après le retour parfois tardif de leurs patrons. Monsieur Shandon demandait une collation ou une tasse de thé avant de se mettre au lit et sa femme avait besoin d'aide pour se dévêtir.

La cuisine rangée, la vaisselle faite, les domestiques s'asseyaient autour du foyer. Urbain fumait une dernière pipe en parlant de choses et d'autres avec Margot qui en fumait une aussi. Ils commençaient par échanger des propos sur le temps, leurs voisins ou les Shandon, mais ils finissaient toujours par parler de politique, au grand agacement des fillettes que le sujet, trop répétitif, ennuyait.

Dans les discussions ancillaires et dans la chambre des maîtres, Mary entendait les mêmes noms : lord Aylmer, Louis-Joseph Papineau, John Neilson, Elzéar Bédard, Denis-Benjamin Viger, Daniel Tracey. Mais selon le lieu où ils étaient prononcés, le ton différait.

Lord Aylmer, par exemple, était à l'étage un homme courtois qui recevait à ravir avec la délicieuse lady Aylmer, mais au sous-sol, il devenait le maudit Anglais qui méprise le peuple. Quant au président de la Chambre, Papineau, c'était en montant l'escalier qu'il perdait du prestige. Mary s'apercevait que ces noms, elle les avait déjà entendus à Sainte-Famille, mais la conversation déviait lorsqu'elle entrait. Sur le moment, elle n'y avait pas prêté attention. Maintenant, elle comprenait que l'on s'était méfié d'elle parce qu'elle parlait anglais.

Elle ne se sentait pourtant pas beaucoup de points communs avec madame Shandon et ses amis. Les Canadiens laborieux lui étaient plus proches : comme eux, elle devait travailler dur pour assurer sa survie. Quand elle observait, depuis une fenêtre, les cageux en équilibre sur leur plate-forme de rondins manœuvrer jusqu'aux voiliers les billots qu'ils chargeaient ensuite à bras d'hommes, elle savait la dureté de la tâche, et jamais elle n'eût dit, comme Elena qui les montrait du bout de son éventail :

— *How picturesque!*

Parmi les noms prononcés, auxquels elle ne savait accoler ni une histoire ni une appartenance, il en était un qui revenait souvent et lui faisait dresser l'oreille. Au contraire des autres, il lui était très familier : c'était celui de Daniel O'Connell dont elle avait entendu parler pendant toute son enfance.

Les conversations, à la forge de Sean O'Connor, portaient souvent sur lui. Les hommes n'étaient pas tous d'accord, tant s'en fallait : si certains l'approuvaient sans réserve, beaucoup d'entre eux le trouvaient timoré et trop légaliste. Cependant, après des heures de parlotes et quelques pintes de bière, ils finissaient toujours par s'accorder sur un fait : grâce à lui, d'autres se lèveraient et on chasserait l'Anglais, enfin, et une fois pour toutes.

Dans la maison Shandon, comme un peu partout au Bas-Canada, c'était au nom de Louis-Joseph Papineau que l'on associait celui de Daniel O'Connell. Chez les maîtres, la comparaison suscitait quelque alarme, car cet activiste d'O'Connell avait obtenu de Sa Majesté des libertés que l'on n'aurait pas pu imaginer quelques années auparavant. Si les colonies se mettaient à suivre cet exemple, où irions-nous? À peu près tous les après-midi, Edward Shandon se livrait à un monologue sur le sujet en lisant les journaux. Certains termes français employés par *Le Canadien* lui échappaient, mais il en comprenait assez pour être révolté par les prétentions du Parti patriote. Quant au *Vindicator*, qui professait les mêmes idées et qui était appuyé par un grand nombre d'Irlandais de la colonie, il l'irritait plus encore. Tracey, son éditeur, provoquait chez monsieur Shandon une animosité que chaque nouvelle parution du journal entretenait. Il ne se rassérénait qu'en lisant la *Gazette of Quebec* ou le *Quebec Mercury* qui, « *Thank God!* » remettaient les choses à leur place.

Elena, un sourire attentif plaqué sur son visage, feignait de l'écouter, mais en réalité, tout cela ne l'intéressait pas. Mary savait qu'elle pensait à mille autres choses. Le nom de lord Aylmer n'évoquait pas pour la jeune madame Shandon les conflits de la Chambre d'assemblée, mais la réception au château Saint-Louis, où le gouverneur avait été si aimable avec elle, lui parlant de l'Irlande où il avait servi dix ans avant d'être nommé en Amérique du nord. Quant à ce Papineau tant décrié par son époux, elle l'avait rencontré à un bal du gouverneur et l'avait trouvé aimable et galant. De plus, il était bel homme et fort bien mis.

À l'office non plus, cependant, Papineau ne faisait pas l'unanimité. Margot professait à son égard une confiance qui n'admettait aucune restriction.

— Papineau, disait-elle, c'est l'homme qu'il nous faut. Il va nous mener à la liberté, et il va le faire en respectant la loi. La loi, il la connaît : il est avocat ! Et son père est notaire. Qui dit mieux ?

Son enthousiasme n'arrivait pas à vaincre le scepticisme méfiant d'Urbain.

— Tous ces beaux habits, rétorquait-il, qu'est-ce qu'ils savent de nous ? Votre Papineau, c'est un seigneur, et ces gens-là finissent toujours par s'entendre entre eux.

Mais la cuisinière, qui était pugnace, ne laissait pas l'homme engagé dénigrer son héros. Elle n'avait d'ailleurs aucune peine à avoir le dernier mot, car il finissait par se taire, lassé d'être interrompu par une mauvaise toux qui ne le lâchait jamais. Entre deux quintes, il envoyait dans le feu de longs jets de salive épaisse qui grésillait en atterrissant sur les braises, et les fillettes se détournaient avec dégoût.

Épuisé, le vieil homme s'en allait dormir très tôt. Il avait une paillasse dans la dépense attenante à la cuisine et, lorsqu'il était couché, on l'entendait encore tousser.

Margot hochait la tête :

— S'il continue comme ça, il ne passera pas l'hiver !

Mais comment aurait-il pu guérir en dormant dans un endroit pareil ? Dès l'entrée, l'odeur de terre humide, à laquelle se mêlait, insidieux et douceâtre, un relent de fruits suris, prenait à la gorge. Il y faisait froid en toutes saisons. Mary et Francine, obligées d'y passer quelques heures de temps en temps pour trier les pommes de terre pourries, détestaient cette pièce. Il y en avait toujours une des deux pour dire :

— Je ne comprends pas comment Urbain peut dormir là.

Il aurait pu tirer sa paillasse dans la cuisine, quand le travail était fini, ce que Margot le suppliait de faire, mais il tenait à avoir un coin pour lui seul et préférait l'insalubrité de la dépense à la promiscuité de l'office.

Quand l'homme engagé s'était retiré, la cuisinière, fatiguée, piquait du nez, et les filles en profitaient pour échanger leurs secrets.

Francine, qui n'avait pas encore ses menstruations, posait à Mary toutes sortes de questions auxquelles elle répondait volontiers, fière de son savoir. Cela lui donnait un statut d'adulte et lui valait un certain respect de la part de sa nouvelle amie. Francine attendait ses règles avec impatience, même si le phénomène ne lui était pas présenté comme particulièrement souhaitable.

— Tu sais, lui disait Mary, je m'en passerais. J'ai mal au dos et au ventre. Et puis, quel embêtement. J'ai toujours peur de me tacher et que les gens s'en aperçoivent.

— Mais moi, j'en ai assez de me faire dire que je suis une petite fille ! Pourtant, regarde : j'ai déjà des seins, et tu n'en as même pas.

Ce disant, elle bombait fièrement son torse grassouillet où pointaient deux petites bosses, alors que Mary, longue et maigre, ne pouvait afficher aucun relief même si elle avait un an de plus.

Elles parlaient aussi des garçons, se demandant quel effet cela faisait d'être embrassé. Francine avait déjà observé des couples se croyant seuls et savait des choses fragmentaires qui les rendaient perplexes.

— Un jour de moisson, pendant que tout le monde mangeait dans la cour, sous le grand érable, j'ai suivi mon frère Jean-Denis et Marie-Berthe derrière la grange. Ils s'embrassaient sur la bouche et ils se touchaient la langue.

La pratique, quoique leur paraissant répugnante, les troublait, et elles en reparlaient souvent.

Elles s'entretenaient aussi de leur futur mari. Celui de Francine serait beau et riche, avec de belles manières. Ils vivraient en ville et auraient une calèche pour faire le tour de la place d'Armes pendant les après-midi oisifs. Quant à celui de Mary, il possèderait une ferme où ils vivraient tous les deux. La maison serait solide et vaste, avec un crucifix sur la cheminée, des catalognes dans les chambres et des courtepointes sur les lits.

Mais avant tout, il fallait être sûre de se marier. Francine connaissait un moyen infaillible de le savoir. Elle le tenait d'une cousine qui lui en avait fait la confidence au dernier Noël, mais elle n'avait pas encore essayé. Plusieurs soirs de suite, sur la pointe des pieds pour ne pas réveiller Margot, elle alla chercher un verre qu'elle emplit d'eau. Elle avait aussi besoin d'un jonc et d'un cheveu. L'anneau posait problème, mais elle l'avait prévu. Pour le remplacer, elle utilisa un fil de fer, trouvé dans la remise, auquel elle donna une forme arrondie. Le jonc, attaché au cheveu, devait être trempé trois fois dans l'eau avant d'être tenu au-dessus du liquide. Il sonnerait contre le verre si le destin de la candidate était de se marier. S'il ne bougeait pas, elle resterait célibataire. L'anneau de fer, qui frappa le verre chaque fois qu'il était tenu par Mary, resta obstinément immobile lorsque ce fut le tour de Francine. Après quelques expériences, dépitée, elle déclara que ce n'était pas valable parce qu'il fallait un vrai jonc de femme mariée et elle n'en parla plus.

Ces veillées étaient aussi le moment de la journée où chacune apprenait la langue de l'autre. Mary, qui avait acquis à l'île d'Orléans une connaissance passable du français, voulait le parler le mieux possible, car il lui semblait qu'en parlant leur langue comme les Canadiens, ceux-ci ne la poursuivraient plus jamais en lui lançant des pierres et en la traitant d'Irlandaise. Il lui était moins facile d'imiter l'accent que de retenir les mots, mais elle s'appliquait de son mieux, et Francine affirmait qu'elle progressait. Quant à elle, la jeune paysanne de Berthier avait vite remarqué que tout ce qui était riche et tenait le haut du pavé parlait anglais. Elle avait l'ambition d'une ascension sociale qu'elle aurait eu du mal à définir, mais qu'elle s'était donnée instinctivement pour but, et elle avait compris qu'il fallait en passer par la connaissance de la langue des maîtres.

Les heures s'écoulant, la chaleur du foyer et la fatigue de la journée finissaient par avoir le dessus, et la conversation languissait jusqu'à ce qu'elles se taisent et s'assoupissent. Le bruit de l'équipage dans la cour remettait tout le monde sur pied. La cuisinière préparait en hâte un plateau. Francine allait bassiner le lit des maîtres pendant que Mary délaçait Elena et la coiffait pour la nuit en l'écoutant raconter sa soirée.

Deux ou trois fois par mois, le gouverneur et son épouse, Lady Aylmer, donnaient un bal au château Saint-Louis. Toute la bonne société se pressait à ces soirées qui réunissaient souvent jusqu'à deux cent cinquante personnes. Elena y dansait le quadrille avec de galants officiers en grande tenue, heureuse de s'amuser et d'écouter les flatteries murmurées à son oreille.

Lady Aylmer recevait aussi à dîner deux fois par semaine. Ces réceptions étaient limitées à vingt-deux couverts, et elle n'y priait que les personnages les plus importants de la colonie : grands bourgeois anglais, seigneurs canadiens, hauts fonctionnaires et officiers supérieurs de la garnison. Si les Chambers y avaient systématiquement leur place, ce n'était pas le cas des Shandon. Aussi, un souper au château mettait la jeune femme dans un grand état de fébrilité. Les dames invitées, craignant de paraître provinciales, y faisaient assaut d'élégance. Arborant des toilettes venues de Londres ou de Paris, elles ne manquaient aucune occasion d'en faire valoir l'origine. Elena finissait toujours par obtenir d'Edward, à force de cajoleries, un nouveau fichu, une robe neuve ou un nouvel éventail dont elle se parait avec une joie sans mélange, mais qui, la fois d'après, avaient perdu tout leur charme d'avoir déjà été portés.

Mais plus encore que le souper de vingt-deux couverts, l'invitation que tout le monde espérait consistait à être prié à une soirée théâtrale intime. Lady Aylmer invitait autant de personnes qu'il y avait de rôles à jouer dans la pièce choisie, et chacun des convives devait lire celui qui lui était attribué. Lorsque Elena reçut une invitation pour tenir le rôle de Lady Teazle dans *L'École de la médisance*, de Sheridan, son énervement ne connut pas de bornes. Elle n'avait que trois jours pour s'y préparer et craignait de ne pas être à la hauteur. Elle demanda à Edward de lui donner la réplique, mais il n'avait pas le temps.

Il s'était contenté de remarquer :

— Lady Teazle, c'est cette jeune femme qui a un vieux mari et prend un jeune amant ?

— En effet. Mais à la fin, elle revient à son mari.

— Ravi de l'apprendre, avait-il dit ironiquement avant de sortir.

— Qu'est-ce qui lui prend ? se demanda un instant Elena.

Mais elle avait autre chose à faire que de s'interroger sur les humeurs de son époux et elle se remit à son texte. Son livre à la main, elle arpentait la chambre en faisant des effets de voix et interrompait régulièrement sa déclamation pour regretter que Mary ne sache pas lire.

— Quel dommage ! Tu pourrais faire les autres rôles. Si j'avais su, je t'aurais appris. Avec tout le temps que nous avions à perdre sur le *William Fell* et à Sainte-Famille ! Maintenant, c'est trop tard.

Mary espérait qu'après la soirée théâtrale au château Saint-Louis, elle lui proposerait de lui apprendre à lire. Mais une fois passé l'événement, Elena n'y pensa plus, et elle n'osa rien demander.

Pour les jeunes servantes, chaque jour avait ses petits plaisirs. Un de ceux qu'elles prisaient le plus, était d'aller au marché Saint-Paul. Abritées sous la halle nouvellement construite, elles flânaient entre les étalages, regardaient tout d'un œil critique et faisaient des choix qui se voulaient avisés. Mary ne manquait jamais d'aller vérifier si le père Prévost et Thomas étaient installés à la place que le garçonnet lui avait indiquée, à côté de l'écrivain public. Parfois, elle les y trouvait. Du plus loin qu'il la voyait, Thomas se précipitait vers elle. Elle le serrait très fort dans ses bras tandis que Francine marchandait les salades et les fèves du père Prévost.

Thomas n'avait jamais rien de neuf à raconter, sinon qu'elle lui manquait. À Sainte-Famille, la vie était immuable. Quant à Mary, qu'eût-elle pu lui dire? Si elle avait parlé à Charlotte, elle lui aurait narré les méfaits de James, les imitations drolatiques de Francine, les promenades exploratoires dans la ville que l'aînée des Prévost avait tant envie de connaître, mais avec l'enfant, elle ne pouvait rien partager de tout cela. Elle se contentait alors de l'assurer qu'il lui manquait aussi beaucoup et qu'il était présent tous les soirs dans ses prières. Comme elle paraissait loin l'île d'Orléans! Pourtant, si peu de temps s'était écoulé...

Mary recommandait à Thomas d'embrasser tout le monde de sa part avant de le quitter sur un dernier au revoir. Puis, elle suivait Francine qui l'entraînait toujours plus loin de leur quartier, se faufilant dans les embouteillages créés par les charrettes chargées de foin, de bois ou d'eau, parmi lesquelles tentaient d'avancer d'impatients cavaliers jouant de la cravache et quelques calèches égarées dans le tohu-bohu matinal.

La maison louée par les Shandon surplombait le port, tout au bout de la rue Saint-Pierre, à la limite de la Haute et de la Basse-Ville. Selon leur humeur, les deux filles s'en allaient dans une direction ou dans l'autre.

Les mauvais quartiers de la Basse-Ville les fascinaient. Elles rôdaient souvent dans leurs alentours, mais sans oser y entrer, se contentant de rester à la périphérie. Elles se demandaient, en observant de loin la rue Champlain et le chemin des Foulons, si tristes et si malpropres dans la lumière du matin, comment ils pouvaient se transformer le soir en lieux de plaisir. Parfois, un voleur était cloué au pilori. Elles s'arrêtaient un instant, à regarder les enfants lui jeter des immondices. Puis elles s'en allaient vite, confusément embarrassées de l'attrait mêlé de répulsion que ces lieux exerçaient sur elles.

Dans la Haute-Ville, elles adoraient faire le tour de la place d'Armes, le rendez-vous des nantis désœuvrés. À l'heure du marché, qui était celle des fillettes, il n'y avait pas grand monde, car c'était dans l'après-midi que les élégantes y jouaient de l'ombrelle en minaudant avec leurs chevaliers servants tandis que celles qui avaient passé l'âge du marivaudage les épiaient sans aménité. Les deux servantes avaient tout loisir de déambuler, en s'imaginant oisives, sans se faire rappeler à l'ordre par quelque passante choquée de voir des pauvresses en ce lieu.

Francine adorait les parades. Malgré tout le mal qu'elle avait entendu dire des Habits rouges – que ce soit par les habitants de Berthier, sa tante ou l'homme engagé –, la jeune paysanne, qui n'en avait jamais vu auparavant, ne se lassait pas de regarder manœuvrer les soldats, surtout ceux des régiments écossais qui défilaient en kilt, au parc de l'Esplanade, au son des cornemuses. Mary, par contre, avait gardé de son enfance irlandaise la crainte de l'uniforme anglais, et elle répugnait à s'en approcher. C'est pourquoi elle ne cédait que rarement aux supplications de son amie, qui voulait toujours se diriger du côté de la citadelle, s'employant à la convaincre d'aller plutôt admirer le château Saint-Louis ou le couvent des Ursulines.

— Viens, allons au port, c'est mercredi! avait dit Francine dès la première semaine. Tous les mercredis, le *John Molson* arrivait de Montréal chargé de passagers. Francine voulait aller voir son frère aîné, Charles Campeau, matelot sur le vapeur.

Les deux filles dévalèrent la côte de la Montagne. Quand elles arrivèrent au quai de Goudie, le bateau avait déjà accosté et les voyageurs commençaient à descendre. Aucune comparaison possible avec les passagers du *William Fell* : ceux-ci étaient bien habillés et munis de bagages élégants et coûteux. Francine raconta à Mary que le premier bateau à vapeur qui avait navigué sur le Saint-Laurent, un quart de siècle auparavant, s'appelait l'*Accommodation*. Son grand-père, Rosaire Campeau, en parlait souvent. Il disait qu'à l'époque, les badauds lâchaient tout pour aller s'attrouper en vue du chenal quand le bateau passait près de chez eux. Maintenant, tout le monde était habitué aux sifflets et aux nuages de vapeur, et les steamers ne suscitaient plus de curiosité.

L'équipage ne quitta le navire que lorsque tous les passagers furent descendus. Francine fit de grands signes et un jeune homme se dirigea vers elle avec le sourire.

— Alors, petite sœur, comment ça va la vie en ville?

Francine se mit à raconter tout en même temps. Il éclata de rire.

— Hé, pas si vite! Je n'y comprends rien. Si tu commençais par me présenter cette jeune fille qui est avec toi?

Mary rougit, intimidée. C'était la première fois que l'on parlait d'elle comme d'une jeune fille. Pourtant, elle allait avoir quinze ans, c'était normal que Charles la voie ainsi : elle n'était plus une fillette. Le garçon sourit en lui serrant la main, puis il les déchargea de leurs paniers en disant qu'il les accompagnait pour aller saluer tante Margot. En chemin, ils passèrent devant un étalage qui sentait fort la saumure, et Francine s'écria :

— La morue ! J'ai failli l'oublier ! Pourtant, tante Margot me l'a encore répété avant de partir : « Si je ne la mets pas à dessaler aujourd'hui, on ne pourra pas la manger vendredi. »

Tandis qu'elle agitait une longue morue, sèche comme un éclat de bois, en affirmant au marchand qu'elle valait beaucoup moins que ce qu'il demandait, Charles rigola :

— On dirait qu'elle a fait ça toute sa vie, ma petite sœur !

Puis il se tourna vers Mary et s'enquit d'elle. Depuis quand était-elle arrivée d'Irlande ? Avait-elle de la famille ? Aimait-elle le pays ? Il n'avait pas l'air de poser ces questions par simple courtoisie, mais par intérêt sincère, et Mary, mise en confiance par sa gentillesse, en perdit sa réserve.

Francine les rejoignit, brandissant sa morue, et constata :

— Je vois que vous avez fait connaissance.

Et elle se remit à parler, donnant à Charles des nouvelles de toute la famille.

La cuisinière accueillit son neveu avec chaleur :

— Il y avait longtemps que tu n'étais pas venu me voir, mon beau Charles ! Viens donc t'asseoir, que je te donne un bol de soupe.

Les filles s'assirent avec lui. La conversation allait bon train quand la clochette sonna. Mary salua Charles avant de s'engager dans l'escalier, chargée du plateau que Margot avait hâtivement préparé.

Dès qu'Elena était levée, elle requérait les services de sa femme de chambre. L'épreuve quotidienne du corset devenait de plus en plus douloureuse : les six mois de grossesse avaient beaucoup épaissi la taille de la future mère qui ne s'en consolait pas. Elle exhortait Mary à serrer plus fort. Tandis que celle-ci faisait de son mieux, elle luttait contre l'évanouissement, le front moite et les narines pincées. Mary, à qui cela faisait de la peine de la voir souffrir ainsi, tentait de la convaincre de porter des robes plus amples et de dissimuler ses nouvelles formes sous un châle. Mais Elena voulait rester telle qu'elle était avant. Surtout que le fringant cavalier ostracisé par Edward avait reparu. Pour ne pas donner prise aux racontars, Harry ne venait pas seul. Avec les trois ou quatre camarades de régiment qui l'accompagnaient, il formait une cour joyeuse autour d'Elena et de ses nouvelles amies, essentiellement des femmes d'officiers, comme elle nouvellement arrivées.

La présence des militaires dans la maison provoquait toujours des remarques acerbes à la cuisine. Margot les haïssait et les tenait pour responsables de toutes les calamités. Non seulement ils représentaient le pouvoir honni de l'Angleterre, mais c'étaient eux qui avaient fait couler le sang de Barbeau, à l'automne, aux courses de la rivière Saint-Pierre. Et au printemps d'avant le choléra, ce 21 mars qui restait dans toutes les mémoires, ils avaient assassiné François Languedoc, Pierre Billette et Casimir Chauvin pendant les élections de Montréal.

— Tirer sur des innocents, disait-elle indignée, c'est tout ce qu'ils savent faire.

Et elle grognait, en tisonnant furieusement le poêle à deux ponts, des phrases à demi incompréhensibles d'où se détachaient quelques mots. Entre autres : «tapage», «Basse-Ville», «mauvaise vie».

Lorsque Francine, faussement naïve, lui disait : «Je vous entends mal, ma tante, qu'est-ce que vous dites?», elle toisait l'impertinente, pinçait les lèvres et répliquait :

— Moi, je me comprends. Et toi, tiens-toi loin de ces beaux messieurs qui ne valent pas grand-chose.

Elle les englobait tous dans une même détestation. Insensible à la civilité dont Harry et ses amis faisaient toujours preuve envers le personnel, elle les évitait le plus possible. Par contre, Francine en était curieuse, et Mary, réticente à les approcher, lui laissait volontiers sa place.

La jeune madame Shandon s'épanouissait sous les compliments des jeunes gens. Elle savait que tout cela ne durerait plus très longtemps, mais elle essayait de retarder au maximum le moment du renoncement. Pour oublier qu'il était proche, elle se jetait à corps perdu dans les plaisirs, ne manquant aucun concert, aucune pièce de théâtre, aucun match de curling ou de cricket.

Son désir d'enfant, qui ne procédait que de la volonté de se faire accepter par sa belle-famille, était resté abstrait. Mais elle était rattrapée par une réalité difficile à accepter. Les changements qui survenaient dans son corps le lui rendaient odieux : son ventre rebondi lui paraissait obscène, ses seins, autrefois semblables à deux petites pommes rondes avaient au moins doublé, et elle regardait, horrifiée, ces pastèques laiteuses aux mamelons violacés, striées, à fleur de peau, d'un réseau malsain de veinules bleues. Elle touchait ce corps avec dégoût, le pétrissait dans le vain espoir de lui rendre son apparence première, puis se mettait à geindre :

— J'ai l'air d'une truie, je ne serais plus jamais belle !

C'était aussi l'impression de Mary. Mais, voulant l'encourager, elle lui affirmait, avec toute l'assurance dont elle était capable, qu'après la naissance elle redeviendrait exactement comme avant.

— Tu en es sûre ?

Il y avait dans la voix d'Elena un tel besoin d'être rassurée que Mary, repoussant l'image des corps déformés de Margaret Best ou de madame Butler, qui lui venaient à l'esprit chaque fois que l'on parlait des effets de la maternité, mettait plus de conviction encore dans son pieux mensonge.

Quand Elena ne se rendait pas à une réception, c'était qu'elle-même recevait. Ces jours-là, il y avait frénésie en cuisine. Margot mettait tout son savoir-faire à confectionner les gâteries qui feraient dire aux distinguées amies de madame Shandon qu'elle avait une excellente cuisinière, ce dont l'hôtesse, qui n'y était pour rien, ne l'ayant même pas choisie, s'enorgueillissait comme d'une preuve de ses qualités de maîtresse de maison. Par contre, les compliments reçus pour les deux jeunes filles qui assuraient le service étaient plus mérités, car c'était elle qui avait formé Mary, laquelle avait, à son tour, éduqué Francine.

Après quelques semaines à Québec, personne n'aurait pu dire que Francine Campeau avait passé toute sa vie dans une ferme de Berthier. Grâce à ses dons d'imitatrice, elle avait acquis très vite la tournure, l'effronterie et la vivacité d'une citadine. Avec Mary, qui avait aussi du talent pour contrefaire ses modèles, elles s'exerçaient, durant les moments creux de l'après-midi, aux manières des femmes qu'elles servaient à l'heure du thé. Celles-ci, pour la plupart des épouses d'officiers, appartenaient à la bourgeoisie la plus modeste, mais elles se piquaient d'avoir la distinction aristocratique des familiers du château. Ne voulant pas être en reste, elles exagéraient les attitudes que les servantes amplifiaient à leur tour, jusqu'à la caricature.

Mary et Francine se regardaient l'une l'autre marcher, s'asseoir ou tenir une tasse et critiquaient impitoyablement toute maladresse. Cela les amusait beaucoup, et elles devinrent à ce jeu de première force. Madame Shandon y gagna deux soubrettes de comédie qui lui valurent la réputation de savoir choisir son personnel.

Mais, très vite, imiter les belles dames dans leurs ternes habits de servantes ne leur suffit plus : elles voulaient de belles robes, des châles précieux, des chapeaux coquets. Or tout cela était à portée de main, dans la chambre de madame Shandon. Les deux filles prirent l'habitude de se glisser dans la pièce dès que la calèche d'Elena était sortie de la cour. Avec des mines de conspiratrices, après avoir vérifié que personne ne traînait dans les environs, elles ouvraient les malles avec une excitation où se mêlaient la crainte, le plaisir et une sorte de sentiment de revanche à constater qu'elles aussi feraient impression si elles étaient bien vêtues.

La première fois, il n'avait été question que de regarder. Mary avait disposé sur le lit les robes que Francine n'avait pas seulement osé toucher. Mais elle s'était vite enhardie et avait entraîné son amie beaucoup plus loin que celle-ci ne l'aurait souhaité. Désireuse de lui faire plaisir, Mary avait fait taire ses scrupules et accepté de jouer pour elle le rôle de femme de chambre qui était le sien auprès d'Elena. La jeune servante ne se lassait pas de se pavaner affublée des belles robes. Elle manquait de gorge et de hanches, mais se trouvait irrésistible et se laissait aller à décrire à voix haute le prince qui, l'apercevant dans cet équipage, tomberait fou amoureux d'elle et l'emmènerait vivre dans une contrée inouïe où elle ne porterait que des robes comme celles-là. Mary écourtait toujours son plaisir, car elle craignait un retour prématuré d'Elena. À l'idée d'être découverte par la jeune femme, elle était prise d'une impatience que sa compagne tentait vainement de calmer :

— Ne t'énerve pas, elle ne revient jamais avant le souper.

— On ne sait jamais, dépêche-toi !

Elle se jurait de ne plus céder à Francine, mais son amie insistait tellement qu'elle finissait toujours par se laisser convaincre.

Alors, elle l'avertissait :

— Cette fois-ci, c'est la dernière.

Francine promettait… jusqu'au lendemain.

Un jour, l'inévitable se produisit : Elena revint plus tôt. Au bruit des roues sur les pavés de la cour, Francine quitta d'un bond la bergère où elle se prélassait, tenant à la main la tasse de thé que Mary venait de lui servir. Elle s'ôta les peignes avec une telle hâte qu'il lui resta une touffe de cheveux dans les mains, tandis que Mary, rendue malhabile par son désir d'aller plus vite, cassait un lacet du corset qu'elle lui enlevait. Elles n'eurent que le temps de fourrer pêle-mêle jupons, robes et châles dans un coffre avant de se replier vers les combles avec le plateau du thé. Elles entendaient déjà le pas de madame Shandon dans l'escalier quand elles ouvrirent sans bruit la porte de leur chambre.

Une fois le danger passé, alors que Francine s'amusait après coup de leur affolement, Mary avait décrété, d'un ton sévère et grave :

— Aujourd'hui, c'était vraiment la dernière fois. Tu sais que je n'aime pas ça. C'est idiot ce que nous faisons.

Francine lui avait rétorqué, avec un peu d'impatience :

— Tu ne fais jamais de bêtises pour le plaisir d'en faire ? Ce n'est pas normal à ton âge d'être raisonnable comme tu l'es !

Mary s'était perdue un moment dans ses souvenirs, puis elle avait dit à son amie, avec un petit sourire triste :

— Tu sais, je n'ai jamais pu faire autrement. À la maison, j'étais l'aînée et je devais donner l'exemple. Ici, je suis toute seule. Qu'est-ce que je deviendrais si les Shandon ne voulaient plus de moi ?

Francine, revenue sur terre, l'avait serrée dans ses bras et l'avait embrassée en disant avec fougue :

— Je te promets que tu ne seras plus jamais seule, Mary O'Connor : je serai toujours ton amie !

Charles Campeau devint un assidu de la rue Saint-Pierre. Tous les mercredis, il apparaissait à la cuisine où sa tante Margot se faisait une joie de le gâter. Restée célibataire, elle considérait les enfants de son frère comme les siens et aurait voulu les protéger de tout ce qui lui paraissait menaçant. Le métier de Charles lui déplaisait : elle le trouvait trop dangereux.

Elle fulminait :

— Qu'as-tu besoin d'aller risquer ta vie sur le fleuve ? Comme s'il n'y avait pas assez de métiers sur la terre ferme !

— Ne vous en faites donc pas, ma tante, il n'y a pas plus sûr que le *John Molson*. Il est aussi solide qu'une île.

Guère convaincue, la brave femme répliquait :

— Ouais… on croit ça et on se retrouve par trente pieds de fond. Surtout quand le capitaine est assez bête pour faire la course. Il pousse ses machines tant qu'il peut et tout le monde grille quand elles explosent !

— Je vous assure, ma tante, que le capitaine du *John Molson* ne ferait jamais une chose pareille !

Il se détournait et adressait aux deux filles un clin d'œil signifiant le contraire. Margot, qui n'était pas dupe, continuait de grommeler.

Charles ajoutait, conciliant :

— De toute façon, je n'y suis plus pour longtemps. Dès la première glace, on interrompt le service et je m'engage dans un chantier naval.

— Une bonne chose ! J'ai hâte de te savoir à Québec.

Elle laissait passer un temps, puis demandait, la voix tremblée :

— Et de Jean-Denis, tu as des nouvelles ?

D'habitude, il répondait que non et ajoutait quelques phrases rassurantes sur la longueur du trajet ou sur le fait qu'ils avaient pu se manquer. Alors, elle parlait d'autre chose parce qu'elle n'aimait pas se souvenir que son neveu préféré risquait sa vie. Car ce que faisait Jean-Denis était un métier de casse-cou qui tuait son lot chaque année, tant parmi les hommes expérimentés que les novices. Malgré le désaccord de tous ses proches, Jean-Denis était cageux.

Lorsqu'il avait annoncé sa décision, au printemps, son père avait piqué une violente colère, sa mère avait pleuré en silence, sa jeune sœur l'avait supplié de changer d'avis, mais rien n'y avait fait : il rêvait de descendre le fleuve sur un train de bois depuis que, tout petit, il avait entendu un colporteur, qui avait été cageux dans sa jeunesse, en parler à la veillée, le timbre voilé de nostalgie. Rien ni personne n'aurait pu arrêter Jean-Denis. Et le père, qui l'avait compris à temps, avait eu, malgré sa colère, assez de maîtrise pour retenir les mots irréparables qui auraient signifié la rupture. Depuis, les femmes de la maison craignaient pour lui. Les hommes aussi, sans doute. Le garçon avait déjà fait sans encombre trois descentes depuis le début de la saison et il effectuait la dernière.

Charles annonça, un mercredi :

— Je l'ai aperçu dans le bout des Trois-Rivières, quand on a dépassé sa cage. Il devrait être ici dans quelques jours.

Margot et Francine s'illuminèrent, et Charles, jaloux, ne put s'empêcher de commenter :

— Plus on est mauvais sujet, plus on est apprécié.

— Allons, Charles, ne parle pas comme ça de ton frère ! Tu sais qu'au fond, c'est un bon garçon !

— Au fond, oui, dit-il.

Et il écourta sa visite malgré les protestations de sa tante qui allait sortir des beignes du four et voulait lui en donner.

Mary avait hâte de connaître le deuxième frère de Francine. Son amie en parlait tout le temps. À l'entendre, il était beau, fort, drôle, et sa seule présence mettait de l'ambiance dans une soirée. Toutes les filles de Berthier en étaient amoureuses et se disputaient la faveur de danser avec lui. D'après sa sœur, il avait l'air de préférer Marie-Berthe Ferland, la fille des voisins, une blonde filasse qu'il lutinait dans tous les endroits discrets du hameau.

— Mais ça ne l'empêche pas de chanter la pomme aux autres, ricanait Francine. Il faudra qu'elle soit maligne celle qui voudra l'attacher !

— Est-ce qu'il ressemble à Charles ?

— À Charles ? Oui… Oui, il ressemble à Charles, mais il est plus grand, plus beau, plus amusant, plus… Il est « plus », quoi !

Un jour, il vint. Mary venait de laisser Elena, qui s'était assoupie, et descendait à la cuisine boire une tasse de thé, quand elle entendit un rire inconnu. Un rire qui balayait tout l'espace, comme un grand vent, et qui entraînait d'autres rires et des exclamations de joie. Arrivée sur le seuil, elle le vit. Aussitôt, elle comprit ce que Francine avait voulu signifier en disant qu'il était «plus». La table, les bancs, le fourneau, toute la cuisine s'était évanouie derrière celui qui en occupait le centre : on ne voyait que lui. Il avait pris sa sœur dans ses bras et la faisait tournoyer en riant aux éclats.

Mary, figée dans l'encadrement de la porte, le regardait. Elle resta là un instant, appuyée au chambranle, incapable d'avancer ou de parler. Puis, comme prise de peur, elle repartit dans l'escalier avant que quiconque ait pu s'apercevoir de sa présence.

Elena dormait. Mary, passant devant la coiffeuse se saisit du miroir. Elle y vit un visage maigre, des cheveux noirs et un air égaré : rien qui puisse plaire. Son regard effleura la dormeuse avant de revenir au miroir. Que n'avait-elle la beauté d'Elena ! Elle s'assit dans l'encoignure de la fenêtre, tournée vers le port, mais elle ne voyait pas les quais. Elle s'imaginait à la place de Francine, virevoltant dans les bras de Jean-Denis Campeau, les yeux fermés pour mieux savourer sa félicité.

Elle ne redescendit qu'après l'avoir vu quitter la maison. À Francine, qui se désolait qu'elle l'ait manqué, elle prétendit que madame Shandon avait eu besoin d'elle. Lorsque son amie lui fit le récit de la visite du jeune homme, elle affecta un intérêt de politesse, mais en réalité, elle écoutait de tout son être afin de pouvoir se répéter chaque détail, le soir, quand la chandelle serait soufflée.

Pendant ce temps, la cuisinière, attendrie, répétait :

— Il est donc beau, notre Jean-Denis! Et fin, avec ça!

Elena approchait du terme. La fin de l'automne la vit clouée dans sa chambre, à cacher ce corps déformé qu'elle était désormais incapable de dissimuler sous le corset. Le régiment de Harry avait été envoyé en mission hors de la ville. Elle avait vu les jeunes gens s'éloigner sans regret, car s'ils étaient restés à Québec, elle aurait été dans l'obligation de cesser de les fréquenter. Dans les réceptions où elle alla encore quelque temps, elle dut se contenter de la compagnie des vieilles dames ou des jeunes femmes enceintes. Les plus âgées, qui menaient la conversation, se délectaient de récits d'accouchements, tous plus horribles les uns que les autres. Invariablement, ils finissaient mal. Elena revenait terrorisée de ces soirées et finit par y renoncer. Ses seules sorties, dès lors, furent pour la messe. Tout le reste du jour, elle s'ennuyait avec persévérance. Seuls les désagréments domestiques la distrayaient de son oisiveté.

L'aménagement de la maison pour la saison froide provoqua un branle-bas qui atteignit tous les étages et toutes les pièces. Ce fut la première glace sur le fleuve qui donna le signal : le 25 novembre, le dernier bateau pour l'Europe quitta Québec. La colonie se prépara à vivre repliée sur elle-même, aux prises avec l'hiver, la menace de la famine et la crainte des incendies.

À son arrivée au Bas-Canada, la canicule avait convaincu Mary que tout ce qu'elle avait entendu sur les rigueurs de l'hiver était pure invention des immigrants, qui n'étaient pas à une fable près. Bien que Charlotte lui ait aussi parlé des grands froids, elle l'avait fait en des termes si excessifs que Mary n'y avait pas cru. Or, en septembre, la température avait brutalement chuté, et elle avait commencé à se demander s'il n'y avait pas du vrai dans ce qu'on lui avait dit.

Le commentaire de Francine ne l'avait pas rassurée :

— Ça, ce n'est rien. Tu vas voir après Noël !

La jeune Irlandaise, dont la référence était la pluie de l'Armagh qui transperce jusqu'aux os, n'aurait jamais imaginé qu'il pût exister pire, surtout dans un lieu où la chaleur avait été insupportable. Elle découvrait qu'un vent glacial peut brûler les joues et rendre les mains et les pieds gourds. Un matin, elle trouva même l'eau gelée dans la cuvette où elle s'apprêtait à se laver.

Francine, tout en riant de son air consterné, la rassura :

— Ne t'en fais pas, on ne va pas cesser de se laver jusqu'au printemps : il suffit de prendre l'eau de la bouillotte, elle est encore tiède.

Pour empêcher le froid de s'insinuer partout, il fallut installer les doubles châssis aux fenêtres. Urbain et James s'en chargèrent. James, dont le travail de cocher s'était allégé avec le repos forcé de madame Shandon, avait dû troquer, à son grand déplaisir, sa luxueuse livrée contre un bourgeron qui ne le différenciait pas d'un homme de peine. Les deux serviteurs formaient un curieux attelage : chacun refusant de parler et même d'avoir l'air de saisir un mot de la langue de l'autre, ils communiquaient par gestes. Mais comme ils mettaient une mauvaise volonté extrême à travailler ensemble, ils faisaient toujours semblant de ne pas se comprendre et, dix fois le jour, ils avaient recours à Mary pour servir de truchement.

Elena, qui avait assisté à quelques-unes de ces scènes, en était exaspérée. Elle voulait demander à Edward de renvoyer les deux hommes. Mary aurait vu partir James avec plaisir, mais elle avait peur qu'un seul des deux ne soit remercié et que ce soit Urbain. En effet, avec tous les miséreux qui cherchaient à se caser pour la période hivernale, rien ne serait plus facile que de trouver un autre homme engagé. Par contre, un palefrenier stylé comme l'était James – devant les maîtres, son comportement était toujours impeccable – serait beaucoup plus difficile à remplacer. Le cocher ne l'ignorait pas et il était d'autant plus odieux qu'il ne craignait rien pour lui-même.

Or Mary ne voulait pas qu'Urbain soit renvoyé. L'antagonisme entre les deux serviteurs et le désir de la femme de chambre de protéger le vieil homme avaient leur origine dans un incident qui aurait mal tourné pour elle sans l'intervention d'Urbain.

Quelques semaines auparavant, Mary recoiffait Elena, qui lui racontait la joute de cricket à laquelle elle avait assisté au parc de l'Esplanade, quand la jeune femme s'était soudainement levée pour aller fouiller dans l'aumônière posée sur une console. Elle avait inspecté le réticule avec une fébrilité croissante, tandis qu'elle pâlissait et qu'une fine sueur mouillait ses tempes.

— Ce n'est pas possible… Où ai-je pu la mettre ?

Elle fourragea dans sa ceinture, son corsage, ses manches gigot. En vain. Elle reprit l'aumônière et la vida à nouveau. Elle ne contenait qu'un mouchoir de batiste, un flacon de sels et quelques pièces de monnaie.

— Mon Dieu, s'il fallait…

Elle allait et venait dans la chambre, complètement paniquée. Soudain, une idée lui vint qui lui rendit quelques couleurs.

— Dans la voiture, bien sûr ! Mary, il faut que tu ailles voir dans la voiture. Regarde partout : sur le siège, dessous, par terre. C'est un papier… enfin, un billet… une lettre, quoi. Il faut que tu la trouves ! Il faut absolument que tu la trouves !

Mary descendit l'escalier quatre à quatre. Comme il pleuvait, elle posa son châle sur sa tête, enfila ses sabots de bois et traversa rapidement la cour boueuse pour entrer dans la remise. Elle ouvrit la porte de la voiture et vit tout de suite la lettre sur le plancher. Alors qu'elle était penchée pour la ramasser, elle fut poussée à l'intérieur. On releva sa jupe, et une main la saisit fermement à l'entrejambe. Elle se débattit en criant de toutes ses forces dans l'espoir que quelqu'un l'entendrait et viendrait à son secours. Comme elle gigotait, son agresseur avait du mal à assurer sa prise, mais il n'abandonnait pas. À demi étouffée par sa jupe, elle commençait à faiblir, quand soudain on la lâcha. Quelqu'un parlait. C'était en français. Elle percevait le ton de menace, mais elle était trop affolée pour comprendre les mots. Elle rabattit sa jupe d'une main tremblante et se retourna. Elle vit James et Urbain : l'homme engagé brandissait une fourche devant le cocher qui reculait pas à pas vers le fond de la remise, les dents serrées de rage. Sans demander son reste, elle prit la lettre et s'enfuit.

Elena, toute à la joie d'avoir retrouvé le billet compromettant, ne s'aperçut pas que Mary était bouleversée.

— Tu sais, dit-elle, il n'y a là rien que je puisse me reprocher, mais si Edward en avait eu connaissance, il aurait pu s'imaginer des choses, tu le connais.

Mary, se ressaisissant peu à peu, laissa Elena se justifier sans vraiment l'écouter. Elle ne raconta l'agression à personne, même pas à Francine, car elle avait trop honte. Mais elle garda pour James une haine mêlée de peur et pour Urbain une grande reconnaissance. C'était maintenant au tour du vieil homme d'être en danger, et Mary voulait le sauver. Pour cela, elle s'efforçait de minimiser les problèmes. Cependant, Elena, qui n'avait rien d'autre à faire, revenait sans cesse sur le sujet et Mary ne savait plus quelles excuses inventer.

À la cuisine aussi, l'animosité des deux hommes provoquait de l'irritation. Quand Margot les voyait faire leurs simagrées, elle les menaçait de son balai de cèdre en sifflant :

— Je ne sais pas ce qui me retient…

Francine, toujours prête à exploiter l'aspect comique d'une situation, prenait un malin plaisir à les contrefaire dès qu'ils avaient le dos tourné, ce qui avait le don de mettre la cuisinière hors d'elle.

— Tu crois que ça ne suffit pas de les supporter ? reprochait-elle à sa nièce.

— Je ne le ferai plus, tante Margot, c'est promis, assurait Francine.

Mais elle ne pouvait pas résister et recommençait à la première occasion.

Ce petit jeu donna une idée à Mary : ce qui rendait folle la cuisinière amuserait peut-être Elena. Se souvenant comme ses imitations du capitaine Campbell la faisaient rire lorsqu'elles étaient sur le *William Fell*, elle se dit que, si les incompatibilités d'humeur de l'office devenaient un sujet de divertissement, le danger qui menaçait l'homme engagé pourrait être détourné.

Et en effet, Elena rit beaucoup de voir Mary et Francine singer les deux hommes. Mary, qui jouait le rôle du palefrenier, traversait la chambre d'une démarche saccadée, dardant vers le plafond son menton qui avançait à chaque pas, comme s'il accompagnait la marche, et affectant de regarder au-dessus de la tête d'Urbain, Francine en l'occurrence, qui venait dans sa direction, claudiquant bas et fixant obstinément le sol d'un air obtus. Ne se voyant pas, les deux protagonistes se percutaient et tombaient avec rudesse. Les yeux arrondis d'étonnement, ils regardaient autour d'eux comme pour chercher l'obstacle. Ne le découvrant pas, ils juraient – chacun dans sa langue –, se relevaient en massant leur fessier endolori avec une grimace de douleur et retournaient à leur point de départ sans un regard l'un pour l'autre.

Désormais, la distraction qu'Elena en tira compensa pour l'agacement que les deux hommes provoquaient : Urbain était sauvé. Malheureusement, il fallait supporter James.

Par chance, les deux hommes travaillaient souvent à l'extérieur de la maison, ce qui donnait un répit aux femmes. James devait aller chercher le bois de chauffage jusqu'au havre du Palais, sur la rivière Saint-Charles. Avec la charrette, le trajet prenait une bonne partie de la journée, et il fallait y aller souvent parce que la remise n'était pas grande et la provision vite épuisée. Lorsqu'il rapportait le bois, il le déchargeait avec Urbain, puis ils le fendaient et le rangeaient au sec.

Le palefrenier faisait des pauses fréquentes qui le conduisaient à la cuisine où Margot détestait le voir. Elle se dépêchait de lui servir une tasse de thé pour qu'il s'en aille plus vite, mais il s'attardait, surtout si Mary et Francine étaient là. Quand la cuisinière surprenait son regard concupiscent sur ses protégées, elle avait du mal à maîtriser sa colère. Elle envoyait aussitôt les filles ailleurs, et elles obéissaient sans se faire prier, soulagées d'échapper à l'attention libidineuse du cocher.

Il avait de nouveau tenté de pénétrer dans leur chambre, mais elles l'avaient tenu en respect avec leurs cannes, frappant et criant jusqu'à ce que Margot, tirée du sommeil, vienne à la rescousse. Francine avait voulu en parler à monsieur Shandon, mais sa tante l'en avait dissuadée :

— Cette sale bête va dire que c'est de votre faute, que c'est vous qui l'avez provoqué, et le maître risque de le croire. C'est toujours comme ça que ça se passe. Pour Étiennette...

Les filles étaient tout ouïe, espérant apprendre ce qui était arrivé à la précédente aide de cuisine, mais Margot s'était interrompue et avait refusé de continuer.

≈

Les yeux cernés par les nuits de ribote, entouré d'une aura de péché et d'interdit, Jean-Denis, plus beau encore, était repassé rue Saint-Pierre. Il venait saluer sa sœur et sa tante avant de rejoindre le chantier où il travaillerait tout l'hiver à couper du bois, du côté du lac Champlain. Cette fois, Mary n'avait pas pu l'éviter : les bras chargés, elle avait poussé du pied la porte de la cuisine pour tomber droit sur lui. Elle s'était liquéfiée lorsqu'il lui avait dit en souriant :

— Alors, c'est toi, Mary l'Irlandaise ?

Incapable d'articuler un mot, cherchant son souffle, elle était restée muette, comme une idiote. Quand elle fut prête à dire quelque chose, après avoir avalé sa salive et pris une grande inspiration, il s'était déjà détourné, faisant des cajoleries à Margot qui, frétillante de plaisir, retirait de la plaque du poêle le gros morceau de tarte à la citrouille qu'elle lui avait mis à réchauffer.

Depuis, tous les soirs, quand Francine se taisait et plongeait dans le sommeil, Mary, les yeux clos, rêvait à Jean-Denis.

Elle le voyait, souple et léger, sauter sur les billots emportés par le courant. Les manches retroussées, il maniait la perche avec aisance, défiant le fleuve et les éléments. Puis il accostait, venait vers elle qui l'attendait sur le rivage, la prenait par la taille et la faisait tournoyer en riant. Ensuite, il la reposait, prenait son visage dans ses mains et, devenu grave, il se penchait vers elle avec douceur et approchait ses lèvres des siennes.

À ce moment de l'évocation, Mary aurait voulu s'arrêter, retenir l'image, s'endormir avec elle. Mais c'était trop tard : elle sentait une grande chaleur dans son bas-ventre et, presque malgré elle, croisait, sur un pan de drap, ses cuisses hérissées d'un frémissement d'impatience. Elle les serrait fort tout en les frottant l'une contre l'autre, le visage écrasé dans l'oreiller de plumes pour étouffer le halètement qui aurait pu réveiller Francine. Très vite, un spasme la délivrait, et elle retombait, épuisée, le corps amolli et couvert de sueur.

C'était sans doute cela, se disait-elle, les mauvaises pensées dont parlait le curé. Honteuse, elle se promettait d'y renoncer.

Mais la nuit venue, l'image de Jean-Denis s'imposait et elle était incapable de la repousser.

La maisonnée, à mesure que la naissance de l'héritier Shandon approchait, s'installa peu à peu dans un état de latence qui paralysait toute initiative. Personne n'osait s'éloigner ni entreprendre une activité d'envergure par crainte d'être indisponible au moment crucial. Quant à James, il n'avait même plus le droit de s'éloigner de la maison, car c'était lui qui irait quérir la sage-femme dès les premières douleurs.

Pourtant, tout était prêt : un flot de dentelles immaculées faisait un nid douillet dans le berceau qui trônait près de l'âtre de la nursery où un feu brûlait en permanence, et le trousseau, brodé par les religieuses de Sainte-Famille, que le père Prévost, comme promis, avait apporté à la Saint-Martin, était rangé dans un coffre, avec un rameau de cèdre pour le protéger des mites.

Le plus difficile avait été de trouver une nourrice. Elena, qui ne savait pas le français, tenait à ce que la femme parle anglais. Il fallait rechercher une Irlandaise, puisque les Anglaises et les Écossaises appartenaient en règle générale à la bonne société et employaient plus de nourrices qu'elles n'en fournissaient. Pour comble, la future mère s'était mis en tête d'avoir madame Butler, qui était enceinte pendant la traversée de l'Atlantique, et dont elle avait bénéficié de l'expérience en matière de maternité par l'entremise de Mary.

Edward avait essayé de la dissuader. Ils avaient débarqué du *William Fell* sept mois auparavant, et Dieu seul savait où était maintenant madame Butler! Mais Elena s'était butée, et son mari, de guerre lasse, avait fait de son mieux pour la satisfaire. Il s'était d'abord rendu à la Société des immigrants de Québec, comme il l'avait fait lorsqu'il recherchait Nora et Dermot Connoly. Vu que les Butler ne figuraient pas dans les livres, ils étaient peut-être encore à Québec. Edward s'était mis à explorer systématiquement le quartier Champlain, partie de la Basse-Ville où les Irlandais s'étaient établis. Chaque soir, il en revenait bredouille, mais il faisait à sa femme le compte-rendu de ses recherches, sans lui épargner la description de ces lieux de misère, d'ivrognerie et de violence où elle l'obligeait à aller.

— Je ne la retrouverai jamais, concluait-il invariablement, il y a tant de monde !

— Essaie encore, suppliait Elena. Demande aux gens. Il doit bien y avoir quelqu'un qui la connaît.

Elle s'était accrochée à l'idée d'avoir cette femme auprès d'elle et n'en voulait pas démordre. Elle ne lui avait pourtant jamais parlé et ne l'avait même jamais vue, mais il lui semblait que madame Butler, pour avoir survécu à toutes ses grossesses, bénéficiait d'une protection spéciale contre la fatalité, protection dont elle la ferait profiter, par contamination, en quelque sorte.

Mary écoutait les récits de monsieur Shandon avec horreur et dégoût, se réjouissant de vivre loin de ses compatriotes. Elle ne voulait rien avoir de commun avec eux, pas même la messe du dimanche qui réunissait les Irlandais autour de leur vicaire, l'abbé Patrick McMahon. Elle préférait assister à celle des Canadiens, à laquelle elle se rendait avec Margot et Francine, parée du châle aux pivoines qui les faisait se pâmer d'admiration. Pour Mary, l'Irlande, c'était l'Armagh, qu'elle voulait se remémorer le moins possible parce qu'elle ne le reverrait jamais et que ça faisait trop mal. De la fausse Irlande du quartier Champlain, où les immigrants ne semblaient avoir amené que ce qu'ils avaient de pire, elle voulait se tenir loin, et elle se réjouissait secrètement de l'insuccès des recherches de monsieur Shandon, car elle aurait craint, à côtoyer de nouveau la misère de madame Butler, d'y être entraînée malgré elle et de perdre ce qui, chez les Shandon, lui était acquis : un toit, de la nourriture en suffisance, des habits chauds et l'assurance de ne pas être battue.

Lorsque Margot proposa une jeune veuve de l'île Dupas, que la mort de son mari, écrasé par la chute d'un arbre, avait laissée sans ressources avec un bébé de quelques semaines, Mary espéra qu'Elena accepterait. Edward, sûr que ses recherches n'aboutiraient pas, insista beaucoup pour que cette solution soit adoptée. Sa prospection lui avait fait prendre en grippe l'idée d'avoir une Irlandaise chez lui. En traînant dans le quartier Champlain, il s'était mis à redouter qu'avec la femme, il faille supporter le mari et les enfants, qui viendraient étaler leur indigence et faire du scandale. La protégée de la cuisinière lui paraissait plus sûre.

— Mais elle va s'occuper de mon fils, et je ne pourrai même pas parler avec elle, objectait Elena.

Elle avait fini par admettre qu'elle n'aurait pas madame Butler, mais ne voulait toujours pas renoncer à une nourrice parlant sa langue.

— Mary se débrouille en français, répétait son mari avec une patience qui commençait à montrer des signes d'épuisement, et elle sera toujours là pour t'aider.

Le terme se rapprochant sans qu'Edward trouve une anglophone qui convienne, Elena finit par céder. Margot envoya un message à Herminie Mousseau qui arriva, une semaine plus tard, avec un bébé maladif et fiévreux que l'on cacha à madame Shandon pour ne pas l'alarmer. Car Elena croyait aux signes, et elle aurait refusé la présence sous son toit d'un bébé malingre de peur qu'il ne préfigure celui qu'elle attendait. Dès que la future mère voyait ce qu'elle interprétait comme un présage de malheur – un couteau et une fourchette croisés sur son plateau, une bûche projetant une gerbe d'étincelles en sifflant ou une corneille traversant le ciel de gauche à droite –, elle serrait convulsivement la statuette offerte par le vieux sculpteur lors du pèlerinage. Elle la gardait toujours à portée de main et lui attribuait le pouvoir d'éloigner le mal.

Les derniers temps, Elena renonça à toute idée d'élégance. Se trouvant énorme – alors qu'elle avait assez peu grossi, ce qui donnait du souci au médecin et à la sage-femme –, elle traînait son corps déformé du lit au fauteuil et du fauteuil au lit, tenant à deux mains ses reins douloureux, sûre que l'enfant n'arriverait jamais et qu'elle était condamnée à porter ce fardeau pour l'éternité.

Pour ne pas la gêner, Edward avait abandonné le lit conjugal. Elena dormait mieux, mais lui en voulait, convaincue que c'était surtout à son bien-être à lui qu'il avait pensé. Pendant les moments qu'il passait auprès d'elle, Edward, inconscient des sentiments de sa femme, l'entourait de petites attentions, redressait un coussin ou arrangeait son châle.

— Ne te marie pas, disait Elena à Mary dès qu'il partait pour son travail ou ses obligations mondaines, les hommes ne pensent qu'à avoir des fils, et c'est nous qui les portons, qui souffrons et qui devenons laides. Eux continuent de vivre, de monter à cheval et de jouer au cricket.

Edward n'avait rien à voir avec le cricket : c'était Harry qui y jouait. Mais elle les englobait dans une même rancune, qui s'étendait d'ailleurs à tous les hommes, y compris au curé qui, en cette approche de Noël, magnifiait avec lyrisme le rôle de la mère.

— S'il savait que mon fils sera anglican, disait Elena avec une pointe de méchanceté, il serait moins aimable.

Elle ne lui avait rien dit, forte de son expérience avec le prêtre de l'île d'Orléans qui s'était acharné à la culpabiliser. Voyant que son mari ne changerait pas d'avis, quoi qu'elle fasse, la jeune femme avait cessé depuis longtemps de se battre pour que l'enfant soit de sa confession et elle n'avait pas envie de se faire répéter tous les jours qu'elle priverait ainsi son âme de la vie éternelle.

À l'office aussi, tout le monde croyait, comme le curé, que le bébé serait catholique, puisque sa mère l'était.

Pleine d'espoir, Margot répétait tous les jours :

— Et s'il arrivait le soir de Noël, ce petit Jésus ?

Mary, comme Elena, ne disait rien : il serait temps de l'annoncer lorsque l'enfant serait né.

Une minuscule pièce attenante à la nursery avait été aménagée à l'intention de la nourrice. Cependant, Herminie Mousseau n'y allait que pour dormir : elle restait dans la cuisine à bercer, au coin du feu, son bébé qui geignait de plus en plus faiblement. Solidement bâtie, elle n'avait jamais été malade, et la fragilité de son nourrisson la laissait désemparée.

Incrédule, elle disait vingt fois le jour :

— Elle était si belle ! Quand elle est née, elle pesait plus de huit livres !

Mais là, elle n'avait plus qu'un souffle de vie. Monsieur Shandon, informé de la situation à l'insu de son épouse, avait fait venir le médecin qui s'était déclaré impuissant à la sauver :

— Les fièvres l'ont épuisée. Elle est trop faible. Je ne peux rien faire.

Personne n'avait été surpris du verdict, à l'exception de la mère, qui avait cru jusque-là que l'enfant se rétablirait. Après le passage du docteur, elle ne pouvait plus s'illusionner, mais elle n'arrivait pas à tuer l'espoir.

Accrochée à la cuisinière, elle répétait :

— Après le père, le bon Dieu ne va pas me prendre la fille ? Il ne ferait pas ça, dis-moi, Margot ?

Margot se détournait pour cacher sa pitié et essayait de lui changer les idées en la faisant parler de Berthier et de l'île Dupas. Herminie s'animait un peu, donnait des nouvelles des uns et des autres, mais elle retombait vite dans son tourment.

Mary passait fort peu de temps en bas, car Elena, qui ne recevait plus de visites, ne supportait pas de rester seule, et elle n'en était pas fâchée. La future mère se plaignait sans arrêt, ce qui était lassant, mais Mary aurait supporté n'importe quoi pour échapper à cette attente de la mort qui pesait dans la cuisine. Quand elle était obligée de s'y rendre, elle s'emparait du plateau qu'elle était venue chercher pour s'élancer dans les escaliers afin de rejoindre au plus tôt la pièce où c'était la vie que l'on attendait. Parfois, cependant, lorsque Mary entrait dans la cuisine, la nourrice, à la demande de Margot, parlait des lieux et des gens qu'elle venait de quitter. La jeune femme de chambre s'attardait alors un petit moment.

À l'entendre, Mary pouvait imaginer l'existence de Francine avant de venir à Québec. En tous points semblable à celle de Charlotte à l'île d'Orléans, elle avait été paisible et sereine, chaque jour ressemblant à celui de la veille. Mais comme Charlotte, Francine s'était ennuyée de cette vie sans surprises, et elle n'avait eu qu'une envie :

partir, aller en ville, là où il se passe des choses. Mary, au contraire, bien qu'elle soit heureuse au service de madame Shandon, qui était autant une amie qu'une maîtresse, et qu'elle soit sensible aux attraits de Québec, voyait Sainte-Famille et Berthier comme des paradis. C'étaient des lieux où l'on pouvait vivre sans jamais être séparé de ceux que l'on aime, des lieux préservés de la famine, des voyages en mer, des ivrognes qui battent leurs femmes, de la solitude et de la misère. Transplantée à son corps défendant dans un monde qu'elle n'avait pas choisi, elle n'avait qu'un désir : y faire sa vie.

Les premières douleurs ne s'étant pas encore manifestées, Edward Shandon donna à son personnel féminin l'autorisation d'aller à la messe de minuit. Il garda James qui, de toute façon, n'était pas catholique et Urbain, lequel n'avait pas l'air fâché de rester au coin du feu.

La messe célébrant la naissance du Christ n'était pas comme les autres, ne serait-ce que parce qu'elle avait lieu après le coucher du soleil. Y assister était une petite fête.

Mary et Francine l'attendaient depuis des semaines. Au retour du marché, elles étaient allées admirer la crèche à la cathédrale et ne parlaient plus que de cela. Margot écoutait avec un hochement de tête approbateur la description enthousiaste de sa nièce.

— Elle est plus belle que celle de Berthier. On dirait une grotte dans des rochers. Il y a des épinettes tout autour et une étoile au-dessus. Le sol est recouvert de paille. Au centre, la place est prête pour l'Enfant Jésus. La Vierge Marie est très belle avec sa robe bleue et ses dorures !

Elle passait vite sur saint Joseph, qu'une chute avait privé de son nez, mais redevenait lyrique en évoquant les Rois mages. Pour Francine, ils représentaient le vaste monde, des lieux qu'elle ne savait pas nommer, mais qu'elle aspirait à connaître. Prenant soin que sa tante ne l'entende pas, elle disait rêveusement :

— Un jour, je prendrai un bateau qui m'emmènera très loin.

Margot, soucieuse du salut de son âme, s'était préparée à la cérémonie – et avait obligé les filles à en faire autant – en récitant les traditionnels mille *Ave*.

— Comment on saura qu'on en a dit mille ? demanda Francine, toujours raisonneuse. On ne sait pas compter jusque-là.

Sa tante ne se laissa pas désarçonner :

— Si on prie du lever du jour à l'heure de la messe, le compte est bon, affirma-t-elle, péremptoire.

— C'est normal qu'on arrive à la messe en état de grâce, avait glissé Francine à Mary, on n'a pas le temps de faire autre chose.

Effectivement, le 24 décembre avait passé en patenôtres. Margot n'interrompait même pas ses prières pour donner un ordre, ses gestes suppléant à la parole. La journée avait pris une allure irréelle, d'autant que la cuisinière avait confectionné toutes sortes de mets inhabituels qui embaumaient la maison entière. Pour monsieur et madame Shandon, c'étaient des desserts irlandais qui mettraient du baume sur leurs cœurs d'exilés, et pour les Canadiens, outre les montagnes de croquignoles qui s'entassaient dans un grand plat au centre de la table, il y avait une tourtière et un ragoût de pattes.

Vers onze heures, elles allèrent se changer. La robe de Margot, qui datait de plusieurs années, fut difficile à boutonner, car sa propriétaire avait pas mal forci. Celle de Francine, faite pour sa communion deux ans auparavant, dégageait trop les chevilles. Quant à celle de Mary, une vieille robe d'Elena, tant bien que mal mise à sa taille, elle aurait mieux convenu à une jeune fille à la poitrine plus étoffée. Mais ce n'étaient là que détails qui n'empêchèrent pas les trois domestiques féminines des Shandon de se sentir bien habillées et d'en être fières. L'obligation de mettre des manteaux et des châles sur les beaux atours, à cause du froid intense, ne suffit pas à atténuer leur plaisir. Enveloppée dans le châle aux pivoines, qui recouvrait le tout, Mary dévala les escaliers en riant avec Francine.

Leur rire se figea à la vue d'Herminie. Dans la journée, la malheureuse avait fait partie du décor, immobile sur sa chaise basse à marmonner des *Ave* pendant que tout s'agitait aux alentours. Mais à présent qu'elle était seule avec Urbain, qui toussait plus que jamais, sa détresse les atteignit de plein fouet. Pour que ce tableau pitoyable n'entache pas de tristesse la joie tant escomptée de la cérémonie nocturne, elles sortirent, préférant battre la semelle dehors en attendant Margot que de rester à proximité de cette femme désespérée. Elles s'efforcèrent de l'oublier en se renvoyant les couplets d'une chanson à répondre que Francine avait apprise à Mary. La cuisinière les rejoignit, toujours priant, et les rappela à l'ordre afin qu'elles en fissent autant. Au moment où elles sortaient de la cour, arriva Charles qui leur fit la surprise de les accompagner à la messe.

Il y avait beaucoup de gens dans les rues, qui tous convergeaient vers la cathédrale. Les trottoirs de bois n'étant pas assez larges pour qu'ils marchent tous de front, ils se mirent par deux. Charles, qui avait manœuvré afin d'être avec Mary, la rattrapa par le bras pour l'empêcher de tomber lorsque son pied partit sur une plaque de glace. Prenant prétexte qu'elle risquait de glisser à nouveau, il ne la lâcha pas, et c'est au bras du jeune homme que

Mary, troublée, se rendit à la messe. D'un halo à l'autre, la lumière fumeuse des réverbères éclairés au gras de baleine lui montrait Charles tourné vers elle, protecteur et attentif. Ils s'étaient légèrement laissés distancer, et Francine, s'en apercevant, cria :

— Hé, les amoureux, ne traînez pas, vous allez être en retard !

Mary rougit et répondit en se dégageant :

— Arrête de dire des niaiseries, Francine Campeau !

Tandis que sa sœur éclatait de rire, Charles, reprenant le bras de Mary, lui murmura :

— Ce n'est pas si bête, qu'en dis-tu ?

Ils étaient arrivés à la cathédrale. Mary en profita pour ne pas répondre. Charles la quitta pour aller vers les bancs des hommes, et la messe commença. Mary essayait de suivre la cérémonie, mais sans y parvenir, car elle était perturbée par le commentaire de Charles.

Elle plaisait au jeune homme, c'était indéniable. Il avait fallu qu'elle soit tout occupée de Jean-Denis pour ne pas l'avoir compris plus tôt. Depuis que le *John Molson* avait interrompu son service et que Charles travaillait dans un chantier de construction navale, il se présentait sans faute tous les dimanches rue Saint-Pierre où Margot s'étonnait de son assiduité. En semaine, il travaillait de dix à douze heures par jour. Il ne quittait son ouvrage que pour aller dormir dans sa chambre inconfortable, louée dans le quartier du chantier à un prix très modique. Cela lui permettait de mettre de l'argent de côté pour le jour où il s'établirait. Jean-Denis, qui dépensait tout aussitôt que gagné, se moquait de lui, mais cela ne le touchait pas : il savait que lorsqu'il demanderait une jeune fille en mariage, ses économies seraient un atout.

Le dimanche après-midi, Francine et Mary étaient libres, sauf exception, et Charles les accompagnait en promenade. La semaine précédente, ils étaient allés étrenner le pont de glace qui s'était formé sur le Saint-Laurent, reliant Québec à Lévis. Toute la ville semblait s'être donné rendez-vous pour parcourir ce chemin hivernal balisé par des épinettes. Certains, emmitouflés de fourrures, se prélassaient sur des traîneaux tirés par des chevaux ou des chiens, d'autres patinaient en riant, d'autres encore, tout simplement, marchaient comme eux.

Mary, subjuguée par l'habileté des patineuses, avait murmuré, un peu envieuse :

— J'aimerais pouvoir faire comme elles. On dirait qu'elles volent.

— Rien de plus simple, avait dit Francine, la prochaine fois, on revient avec mes patins. Je te les prête, et tu apprends.

— Tu as des patins !

— Oh, ils ne sont pas beaux comme ceux-là. C'est mon père qui les a faits. Mais ils glissent, tu verras.

Mary y avait pensé toute la semaine. Elle s'imaginait en train de faire des figures compliquées, comme les jeunes filles qu'elle avait admirées. Au début, il lui faudrait sans doute s'appuyer aux bras de Francine et de Charles. Charles qui s'était épris d'elle.

Il lui vint à l'esprit que, pour l'avoir séduit, elle ne devait pas être tout à fait dépourvue d'attraits. Si elle plaisait au frère aîné, pourquoi ne plairait-elle pas au cadet ?

Peu à peu, substituant une image à une autre, elle fit semblant de croire que c'était

Jean-Denis qui était assis dans le fond de l'église… Il n'était venu à la messe que dans l'espoir de la rencontrer. Depuis le début de l'office, elle sentait sur sa nuque le regard du jeune homme. À la sortie, il allait lui prendre le bras et chuchoter à son oreille :

— Veux-tu que je sois ton amoureux?

Elle fut tirée de sa rêverie par le mouvement des gens qui se levaient de leur banc. La messe était finie, et elle n'avait rien écouté du tout. Elle se sentit coupable. Comment pourrait-elle compenser? En récitant des *Ave*, peut-être? C'était une messe de minuit, il en faudrait beaucoup. Mille? Non, quand même pas. Pour une petite heure d'inattention, elle n'allait pas prier une journée entière. Un chapelet ou deux devraient suffire. Oui, elle dirait un chapelet pour sa pénitence. Satisfaite de sa décision et réconciliée avec sa conscience, elle se dirigea vers la sortie.

Francine s'empara d'office du bras de Mary à la grande déception de Charles qui aurait aimé continuer, avec la jeune femme de chambre, la conversation à peine commencée. Grâce à la remarque de sa sœur, elle avait pris un tour qui lui agréait tout à fait. Sans cela, il n'aurait pas osé faire allusion à ses sentiments. Malheureusement, cette même sœur l'empêchait à présent d'aller de l'avant. Passé le premier mouvement de dépit, il pensa que c'était peut-être mieux ainsi : il fallait laisser à Mary le temps de s'habituer à l'idée qu'il l'aimait.

Margot parlait à Charles, et Francine à Mary. La tante et la nièce s'émerveillaient de la cathédrale éclairée à giorno, de la crèche où avait été ajouté un jésus en plâtre, de la neige tombée pendant la messe, qui avait embelli la ville en camouflant les ordures et la vieille neige sale. Elles se réjouissaient de manger les choses préparées dans la journée, sans se rendre compte du silence de leurs interlocuteurs. Attentifs en apparence, mais loin de leur bavardage, Charles songeait à Mary, et Mary à Jean-Denis.

L'alléchant programme de Margot ne se déroula pas comme prévu. Au retour de la messe, il fallut oublier le ragoût de pattes et les croquignoles : madame Shandon avait perdu les eaux, et la maison était sens dessus dessous. James, dépêché pour aller chercher la sage-femme, n'avait pas pu la ramener, car elle était à la messe. Il n'avait pas trouvé non plus le médecin. Pour se donner l'illusion d'être utile, le futur père s'agitait. Il houspillait Herminie, faisait des allées et venues entre la chambre de la parturiente et la cuisine, donnait des ordres contradictoires. La nourrice avait déposé sur la chaise le petit paquet de linge dans lequel son enfant respirait à peine et s'affairait avec l'homme engagé à monter de l'eau chaude dans la chambre où Elena criait par intervalles.

La sage-femme arriva peu après la cuisinière et les deux jeunes filles. Elles prirent le relais d'Herminie qui retourna à son nourrisson. Edward, soulagé de voir la maison pleine de femmes, leur laissa le champ libre. Il s'en alla dans le salon avec sa pipe et la *Gazette of Quebec* à attendre l'annonce qu'il avait un fils et que tout s'était bien passé.

Il dut patienter la nuit entière et la moitié de la journée du lendemain. Au terme de toutes ces heures de souffrances, pendant lesquelles Elena, sûre qu'elle n'en réchapperait pas, suppliait qu'on l'empêche de mourir, la sage-femme lui mit dans les bras un paquet de dentelles d'où n'émergeait qu'un minuscule visage rouge et fripé. La jeune mère regarda le bébé avec rancune et affirma, d'une voix dure qui lui était nouvelle :

— Maintenant que je lui ai donné un fils, il n'a plus rien à me demander ! Je n'aurai jamais d'autre enfant !

Les femmes qui l'entouraient se regardèrent, mal à l'aise. Le silence des autres menaçant de s'éterniser, Mary, rassemblant son courage, lui prit la main et dit doucement :

— Elena, c'est une fille.

La jeune madame Shandon dévisagea sa femme de chambre avec une mine incrédule, puis elle porta son regard sur la sage-femme et la cuisinière qui gardaient les yeux baissés. Elle dut se rendre à l'évidence : c'était vrai.

— Alors, il va falloir recommencer ?

Elle repoussa l'inutile bébé, lança à travers la chambre la petite sculpture à laquelle elle s'était agrippée pendant toute la durée du travail, et qui n'avait pas su lui porter bonheur, puis elle enfouit son visage dans l'oreiller pour enterrer sa fatigue et pleurer tout son soûl.

Francine fut dépêchée en quête de la nourrice. Elle remonta en courant, affolée. Le bébé qu'Herminie s'obstinait à bercer était mort depuis des heures : il était déjà froid et rigide. Herminie ne disait rien, ne répondait pas aux questions, se contentant de fredonner une berceuse à bouche fermée, les yeux rivés sur le mur d'en face.

Margot descendit à son tour en disant :

— Je m'en occupe.

Mais elle n'obtint pas davantage de résultats : Herminie n'avait même pas l'air de la voir. Elle essaya de lui enlever doucement le petit cadavre. Or elle y était agrippée, et il aurait fallu le lui prendre de force, ce que la cuisinière ne se résignait pas à faire.

La panique commençait de gagner dans la cuisine : comment allait-on nourrir la fille de madame Shandon si aucune des deux femmes qui étaient en mesure de l'allaiter ne voulait s'en charger ? La sage-femme, ne voyant remonter personne, descendit à son tour. Elle comprit aussitôt ce qui se passait, et son expérience lui permit d'y faire face. Elle envoya Francine chercher le nouveau-né.

Les hurlements du bébé tirèrent Herminie de son hébétude. L'attention détournée par l'enfant que portait la jeune fille, elle relâcha sa prise et laissa la sage-femme lui prendre la petite morte et mettre à sa place le bébé vivant. Elle la laissa aussi ouvrir son corsage et placer le mamelon dans la bouche du nourrisson qui s'en empara. Comme il tétait avec appétit, elle caressa avec tendresse le duvet roux qui dépassait du bonnet de dentelles, puis elle releva la tête, sourit aux femmes présentes, et leur dit cette phrase qui les glaça :

— Elle va beaucoup mieux ma Roberte. Je crois qu'elle est sauvée.

Mary alla avertir monsieur Shandon de la naissance de sa fille et de la mort de l'autre enfant. Il avait fini par s'endormir et ronflait doucement, la bouche ouverte, la tête en arrière, dans le fauteuil où elle l'avait laissé la veille au soir. Mary lui secoua doucement le bras et lui servit un verre de whisky de la carafe qu'il avait gardée sur le guéridon, à portée de main, et dont il avait copieusement usé pendant la nuit pour essayer d'oublier les hurlements qui provenaient de l'étage. Il le but machinalement tandis que les nouvelles se faisaient avec lenteur un chemin dans son esprit. Monsieur Shandon resta un moment égaré, à se frotter énergiquement le sommet du crâne, comme s'il avait l'espoir illusoire d'en chasser les pensées désagréables.

— Il faut que j'aille la voir, dit-il enfin.

— Elle se repose, mentit Mary, il vaut mieux attendre. Je vais vous apporter du thé.

Il approuva vaguement, l'air soulagé, et elle sortit. Fouillant dans sa poche à la recherche d'un mouchoir, il trouva l'écrin du collier de rubis qu'il avait eu l'intention de lui offrir. Il l'ouvrit et regarda le bijou d'un œil morne. Elle lui avait donné une fille.

C'était beaucoup trop beau pour une fille. Sans attendre le thé, il prit son chapeau et sa canne, et sortit. En allant commander le cercueil, il fit un détour par la bijouterie pour y échanger le trop somptueux collier contre un bracelet d'agates infiniment plus modeste.

Elena ne s'y trompa pas lorsqu'il le lui offrit quelques heures plus tard, aimable et souriant comme à l'accoutumée. Elle savait qu'elle l'avait déçu, même s'il était trop gentleman pour le montrer. Elle aurait dû lui donner un fils : elle n'avait pas fait son devoir. Indifférente à tout ce qui concernait l'enfant, elle ne prit pas la peine de revenir à la charge pour qu'il accepte de la faire baptiser, ni ne protesta lorsqu'il choisit de l'appeler Victoria, du nom de sa sœur à qui il voulait faire plaisir. Cette fille, qu'elle avait tant peiné à mettre au monde, ne l'intéressait pas.

Il avait été prévu qu'Herminie et le bébé se tiendraient dans la nursery attenante à la chambre de madame Shandon pour lui permettre de voir son enfant chaque fois qu'elle en aurait envie. Seulement, après la visite rituelle du matin, qui ne durait que quelques instants, Elena ne demandait jamais sa fille. De plus, elle s'exaspérait lorsqu'elle l'entendait pleurer et en faisait reproche à la nourrice. En conséquence, celle-ci prit très vite l'habitude de passer ses journées dans la cuisine pour le plus grand bonheur des autres femmes de la maisonnée.

Victoria devint très vite un bébé adorable qui souriait indifféremment à tous les visages qui se penchaient sur elle. Bien que menue, elle était robuste. Mais cela n'empêchait pas Herminie de lui tâter le front cent fois le jour et de humer son haleine pour détecter une éventuelle trace de fièvre avant qu'il ne soit trop tard.

— Sa peau est chaude, Margot. Tu ne trouves pas?

Margot, patiemment, vérifiait et affirmait à la mère de substitution :

— Sa température est tout à fait normale.

— Ah bon. Il me semblait… Il ne faut pas aller chercher le médecin?

— Mais non, Herminie. Regarde comme elle tète avec appétit! Cette petite est en pleine santé.

La nourrice hochait la tête, à moitié convaincue, et revenait à la charge un peu plus tard. Il n'était pas sûr qu'elle confondît l'enfant des maîtres avec sa fille morte, mais chacune avait des doutes à ce sujet. Le soir, lorsqu'elle était couchée, elles commentaient sa façon d'en parler d'une manière neutre, évitant d'utiliser son prénom, ainsi que sa manière de veiller sur elle avec une attention inquiète qui ne désemparait pas. Lorsque quelqu'un lui prenait l'enfant – et cela arrivait fréquemment, car la cuisinière et les filles s'en étaient entichées –, elle restait à proximité, prête à intervenir s'il le fallait, ne s'apaisant que lorsqu'elle l'avait récupérée.

Entre deux tétées, Margot l'exhortait à sortir de la maison :

— Va faire un tour, tu ne connais rien de la ville ! Accompagne les filles au marché, ça te distraira. Moi, je me charge de la petite pendant que tu ne seras pas là.

Mais elle ne voulait pas, comme si elle craignait que le malheur ne profite de son absence pour revenir.

— Tout ça finira mal, prédisait la cuisinière, la mine sombre.

Au jour de l'an, à l'occasion d'une petite cérémonie domestique, monsieur Shandon remit ses gages à la maisonnée. En habits de fête, les serviteurs se réunirent dans la chambre de madame Shandon, qui n'était pas encore autorisée à quitter le lit et qui, pour l'occasion, tenait dans ses bras la petite Victoria. Placés en ligne par ordre d'importance – James, Margot, Mary, Herminie, Francine et finalement Urbain –, ils ne savaient que faire de leurs mains, empotés et mal à l'aise.

James se chargea de présenter aux maîtres les vœux de santé et de bonheur. Elena lui répondit aimablement et, comme cet échange avait eu lieu en anglais, monsieur Shandon ajouta une phrase en français. Puis il remit son dû à chacun, James recevant, en sa qualité d'homme, le double de la cuisinière, elle-même mieux payée que les autres. Ils eurent aussi une pièce de tissu destinée à confectionner les vêtements pour l'année à venir. Quant aux chaussures, ils n'auraient qu'à se présenter chez le cordonnier Desjardins de la rue Buade pour qu'il prenne leurs mesures.

La somme était minime, d'autant que les gages ne couvraient que la moitié de l'année, mais c'était la première fois que Mary recevait de l'argent et, la main serrée sur son trésor, elle se sentit soudain investie d'une dignité jusqu'alors inconnue : cet argent, elle l'avait gagné et il était à elle seule.

Par contre, ce n'était pas le cas de Francine. Margot les avait entraînées au galetas, à la fois pour mettre à l'abri le pécule et pour ôter les beaux habits qu'il ne fallait pas abîmer. Elle sortit de son coffre une boîte munie d'une clé, rangea ses pièces dans une bourse et tendit la main à Francine pour qu'elle lui donne les siennes.

— Je ne peux pas en garder ? demanda la jeune fille, désolée.

— Tu n'en as pas besoin, répondit Margot. Tu es nourrie, logée et habillée. Cet argent, je le donnerai à ton père qui t'en remettra une partie quand tu te marieras.

— Ce n'est pas juste, grommela Francine entre ses dents, mais elle n'osa pas le dire tout haut et remit à contrecœur son salaire à sa tante.

— Veux-tu que je garde aussi le tien ? demanda la cuisinière à Mary.

Mais Mary ne voulait pas se dessaisir de cet argent qu'on venait tout juste de lui donner et elle refusa poliment.

— Comme tu veux, dit la cuisinière pincée, mais ne le laisse pas traîner : tout le monde n'est pas honnête dans cette maison.

Elle visait James, évidemment. Elle n'avait pas la preuve qu'il était voleur mais, vu qu'il avait tous les autres vices, elle n'hésitait pas à lui prêter également celui-là.

Mary ne possédait plus de sac depuis que sa tante Nora le lui avait volé et elle n'avait pas non plus de coffret. Elle se demanda où ranger l'argent et finit par le glisser dans un de ses souliers du dimanche en se disant que personne n'aurait l'idée d'aller le chercher là.

À la fin de la matinée, Charles se présenta avec des petits cadeaux. Margot et Francine apprécièrent le mouchoir qu'il offrit à chacune d'elles, puis elles se tournèrent, intéressées, vers Mary qui avait reçu un paquet plus volumineux. La jeune fille déballa une petite cassette sur laquelle était peinte une bergère habillée en princesse qu'entouraient des moutons aux cous ornés de rubans roses. Le coffret avait une clé avec laquelle Mary l'ouvrit. Francine poussa des exclamations admiratives en découvrant qu'à l'intérieur, il était tapissé de velours rouge.

C'était la première fois que Mary recevait un vrai cadeau. Elena lui avait déjà donné des choses, entre autres le châle aux pivoines, mais là, c'était différent : Charles lui offrait un objet qui n'avait encore appartenu à personne et qu'il avait acheté spécialement pour elle.

— C'est trop, beaucoup trop, murmurait-elle, désarçonnée par ce présent aussi coûteux qu'inattendu.

Charles protestait que ce n'était rien et, pendant que sa tante le regardait d'un air entendu et complice, Francine, qui ne savait pas tenir sa langue, fit remarquer :

— Ça ressemble au cadeau d'un promis qui veut que sa promise y serre sa dot.

Mary se rendit compte que c'était vrai et sentit le danger. Si elle acceptait la cassette, c'était pour elle une façon de s'engager auprès de Charles. Malgré son désir de posséder le bel objet, elle voulut le refuser. Margot ne lui en laissa pas le temps.

— Mêle-toi de ce qui te regarde, Francine Campeau, dit-elle sévèrement.

Et elle enchaîna aussitôt :

— Allez mettre votre manteau, les filles. Que Charles vous emmène en promenade avec ce beau temps.

Le froid était vif, mais il n'y avait pas de vent. C'était une belle journée d'hiver comme Mary avait appris à les aimer. Jamais elle n'aurait imaginé que l'on pût trouver agréable un temps aussi froid, mais elle s'y était habituée et ne regrettait nullement les pluies de l'Armagh. Francine ayant pris ses patins, ils se dirigèrent vers le fleuve. Le soleil et le ciel bleu avaient incité les gens à sortir, et les patineurs étaient nombreux sur le pont de glace.

Comme promis, Francine prêta ses patins à Mary. C'étaient de simples lames que l'on attachait aux bottes par des courroies. Mary, ainsi équipée, ne se sentait pas très sûre de son équilibre et fut reconnaissante à Charles et à Francine de la maintenir fermement par les bras. Suivant leurs conseils avec application, elle apprit à rester souple et légèrement penchée en avant, les jambes à demi fléchies, le poids du corps passant successivement d'une jambe sur l'autre. Puis elle leur demanda de la lâcher et avança toute seule. Elle était encore hésitante, mais ne ressentait aucune crainte. Quel bonheur de glisser comme si son corps ne pesait rien! Jamais elle n'avait rien fait d'aussi agréable. Elle croisait des jeunes filles qui patinaient bras dessus, bras dessous. Ce serait plaisant d'en faire autant avec Francine. Mais elles ne le pouvaient pas, n'ayant qu'une paire de patins pour deux. Il leur en faudrait une paire à chacune. Les jeunes filles qu'elle admirait étaient équipées de chaussures qui ne servaient qu'à cela, avec des lames fixées à la semelle. Elle aurait voulu en avoir de semblables. Mais il ne fallait pas y penser : c'étaient des objets de luxe qui devaient coûter beaucoup d'argent, et de l'argent, elle n'en avait pas.

Mais si, elle en avait ! Monsieur Shandon lui avait donné ses gages. Évidemment, elle était censée économiser cette somme pour le jour où elle en aurait besoin et non la dilapider en achats inutiles. De même que pour Francine, ce serait sa dot quand elle se marierait. Par association d'idées, elle en vint à Charles, à la cassette et à la remarque de son amie. Elle en oublia son désir d'avoir des patins pour ne plus penser qu'à Charles : il fallait absolument qu'elle lui parle pour clarifier les choses. Elle n'avait aucune envie de devenir la promise du jeune homme. Ah, si c'eût été Jean-Denis, l'auteur du présent…

Elle retourna vers le frère et la sœur qui l'attendaient en causant et rendit ses patins à Francine :

— C'est à ton tour, je vais marcher avec Charles.

Francine les quitta sur un sourire amusé, et Mary, ennuyée par l'air heureux de Charles, chercha ses mots pour le décourager sans le blesser. Le mieux était de dire qu'elle se trouvait trop jeune pour s'engager.

Si le jeune homme eut de la peine, il n'en montra rien. Il prétendit comprendre ses raisons et dit qu'il attendrait qu'elle vieillisse pour lui en reparler. Quant à la cassette, elle insista pour la lui rendre, mais il ne voulut rien entendre : il l'avait choisie pour elle et tenait à ce qu'elle la garde. Mary, soulagée, s'empressa d'oublier le désagrément que cette mise au point lui avait causée et profita sans réserve du reste de l'après-midi, rechaussant les patins de Francine à plusieurs reprises.

De retour à la maison, après le départ de Charles, Francine la taquina, l'appelant sa « future belle-sœur ». Mary la détrompa, reprenant l'argument qu'elle avait utilisé avec Charles :

— Je suis trop jeune pour m'engager, j'ai à peine quinze ans.

— Ouais, tu as raison… Et puis Charles, il est gentil, mais il est aussi drôle qu'un bonnet de nuit !

Là-dessus, elle éclata de rire, et Mary lui fit écho, heureuse que cela ne nuise pas à leur amitié. Avec Francine, les choses étaient toujours simples.

Mary alla dans sa chambre reprendre les sous cachés dans ses souliers pour les ranger dans la cassette. Elle les y déposa précautionneusement. Il y avait trois livres. Trois belles livres. Rien qu'à elle. Combien pouvait coûter une paire de patins?

Le lendemain, en rentrant du marché, Mary entraîna Francine dans la rue Buade et s'arrêta devant l'échoppe du cordonnier. Il travaillait près de la fenêtre, afin de profiter de la lumière, et était justement en train de fixer une lame sous la semelle d'une bottine. Le bout de la lame remontait d'un pouce sur le dessus de la chaussure, formant un arceau terminé par une boule de cuivre du plus bel effet. Quand Francine s'aperçut que Mary s'était arrêtée, elle revint sur ses pas. Elle regarda le cordonnier, puis son amie. Devant le désir visible de Mary, elle dit :

— Tu n'as quand même pas l'intention d'acheter des patins comme ceux-là?

— Non, bien sûr, mais je me demande combien ils coûtent.

— Je n'en ai aucune idée, mais ce dont je suis sûre, c'est qu'ils sont trop chers pour toi. Peut-être qu'Urbain pourrait t'en faire? Ce n'est pas très difficile.

Mais ce n'était pas de ce genre de patins que Mary voulait. Il lui fallait des bottines comme celles que faisait le cordonnier. Dans l'après-midi, elle parvint à s'échapper sans que son amie la voie. L'homme réparait maintenant des souliers, mais les patins étaient toujours là, sur l'établi, exposés à sa tentation. Elle les regarda un moment, puis s'en alla. Elle revint le lendemain, et tous les jours qui suivirent. L'envie de posséder ces patins devint une idée fixe. Elle ne pensait plus qu'à cela et en rêvait la nuit. Elle se voyait en train de nouer les lacets, puis de s'élancer sur la glace, légère, aérienne. Obnubilée par son désir, elle en oubliait presque Jean-Denis.

Un jour, elle ne les vit plus : les patins avaient disparu, leur propriétaire était venue les chercher. Mary se sentit volée. Ces patins, dont elle avait tant rêvé, elle avait fini par imaginer qu'ils étaient pour elle, qu'il lui aurait suffi de les demander au cordonnier pour les avoir. Sans réfléchir, elle entra.

L'artisan leva la tête :

— Tu viens pour les souliers de monsieur Galarneau ? J'ai presque fini.

— Non. C'est pour les patins.

Et elle montra du geste l'établi où ils étaient restés plusieurs jours.

L'homme fut surpris :

— Je ne les ai plus. Madame Fortier a déjà envoyé quelqu'un ce matin.

— Non, ce n'est pas ça, bredouilla Mary.

— Je n'en n'ai pas d'autres. Pour qui viens-tu ?

— Pour personne. Enfin, pour moi.

Se jetant à l'eau, elle dit très vite :

— Combien ça coûte, des patins comme ça ?

Avec dans la voix une nuance de pitié, le cordonnier répondit :

— Beaucoup trop cher pour toi, petite. Oublie ça !

Mary, rassemblant son courage, répéta :

— Combien ?

— Le prix de la bottine, plus celui de la lame qui est faite par le forgeron…

— …

— Deux livres.

Elle quitta l'échoppe sans rien dire tandis que l'homme se remettait à l'ouvrage avec un soupir de compassion.

Le lendemain, Mary était là de nouveau. Elle posa les deux livres sur l'établi et dit :

— Je veux des patins.

Le dimanche suivant, ils étaient prêts. Elle ne les avait pas obtenus sans mal, ayant dû vaincre les soupçons du cordonnier à qui il avait fallu donner toutes sortes de renseignements pour qu'il accepte sa commande. Il avait d'abord craint qu'elle n'ait volé cet argent, puis, une fois sûr que c'étaient ses gages, il avait tenté de la dissuader, car c'était un brave homme et cela lui faisait de la peine de la voir dépenser tout son avoir pour acquérir des objets aussi inutiles. Il essaya même de la persuader de commander, à la place, d'élégantes bottines. Au moins, elle les aurait pour aller à la messe et, plus tard, pour se marier. Mais rien n'y fit : elle voulait absolument des patins. De guerre lasse, il les lui fabriqua. Après tout, ce n'était pas sa fille et il ne la connaissait même pas. Si elle voulait se ruiner, c'était son affaire.

Lorsque Margot les vit, elle en perdit la parole – ce qui ne s'était pas produit depuis longtemps. Scandalisée, elle ne parla plus à Mary pendant des jours, sans pour cela se priver de faire à mi-voix des remarques acides et méprisantes sur les dépensières sans cervelle qui faisaient le malheur de leur mari et de toute leur famille. Il était clair qu'elle pensait à son neveu et déplorait l'idylle naissante qui d'abord lui avait plu, car l'Irlandaise était vaillante et aimable. Mais là, elle venait de montrer un vilain aspect de sa personnalité. C'était bien d'une étrangère! Jamais une Canadienne n'aurait fait une chose pareille! Charles ferait mieux d'y penser à deux fois.

Il y pensa, en effet, quand il la vit chausser les superbes patins flambant neufs, et se dit que, finalement, son refus de s'engager était peut-être une bonne chose : lui, si économe – il ne comptait pas la cassette, qu'il avait considérée comme une sorte d'investissement –, était effrayé par la prodigalité dont Mary avait fait preuve en effectuant cette dépense inconsidérée.

Il n'y eut que Francine pour approuver sans réserve. Elle admirait l'audace et la détermination de son amie, et Margot en voulut d'autant plus à Mary qu'elle craignait la mauvaise influence qu'elle pourrait avoir sur sa nièce. Mais les filles s'en moquaient et, le dimanche après-midi, lorsqu'elles chaussaient les patins à tour de rôle, elles se sentaient les égales des belles bourgeoises qu'elles côtoyaient, oubliant, le temps de quelques voltes sur la glace, leur condition de servantes.

Dès après l'accouchement, Elena consacra toute son énergie à retrouver une apparence de jeune fille. Mary devait lui bander le ventre très serré, ainsi que les seins, pourtant rendus sensibles par la montée de lait. Elena mordait dans son mouchoir pour ne pas hurler et faisait signe à sa femme de chambre de serrer plus fort : elle était prête à tout souffrir pour effacer les traces de sa maternité. Ensuite, elle se recouchait, épuisée, n'ouvrant les yeux que pour scruter son visage dans le miroir qu'elle gardait en permanence à portée de main.

Anxieuse, elle demandait à Mary :

— Regarde, là! Ce n'est pas un cheveu blanc? Et là? Tu vois la ride?

Mary l'assurait que c'étaient des illusions : à dix-sept ans, on n'a ni rides ni cheveux blancs. D'ailleurs, elle était plus belle qu'avant.

— Vraiment? Tu crois? insistait-elle pour le plaisir de le lui entendre répéter.

Edward prétendait la même chose. C'était peut-être vrai.

Lorsque la période de réclusion fut terminée, Elena, pressée de reprendre sa vie mondaine, se rendit chez madame Chambers. Enfin, pouvoir s'habiller, sortir, voir des gens! Mais dans le salon de son hôtesse, où elle était venue s'amuser, elle tomba en plein dans la fièvre des Quatre-vingt-douze Résolutions. L'indignation fusait de toutes parts contre Papineau et le Parti patriote. Elle essaya de se souvenir de ce qu'Edward lui avait dit sur le sujet, mais elle n'y avait pas prêté attention : tout cela l'intéressait si peu! Elle les entendit parler de modèle américain, d'indépendance, de jugements insultants sur lord Aylmer. Renonçant à comprendre, elle se tourna vers un petit groupe de femmes qu'elle croyait plus susceptibles de partager ses goûts. Mais elle tomba de mal en pis : les seules qui ne parlaient pas de politique étaient de jeunes mères qui l'en15uèrent dans une conversation ennuyeuse à périr sur la manière de s'occuper des enfants. N'ayant rien à dire sur le sujet, elle se garda d'y participer, se contentant de feindre un intérêt qu'elle ne ressentait pas. Que ne s'entretenaient-elles de théâtre ou de bals? Voilà des questions qui l'auraient passionnée. Mais non, elles parlaient de l'allaitement.

Ce qu'elles en disaient pénétra peu à peu la conscience d'Elena : le fait d'allaiter pouvait retarder une autre naissance! Elle pâlit. Pourquoi personne ne le lui avait-il dit? Pourvu qu'il ne soit pas trop tard! Dès qu'elle put le faire sans être grossière, elle trouva un prétexte pour s'en aller. Aussitôt arrivée à la maison, elle demanda sa fille et, sous les yeux effarés de Mary qui n'y comprenait rien, se dégrafa et essaya de la nourrir. Mais c'était trop tard : le lait, qu'elle s'était acharnée à perdre, était tari, et le bébé refusait de téter le sein vide.

Elle rendit la petite Victoria à Mary en disant avec dépit :

— Elle ne servira donc à rien !

Elena reprit ses sorties avec une frénésie nouvelle. Le printemps avait ramené en ville le régiment de Harry, et les parties de cricket succédaient aux bals et aux promenades en calèche. Bientôt, ce seraient les premiers pique-niques de la saison. La jeune madame Shandon, dont le rôle de mère se limitait à baiser distraitement le front de sa fille tous les matins, après son petit déjeuner, avait recommencé à croire que la vie était belle, lorsqu'elle eut sa première nausée matinale : le bébé avait à peine quatre mois, et elle était de nouveau enceinte !

De dépit, elle s'enferma, refusant visites et invitations. Dans sa chambre assombrie par les rideaux qu'elle refusait que l'on ouvrît, elle alternait les phases de rage et de dépression, déplorant la perte de sa jeunesse et de sa beauté sacrifiées à son rôle de reproductrice. C'est ainsi que la trouva la nouvelle épidémie de choléra.

Le premier cas apparut à la Grosse-Île, à la fin du mois de mai. La rumeur accusait un marin du navire *Eleonor* qui arrivait de Dublin avec un chargement d'immigrants. Quoi qu'il en soit, le mal était là, et il fallait s'attendre à de lourdes pertes. Le souvenir de l'épidémie de l'avant-dernière année était présent dans tous les esprits, avec ses entassements de morts que l'on n'avait plus le temps d'enterrer. La panique s'empara des gens : il fallait se protéger du fléau. Mais comment ? Le moyen de propagation du choléra et les façons de le combattre étaient mal connus – ce qui n'empêchait pas les gens d'avoir des opinions tranchées et définitives –, et les passions s'enflammèrent aussitôt.

Deux thèses principales s'affrontaient. Les « contagionnistes », et monsieur Shandon en était, croyaient que la maladie se transmettait d'un individu à l'autre par contact physique ou même simplement à toucher les vêtements ou la literie d'un malade. Comme ils préconisaient la quarantaine et l'isolement, Edward voulut envoyer Elena à la campagne avec l'ensemble de la maisonnée. Mais sa femme avait rencontré chez lady Aylmer un médecin tenant de la thèse « infectionniste », qui lui avait expliqué que la maladie était causée par la corruption de l'air. Les miasmes, apportés par les perturbations atmosphériques, pouvaient se répandre n'importe où, et le meilleur moyen d'échapper à la maladie était de rester cloîtré dans les maisons, toutes fenêtres fermées, à faire des fumigations. Edward essaya de convaincre sa femme que c'était lui qui avait raison, mais elle ne voulut pas démordre de ses convictions, et ils restèrent en ville.

Urbain mourut au tout début de l'épidémie. L'hiver l'avait laissé dans un état de grande faiblesse, et il toussait plus que jamais. Il ne survécut que quelques heures à l'apparition des premiers symptômes. Tombé dans la remise au début de l'après-midi, il ne vit pas le coucher du soleil. Il resta à râler sur la terre battue où monsieur Shandon avait exigé qu'on le laissât, souillé par les vomissures qui avaient sans doute fini par l'étouffer, accélérant ainsi sa fin. Mary avait obtenu l'autorisation de s'en occuper à la condition expresse qu'elle ne le touche pas. Surmontant sa répulsion, elle avait recouvert le malade de couvertures de laine et posé sur diverses parties de son corps, principalement son estomac, les fers à repasser chauds que Margot, cédant à ses supplications, avait accepté de lui apporter. Mary ne s'interrompait que pour lui faire couler une infusion de menthe poivrée sur les lèvres, et elle l'avait fait tant qu'il avait été assez conscient pour les entrouvrir et en absorber quelques gouttes. Il la regardait avec reconnaissance, et ce regard aidait Mary à vaincre l'impulsion qu'elle avait de s'enfuir à toutes jambes. L'homme qui se mourait s'était porté à son secours lorsque James avait tenté de la violer. C'était le moment de le payer de retour en lui tenant compagnie jusqu'à sa mort. À mesure que la journée avançait, le visage du vieil homme devenait bleuâtre et ses yeux perdaient leur éclat. Il ne se manifesta plus que de loin en loin et finit par devenir tout à fait inerte.

Quand il fut certain qu'il avait trépassé, monsieur Shandon ordonna que tout ce qu'il avait possédé fut transporté au bout d'une fourche pour être brûlé dans la cour. En quelques heures, il ne resta plus rien de cet homme. Son corps avait été emporté vers la fosse commune sur la charrette des morts et ses quelques possessions avaient disparu en fumée. C'était comme s'il n'avait jamais existé. Le cœur serré, Mary avait vu partir dans les flammes les couvertures dont elle l'avait enveloppé, la paillasse sur laquelle il avait souffert tout l'hiver, sa veste et son pantalon du dimanche, ses sabots de bois et même sa pipe. Faute de s'entendre sur l'une des deux thèses expliquant la propagation du choléra, la maison Shandon appliquait les conseils venant des deux bords : on s'enfermait avec des fumigations et on évitait de toucher à ce qui aurait pu être contaminé. Pour faire bonne mesure, la cuisinière y ajoutait des prières qu'elle marmonnait du matin au soir.

Le glas, rappelant à toute heure du jour la précarité de la vie, relança un sujet de conversation qui avait agité la cuisine pendant des semaines à la naissance de Victoria : la petite n'était pas baptisée. La question qui, avant le choléra, avait été : « Ses parents ont-ils le droit de mettre ainsi en péril sa vie éternelle ? » était insensiblement devenue : « Avons-nous le droit… ? » Ces femmes, qui assumaient seules les soins du corps de l'enfant, en étaient venues à se sentir également responsables de son âme. Si le choléra emportait la petite, elles ne se pardonneraient pas de lui avoir refusé l'accès au monde des chrétiens. Mais comment faire ? En parler au curé ? Il irait aussitôt trouver madame Shandon qui avait renoncé à ce que sa fille soit catholique.

Un jour, Margot suggéra qu'elles pourraient la baptiser elles-mêmes :

— Dans le cas d'un danger de mort, tout le monde a le droit de baptiser un enfant.

Herminie, qui n'était pas vive, resta interloquée, mais Francine s'emballa tout de suite :

— C'est exactement ce qu'il faut faire ! Vous, ma tante, vous allez remplacer le curé, et moi, je serai la marraine.

Elle ajouta, dans un grand éclat de rire, à l'adresse de Mary qui n'avait rien dit :

— Et toi, tu seras le parrain !

Margot se fâcha tout rouge, se défendant d'avoir eu l'intention de baptiser la petite. Elle avait dit ça en l'air. Imaginer qu'elle prétendait remplacer le curé ! Francine disait n'importe quoi ! Elle n'avait aucun respect pour les choses sacrées. Comment osait-elle parler ainsi du sacrement du baptême ? Ses fanons en frémissaient.

Francine s'éclipsa prudemment en attendant la fin de l'orage : il y avait à faire en haut. Néanmoins, son envie de participer à une cérémonie secrète était si forte qu'elle ramena l'idée, mais, cette fois, avec toute l'habileté retorse dont elle pouvait être capable.

Passant à côté du bébé, elle lui caressait la joue en disant :

— Pauvre petite païenne ! Il faudrait faire quelque chose pour toi…

Margot lui jetait un regard noir, mais ne disait mot. Néanmoins, après une semaine de ce travail de sape, la cuisinière n'y tint plus :

— Si vous êtes d'accord, dit-elle, on va la baptiser.

Forte de leur approbation, Margot mit de l'eau dans une soucoupe et se prépara à officier. Herminie, qui tenait Victoria, se leva de sa chaise berçante. Mary et Francine les encadrèrent. À la suite de Margot, elles se signèrent. Puis, la cuisinière trempa son pouce dans l'eau et fit une croix sur le front de l'enfant en disant :

— Je te baptise au nom du Père, du Fils et du Saint-Esprit.

Victoria, surprise par le contact de l'eau froide, fit une grimace et sembla prête à pleurer. Mais les quatre femmes s'étaient mises à prier et, rassurée par le son monotone de la litanie, la petite sourit aux visages familiers penchés sur elle.

Quand elles eurent terminé, Margot déclara, avec l'agressivité qu'elle aurait mise à se défendre d'une critique :

— Nous n'avons fait que notre devoir.

Le vigoureux assentiment des trois autres la rasséréna.

Mary, qui avait souhaité que les chaleurs de l'été les conduiraient de nouveau à l'île d'Orléans où elle aurait revu Charlotte, dut déchanter : ils passèrent l'été dans la puanteur de Québec, la vie rythmée par le son du glas. Dans l'espoir que ce serait suffisant pour les épargner, ils respectaient scrupuleusement les ordonnances du Bureau de santé qui exigeait l'arrosage et le balayage de la devanture des maisons et la mise en tas des ordures le long des trottoirs afin qu'elles soient enlevées par des employés de la ville. Les seules notes de bonheur, dans toute cette désolation, furent les visites de Jean-Denis qui passait les voir à chaque descente du fleuve.

Il était apparu un jour de juin, et le spectre du choléra avait reculé le temps de sa visite. L'hiver au chantier avait élargi ses épaules et il semblait avoir grandi. Charles, qui l'accompagnait, était éclipsé par la présence de son cadet. Qui eût observé l'aîné des deux garçons aurait pu percevoir l'amertume de son regard, mais personne ne faisait attention à lui. Tout l'hiver, il était venu, prêt à rendre service, et toutes les femmes étaient contentes de le voir : sa tante, sa sœur et la nourrice, à qui il apportait des nouvelles de Berthier et de l'île Dupas glanées au hasard des rencontres, mais aussi Mary qui le recevait gentiment, bien qu'avec trop de retenue à son goût. Et il suffisait que son bellâtre de frère survienne pour le reléguer à la place de figurant. Jean-Denis avait tous les défauts : hâbleur, coureur, prodigue. Il était imprévisible. On ne pouvait pas compter sur lui. Les quatre femmes étaient pourtant pendues à ses lèvres et se bousculaient pour attirer son attention.

L'attitude de Margot et de Francine n'était pas nouvelle. Il s'était attendu à ce qu'elles le délaissent pour s'occuper de Jean-Denis. Mais elles n'étaient pas les seules : Herminie, qui ne se dessaisissait du bébé qu'avec réticence, avait accepté volontiers que le draveur le prenne dans ses bras. Quant à Mary…

Elle était restée légèrement à l'écart lorsque les deux frères étaient entrés, mais elle ne parvenait pas à cacher une émotion qui contrastait avec son habituelle réserve. Jean-Denis la regarda, de la tête aux pieds, s'arrêtant un instant sur la poitrine qui donnait une forme nouvelle à son corsage. Faisant semblant d'avoir du mal à la reconnaître, il s'exclama :

— Mais c'est Mary !

Et il ajouta, gentiment taquin :

— On a raison de dire que c'est en Irlande qu'il y a les plus belles roses.

Mary avait pris les habitudes de Francine : d'ordinaire, elle répliquait du tac au tac, mais là, elle ne dit rien, se contentant de rougir et de baisser les yeux. Charles comprit qu'elle n'était pas insensible au charme de son frère. À l'idée que c'était peut-être à cause de lui qu'elle l'avait repoussé, il eut envie d'écraser le sourire du trouble-fête. Il avait déjà toutes les autres filles, qu'avait-il donc besoin en plus de celle-ci ! Charles n'était pas seulement vexé, il était aussi malheureux. L'incident lui prouvait qu'il était plus attaché à Mary qu'il ne l'aurait souhaité. Après l'épisode des patins, il avait à peu près réussi à se convaincre qu'elle lui était indifférente. Mais il avait suffi que Jean-Denis paraisse et qu'elle manifeste son trouble pour que la jalousie lui donne envie de crier et de mordre. Son frère avait toujours reçu comme un dû ce que lui ne parvenait pas à obtenir malgré tout le mal qu'il se donnait : la préférence de sa mère et de ses sœurs, l'intérêt de son père, l'affection de sa tante. Maintenant, c'était Mary qui le regardait avec des yeux enamourés. Lui, Charles, était présent, serviable, attentionné. Et tout cela pour rien !

Une fois ou deux, lors de son congé du mercredi, quand le *John Molson* sur lequel il avait repris du service pendant l'été faisait relâche, Charles, rancunier, renonça à se rendre rue Saint-Pierre. Mais il ne savait plus que faire de lui-même et, las de traîner par les ruelles du port où rien ne l'attirait, il reprit ses visites. Cependant, lorsque Jean-Denis arrivait en ville, sur cette maudite cage tellement plus propice à faire rêver et trembler les jeunes filles que son bateau à vapeur, il n'entrait pas dans la maison, car il ne voulait pas s'infliger le spectacle de l'adulation dont son frère était l'objet. Mais il ne pouvait s'empêcher de rôder à l'entour. Il attendait ce qu'il avait découvert par hasard et qui, chaque fois, le déchirait si fort qu'il avait du mal à respirer.

Les visites de Jean-Denis étaient brèves. Il ne restait dans la cuisine des Shandon que le temps de manger une gâterie cuisinée par Margot et d'échanger quelques nouvelles avec sa tante et sa sœur. Ni l'une ni l'autre ne remarqua que Mary s'éclipsait toujours peu après lui. Il est vrai qu'elle feignait d'aller faire quelque ouvrage au salon et que la porte des maîtres, par laquelle elle se faufilait dehors, était invisible de la cuisine. Avec Jean-Denis, qui l'attendait deux maisons plus loin, elle parcourait les rues de la ville.

Tout avait commencé le jour où, s'étant croisés par hasard, alors qu'elle faisait une course, il l'avait raccompagnée à la maison. Mary, qui avait tant rêvé d'être seule avec le jeune homme, s'en voulait d'être incapable de trouver quelque chose à lui dire. Elle n'avait qu'une idée en tête : il allait la trouver bête. Mais Jean-Denis, ne se laissant pas décourager par son silence, faisait tous les frais de la conversation. Comme Francine, il avait le don de rendre amusantes les histoires les plus anodines et, quand ils arrivèrent rue Saint-Pierre, la jeune fille, qui s'était peu à peu détendue, riait et plaisantait avec lui.

Au moment de se séparer, alors qu'ils étaient face à face et que Mary se demandait si elle devait ou non lui tendre la main, il lui dit :

— Tu sais que je pars demain ?

— Oui.

— Tu ne me donnes pas un baiser pour me souhaiter bonne chance ?

Mary avait approuvé d'un signe de tête, mais n'avait pas bougé. Jean-Denis dut faire le pas qui les séparait. Effleurant sa joue, il murmura :

— Tu m'attendras, Mary l'Irlandaise ?

En guise de réponse, le jeune homme n'obtint qu'un regard, mais il valait une promesse.

Cette scène avait alimenté les rêves et les espoirs de Mary pendant les quelques semaines où Jean-Denis avait été absent. Elle ne se rappelait pas grand-chose de ses paroles, car elle avait été trop émue pour l'écouter vraiment. Ce qui lui restait, c'était surtout le ton de sa voix.

Aussi distinctement que s'il était présent, elle l'entendait prononcer « Mary l'Irlandaise ». Pas de mépris ni de rejet dans la bouche de Jean-Denis, plutôt le signe qu'elle était différente des autres et que c'était pour cela qu'il l'avait distinguée. Mary ne souffrait pas de son absence : elle l'attendait. Le souvenir de leur rencontre suffisait à la rendre heureuse.

Quand il fut de retour, entre un câlin à sa tante, une taquinerie à sa sœur et des grimaces au bébé, que cela faisait rire, il réussit à lui demander de le rejoindre à l'insu des autres. Elle n'hésita pas un instant. Depuis, un échange de regards suffisait.

Jean-Denis aurait souhaité emmener Mary hors de la ville, sur le plateau, au-delà des habitations, là où ils auraient été seuls, mais elle ne pouvait pas s'absenter aussi longtemps sans que cela se remarque. Ils devaient se contenter de marcher côte à côte dans les rues. Jean-Denis parlait, Mary écoutait. Le jeune homme racontait sa vie de draveur. Les risques, qu'il atténuait pour Margot, il les amplifiait à l'intention de Mary, laissant entendre qu'un jour, il pourrait être emporté par le fleuve. Quand il avait réussi à l'alarmer, elle ne refusait plus de se laisser entraîner sous une porte cochère où il la prenait dans ses bras.

Il était plus grand qu'elle et, quand elle posait son front sur sa poitrine, elle entendait battre son cœur. Le jeune homme caressait ses cheveux et lui donnait des petits baisers sur la tête. Les yeux fermés, elle frémissait de tout son corps, mais ne faisait pas un geste. Il prenait alors son menton pour qu'elle lève le visage vers lui et lui baisait le front, les paupières, les joues. Lorsqu'il s'aventurait au coin des lèvres, elle tournait la tête et le baiser tombait sur la tempe ou l'oreille. Dans ses fantasmes, Mary embrassait Jean-Denis avec une ardeur égale à la sienne. Elle prenait même parfois l'initiative. Mais quand elle était avec lui, elle devenait gauche et timide, et refusait toute tentative de mener plus loin leur intimité, retenue par l'écho des mises en garde de la cuisinière qui ressassait les dangers de céder aux désirs des garçons. Souvent, ils étaient presque aussitôt délogés de l'abri où ils s'étaient réfugiés. Jean-Denis en ressentait quelque frustration, qu'il exprimait par un soupir agacé. Mais la mauvaise humeur chez lui ne durait jamais, et il ne tardait pas à répondre au sourire de Mary, sourire d'autant plus large qu'elle était secrètement soulagée que cette intervention extérieure lui évite d'avoir à le repousser.

Le choléra sévit tout l'été. Seuls les premiers froids de septembre en vinrent à bout. Si les miséreux de la Basse-Ville comptèrent de nombreuses victimes, les beaux quartiers furent relativement épargnés. Les Shandon, quant à eux, ne perdirent qu'Urbain. La maisonnée s'apprêta à passer un nouvel hiver et Elena à affronter un autre accouchement.

La petite Victoria approchait de son premier anniversaire. À l'exception des cheveux, aussi flamboyants que ceux de son père, elle ressemblait trait pour trait à sa mère, ce qui n'empêchait pas Herminie de dire, de temps à autre, que cette enfant était tout le portrait de Justine, sa grand-mère maternelle, qui était aussi rousse qu'elle. Chacune de ces remarques jetait un froid dans la cuisine, mais on s'efforçait de les oublier aussitôt, car, à part cela, Herminie se conduisait normalement. Du reste, rien ne venait s'opposer à ce que Victoria et sa nourrice se prennent pour mère et fille : monsieur et madame Shandon se contentaient de recevoir leur enfant quelques instants tous les matins, le temps de la prendre dans leurs bras pour la baiser au front. La fillette, qui se prêtait à la cérémonie quotidienne en ouvrant de grands yeux surpris, retrouvait le sourire lorsqu'elle regagnait le giron rassurant d'Herminie. Elle était la reine de la cuisine où tout le monde l'adorait, même James, qui venait lui dire des gentillesses en anglais, une langue qu'elle n'avait pas beaucoup l'occasion d'entendre.

Dans le courant de l'automne, alors que Mary servait le thé, monsieur Shandon poussa une exclamation étonnée :

— Mary, on parle de toi dans le journal !

La femme de chambre eut un petit rire poli, se demandant, à part soi, pourquoi monsieur Shandon, toujours si aimable, se moquait d'elle.

Mais il insista :

— Je t'assure, Mary! C'est une annonce. Ton père... je ne me trompe pas, c'est ton père, Sean O'Connor, forgeron en Armagh?

Mary hocha la tête d'un geste machinal.

— Eh bien, ton père te recherche. Il offre une récompense à qui pourra donner des informations à ton sujet et il est prêt à envoyer l'argent nécessaire pour que tu puisses retourner en Irlande.

— Ce n'est pas possible, murmura Mary complètement abasourdie.

— Mais si!

Prenant sa femme à témoin, il lui demanda de lire à haute voix le passage qu'il lui désignait. Elena commença la lecture. Plus elle avançait, plus sa voix était excitée. Quand elle eut terminé, elle s'exclama :

— Mary! C'est extraordinaire! Toi qui croyais ne plus jamais avoir de nouvelles de ta famille!

Il y avait un tel tourbillon dans l'esprit de Mary qu'elle crut que sa tête allait exploser. Elle posa la théière sur le plateau et s'enfuit en courant.

Elena essaya de la retenir :

— Mais enfin, Mary, viens ! On va en parler.

Elle était déjà dans l'escalier quand lui parvint la voix posée de monsieur Shandon :

— Laisse-la, elle a besoin d'être seule.

Mary traversa la cuisine comme un courant d'air, enfila son manteau et ses bottes, et enveloppa sa tête d'un châle.

— Qu'est-ce qu'elle a ? dit Francine. On dirait qu'elle a vu le Diable.

La clochette s'agita alors qu'elle s'apprêtait à la suivre pour lui demander des explications. Y renonçant à regret, elle s'engagea dans l'escalier.

Mary sortit dans le vent glacial et se dirigea d'un pas rapide vers la falaise : elle avait besoin de dépenser la charge d'énergie provoquée par la nouvelle. Elle passa devant les ruines du château Saint-Louis qui avait brûlé en janvier dernier. Ses cheminées à nu et ses pans de murs noircis par les flammes lui semblèrent à l'image de sa propre vie. À découvert, le long de la crête, le vent la cingla à lui couper le souffle. Mais il était moins fort que sa colère. Elle bouillonnait avec autant de violence que le fleuve qu'elle voyait charrier d'énormes blocs de glace en contrebas. Sa fureur contre Sean O'Connor était immense.

Elle sortait à peine de l'enfance lorsqu'il l'avait envoyée à l'aventure avec les plus mauvaises gens d'Irlande. Elle se souvenait des discussions qui avaient opposé ses parents tout au long de l'hiver précédant son départ : Maureen ne voulait pas que sa fille parte. Maureen savait que Nora était méchante, qu'il ne fallait pas lui confier Mary et, malgré cela, Sean s'était obstiné, il avait exigé que sa fille s'exile. Il pouvait maintenant se soucier d'elle et la rechercher ! Que serait-elle devenue sans les Shandon ? Ce n'était pas Sean O'Connor, son père, qui l'avait prise en charge lorsqu'elle s'était retrouvée sans ressources à

Québec. Sans les Shandon, elle serait peut-être maintenant en train de mendier dans la Basse-ville, ou pire.

Mary en voulait à son père, mais son ressentiment n'était pas sans faille, et elle devait forcer sa colère pour effacer la voix d'Elena qui lisait l'annonce du journal. Il y était écrit que Sean O'Connor avait promis une récompense dans l'espoir de retrouver sa fille. Or le forgeron n'était pas riche, Mary le savait. S'il avait trouvé autant d'argent, c'est qu'il tenait beaucoup à elle. Sentant qu'elle risquait de s'amollir, elle convoqua les souvenirs de la tempête sur le *William Fell* pour fouetter sa hargne. Dans cette tempête, elle aurait pu laisser la vie. Son père voulait maintenant qu'elle refasse la traversée? Qu'il n'y compte pas! La promesse solennelle qu'elle s'était faite au lendemain de l'ouragan et qu'elle avait renouvelée en débarquant du *William Fell* était toujours valable et le resterait: «elle ne referait plus jamais un voyage en mer de toute sa vie, dût-elle vivre jusqu'à cent ans.» D'ailleurs, elle allait sur le champ le signifier à monsieur Shandon pour qu'il en avise son père. Elle repartit vers la rue

Saint-Pierre, d'un pas toujours aussi rapide, pressée de régler cette affaire pour que l'on n'en parle plus.

Edward Shandon ne s'y trompa pas : elle serait inflexible. Il s'abstint donc d'insister. Cette jeune fille, presque encore une enfant, avait fait preuve depuis bientôt deux ans qu'il la connaissait d'une force de caractère peu commune. Elle avait traversé sans se plaindre l'abandon de sa famille, son rejet en tant qu'étrangère, l'adaptation à un nouveau pays, l'apprentissage d'une langue et celui d'un métier. Si elle avait vécu ces épreuves sans que l'on y prit garde, cela n'avait pas été sans effet sur sa personnalité : elle avait mûri dans l'aventure. Son refus de retourner en Irlande n'était pas un coup de tête, mais un renoncement accepté de longue date, renoncement qui avait fondé sa nouvelle vie et dans lequel elle avait trouvé une sorte d'énergie et de force. Cependant, le prochain courrier qui traverserait l'Atlantique ne partirait qu'au printemps et, avant d'écrire à Sean O'Connor que Mary avait décidé de rester au Bas-Canada, monsieur Shandon lui reposerait la question.

Lorsqu'elle sortit des appartements de ses maîtres, Mary se sentit mieux, persuadée que l'on n'y reviendrait plus. Francine la curieuse en fut pour ses frais : Mary ne voulut rien lui dire. Tout le reste de la journée, grâce à ses nombreuses occupations, elle n'eut pas trop de mal à chasser les pensées importunes, mais le soir, quand elle se retrouva dans son lit et que Francine fut endormie, elle se rendit compte qu'il était difficile d'éloigner les souvenirs. Une fois de plus, elle fit le deuil des siens. Les enfants avaient dû grandir. Les aurait-elle reconnus si elle avait décidé de retourner en Armagh ? L'image de Thomas, qu'elle continuait à aller voir au marché, et celle de Paddy, qui avait perdu sa netteté, se confondaient. Elle n'était plus sûre des traits du visage de son frère. Peut-être y avait-il un nouveau bébé chez les O'Connor ? Un petit garçon ou une petite fille à qui Maureen chantait « *Ó, tá m'anam gléigeal ligthe go léig a'm le mo Róisín Dubh...* » ?

Ce fut la ballade qui eut raison de sa colère. Une bouffée de mélancolie lui succéda. Elle s'y complut un moment, trouvant une certaine jouissance morbide à s'imaginer la fille la plus malheureuse du monde. Près d'elle, Francine bougea. Elle devait faire un rêve plaisant, car Mary la vit sourire à la lumière falote de la lune entrant par la tabatière. Francine avait le même sourire que son frère. Par la grâce de ce sourire, le visage de Jean-Denis se superposa à celui de la dormeuse. Alors, Mary comprit que l'existence du jeune homme n'était pas pour rien dans sa décision absolue de rester à Québec. C'était aussi pour lui qu'elle acceptait de renoncer à sa famille et à l'Irlande et qu'elle avait décidé que ce pays serait le sien. Quand elle eut admis cela, sa peine disparut comme sa colère. Il ne resta plus que le bonheur d'évoquer Jean-Denis. Jean-Denis qui lui disait son envie de l'emmener en forêt, dans un endroit secret où ils seraient seuls tous les deux.

Mary n'était pas remise du choc causé par le message de son père qu'elle en reçut un autre. Jean-Denis, après sa dernière descente du fleuve, vint leur apprendre qu'il partait courir les bois. Cet hiver, il n'irait pas au chantier : il s'était engagé pour deux ans et s'en allait faire du troc avec des tribus qui vivaient loin dans le nord.

Margot se déchaîna :

— Ça ne se peut pas, Jean-Denis Campeau! Tu ne vas pas vivre deux ans avec les sauvages! Tu as pensé à tout ce qui peut arriver? Tu veux te noyer dans les rapides, te faire foudroyer par l'orage, te perdre dans la forêt? Et les bêtes? Tu y as pensé, aux bêtes, Jean-Denis Campeau? Qu'est-ce que tu vas faire quand tu seras devant un ours plus grand que toi? Et s'il t'arrive malheur, ils n'ont pas de curé, pas de docteur.

Jean-Denis essayait de l'interrompre, de dire qu'il ne partait pas seul, mais sa tante était lancée et rien ne pouvait l'arrêter.

— Et toi qui aimes faire la fête dans les tavernes, tu vas être servi! Deux ans sans taverne! J'imagine qu'en plus, tu vas épouser une sauvagesse, comme font tous ces propres à rien de coureurs des bois, et que tu auras une trâlée de petits païens qui feront notre honte. Ah, ta pauvre mère ne mérite pas une chose pareille! Moi, je veux mourir avant de voir ça!

Mais l'engagement de Jean-Denis était signé, et il n'avait, de toute façon, aucune intention de changer d'avis. Choisissant de faire le pitre, il fit un tour de table en se dandinant lourdement. Il agita ses bras dans un geste menaçant et affirma dans un grognement :

— Quand l'ours me verra, c'est lui qui aura peur.

Francine rit. Margot haussa les épaules, faisant semblant d'être fâchée, mais elle se retenait pour ne pas rire avec sa nièce.

— Tu ne pourrais pas être sérieux de temps en temps ?

Il l'embrassa en lui disant :

— Je reviendrai, ma tante, pour manger vos croquignoles.

Margot le serra fort. Elle lui dit, en essuyant une larme :

— Prends soin de toi, mon Jean-Denis.

Puis il étreignit Francine et se tourna vers Mary, muette et figée. En l'embrassant à son tour, il lui chuchota :

— Je t'attends dehors.

Jean-Denis, très volubile, énonça toutes les bonnes raisons qu'il avait de partir. Ce métier de coureur des bois, qui avait presque disparu, c'était sa dernière chance de le faire et il rapportait gros, beaucoup plus que la drave. Il était aussi moins dangereux. À son retour, il pourrait acheter une ferme, ouvrir un commerce ou profiter de toute autre occasion de gagner largement sa vie en étant son propre maître. Elle devait comprendre qu'une pareille chance, il ne pouvait pas la laisser passer.

Mary ne répondait pas. Écoutait-elle seulement? Quand il avait annoncé la nouvelle, elle avait eu l'impression d'avoir reçu sur la tête un coup qui l'avait assommée. Elle l'avait rejoint comme elle en avait l'habitude, sans réfléchir, et depuis, elle avançait d'un pas mécanique, sans regarder où elle allait.

Jean-Denis, que son silence énervait, lui reprocha :

— Si au moins tu disais quelque chose!

Les mâchoires de Mary étaient crispées et semblaient soudées l'une à l'autre. Incapable de répondre, elle se contenta de le regarder, mais ses yeux exprimèrent tout son désarroi et toute sa peine. Jean-Denis se détourna. Ce qu'il voulait, c'était lui faire approuver son départ. Mais son mutisme l'obligeait à se justifier, et plus il alignait des phrases, plus il s'enferrait. Comme il n'aimait pas avoir le mauvais rôle, il tenta de le lui attribuer :

— C'est déjà assez difficile pour moi de partir, tu pourrais m'aider en m'encourageant.

Mais sa mauvaise foi était si évidente qu'il en fut lui-même gêné. Ils marchèrent encore un peu. Comme elle ne disait toujours rien, Jean-Denis prit la direction de la rue Saint-Pierre afin d'écourter des adieux plus pénibles que ce qu'il avait escompté. Dans l'ombre de la porte cochère de la maison Shandon, il la prit dans ses bras une dernière fois. Mary ne posa pas la tête sur sa poitrine, ne ferma pas les yeux et ne déroba pas la bouche à son baiser. Mais ses lèvres étaient dures et froides et ce fut lui qui rompit l'étreinte.

— Je reviendrai, dit-il, et tu m'attendras.

Jean-Denis attendit un mot qui ne vint pas. Irrité, autant de l'attitude de Mary que de sa propre volonté qu'il sentait vaciller, il partit sans se retourner. Il ne vit pas que la jeune fille, prise de faiblesse, s'appuyait au mur. Il ne vit pas non plus Charles traverser la rue pour aller la soutenir.

Charles qui avait deux ans devant lui pour prendre sa place.

Le nouveau bébé arriva juste avant Noël et satisfit tout le monde : c'était un garçon. Ils l'appelèrent Edward, comme son père et son grand-père. Sa mère ne commit pas la même erreur que pour sa fille : elle l'allaita. Rien n'était trop beau pour le petit héritier fièrement exhibé à chaque visite. Herminie, qui s'en occupait, ne pouvait plus se consacrer entièrement à Victoria. Elle la laissait à la cuisine, car, en haut, on ne la réclamait pas.

La fillette se consola de la défection de sa nourrice en jouant elle-même à la maman. En effet, madame Chambers lui avait offert pour Noël une poupée qui ressemblait à s'y méprendre à un bébé. C'était une toute nouvelle mode, les poupées ayant jusqu'alors représenté des jeunes filles vêtues d'un trousseau correspondant aux moments les plus importants de leur existence : le premier bal ou le mariage. La petite Victoria s'était entichée de son jouet que, selon son humeur, elle berçait tendrement ou grondait avec sévérité dans un jargon compréhensible d'elle seule. Dans la cuisine étroite et encombrée, où elle traînait un bébé de chiffon au visage de porcelaine, elle était toujours sous les pieds de quelqu'un. Mais nul n'aurait songé à lui en faire reproche, car tout le monde l'adorait.

Margot lui réservait les meilleurs morceaux de ce qu'elle cuisinait, les filles l'amenaient en promenade, le nouvel homme engagé, Félicien, la faisait rire aux éclats en la prenant dans ses bras pour danser une gigue et James, sous le regard suspicieux de Margot qui ne désarmait pas, lui chantait de rudes chansons de soldats. Sa chère Herminie n'était plus tout le temps présente, mais elle la retrouvait le soir et elles dormaient ensemble.

Lorsque monsieur Shandon écrivit sa lettre à Sean O'Connor, afin de l'envoyer par le premier bateau, en juin, il redemanda à Mary ce qu'elle voulait qu'il lui dise. La décision de la jeune femme de chambre n'avait pas changé : elle resterait au Bas-Canada. Edward supposa que si le père de Mary prenait la peine de la rechercher et d'offrir une récompense, la nouvelle qu'il était chargé de lui transmettre le peinerait. Pour l'atténuer, il rédigea une longue missive où il racontait la tempête sur le *William Fell* ainsi que l'inqualifiable conduite de Nora et Dermot Connoly, expliquant que cela avait à jamais dégoûté Mary des voyages. Puis il décrivit le poste de confiance que la jeune fille occupait auprès de sa femme. En terminant, il donna au forgeron l'assurance qu'il continuerait de veiller sur elle comme il l'avait fait jusque-là et qu'elle ne courrait aucun risque sous sa protection.

La fin de l'été vit le départ de lord Aylmer et l'arrivée de son successeur. Lord Gosford débarqua d'un vaisseau de guerre, *La Pique*, le 23 août 1835, après un mois de navigation. Le départ de lord et lady Aylmer alimenta beaucoup la conversation d'Elena qui se demandait si le règne de son compatriote – Archibald Acheson Gosford était Irlandais – serait aussi mondain que l'avait été le précédent. Elle eut quelques doutes à ce sujet en apprenant que le nouveau gouverneur avait prêté serment dès le lendemain pour entrer en fonction aussitôt. Son attitude, lors du bal donné en l'honneur de lord Aylmer, deux jours avant son départ, le 15 septembre, ne démentit pas sa première impression : Gosford n'y vint que brièvement, ayant préféré observer à la longue-vue, depuis son jardin, *La Pique* qui levait l'ancre. Les mondanités ne semblaient pas être la priorité du nouveau gouverneur.

Pour un représentant de la couronne prenant son rôle au sérieux, il y avait du pain sur la planche, et lord Gosford semblait prêt à s'y mettre sans tarder. Londres avait donné au nouveau gouverneur le difficile mandat de régler tous les différends qui perturbaient la colonie, ce que lord Aylmer n'était pas parvenu à faire. Alors que le Haut-Canada s'agitait sous la houlette de William Lyon Mackenzie et que le Bas-Canada suivait Louis-Joseph Papineau qui menaçait de faire sécession, on attendait de Gosford qu'il s'attire la confiance de la Chambre d'assemblée et qu'il cultive la bienveillance du peuple canadien. Tout un programme.

Par le bateau qui amenait le gouverneur, était arrivée une lettre d'Armagh. Monsieur Shandon appela Mary, la fit cérémonieusement asseoir et, tandis qu'Elena lui tenait les mains, il lut à haute voix la lettre que Sean O'Connor avait fait écrire à son curé. Le forgeron donnait des nouvelles de tout le monde – tout le monde allait bien –, annonçait la naissance d'une petite sœur – Ann – et suppliait Mary de changer d'avis. Il avait même joint à sa lettre l'argent pour payer la traversée.

Mary, que le début de la lettre avait émue, se leva d'un bond en entendant la fin.

— Renvoyez-lui son argent et écrivez-lui que je ne changerai jamais d'avis, dit-elle avec colère.

— D'accord, Mary, c'est ce que je vais faire. Mais tu pourrais peut-être garder l'argent, suggéra monsieur Shandon pragmatique, ça te ferait une petite dot.

— Non, je ne veux rien lui devoir ! Ma dot, je la gagnerai moi-même.

— Comme tu voudras, c'est toi qui décides.

Avant la fin de la période de navigation, arriva une nouvelle lettre. Sean O'Connor, qui se résignait à ne plus jamais revoir sa fille, lui demandait pardon de l'avoir envoyée de l'autre côté de l'océan. Comme une faveur, il la suppliait de donner chaque année de ses nouvelles. Cette lettre de son père mettait un point final à une étape de la vie de Mary. Même si, de fait, les ponts avec ses parents étaient rompus depuis longtemps, ils l'étaient maintenant de manière officielle. Alors qu'elle se croyait parvenue à un grand détachement vis-à-vis d'une situation qui avait fait d'elle une orpheline, elle eut la surprise d'être agitée de sentiments divers et contradictoires. En même temps qu'elle était affectée par l'abandon que cette rupture confirmait, elle s'exaltait à l'idée qu'elle avait désormais, par tacite autorisation paternelle, la liberté de décider pour elle-même : pas de père pour la conseiller ou la protéger, certes, mais pas de père non plus pour réclamer ses gages ou donner son avis sur le choix d'un mari. Quand Jean-Denis viendrait la chercher, elle n'aurait pas besoin de demander à quiconque l'autorisation de le suivre.

Parti depuis un an, le jeune homme que Mary attendait ne se manifestait que dans ses rêves. Charles, interrogé à chaque visite par Margot ou Francine, ne savait jamais rien de lui. Il semblait que personne, parmi la faune qui courait les bois, n'avait croisé la route de Jean-Denis. Charles en profitait pour glisser un commentaire pessimiste et il avait toujours une histoire en réserve sur un voyage de traite qui avait mal fini. C'était celle de l'homme perdu dans le blizzard que l'on n'avait retrouvé qu'au printemps, ou de cet autre dévoré par une meute de loups qui l'avait traqué jusqu'à l'épuisement, ou alors, cela arrivait aussi, de celui qui avait choisi de se faire adopter par une tribu et d'y fonder une famille. Margot et Francine, horrifiées par ses récits, le faisaient taire, disant qu'il allait porter malheur au voyageur. Mais Mary, que Charles espérait convaincre de la vanité de son attente, ne se laissait pas ébranler : Jean-Denis avait dit qu'il reviendrait.

Les patriotes, qui s'étaient réjouis du départ de lord Aylmer, furent contents du nouveau gouverneur tout au long de l'automne. Il les courtisa en les invitant à sa table au grand déplaisir des anglophones qui se sentaient délaissés. Monsieur Shandon partageait les sentiments exprimés par la *Gazette*, s'indignant avec le journaliste de l'importance accordée aux Canadiens par lord Gosford. Voyant qu'au bal organisé à l'occasion de la Sainte-Catherine, le 25 novembre, la majorité des invités étaient francophones, il refusa de s'y rendre, à l'instar de nombre de ses compatriotes. Elena, qui ne se consolait pas d'être privée de la fête, eut beau insister : il ne céda pas. Elle dut rester à la maison où elle avait tout loisir de ruminer ses soucis.

Car elle en avait, et de sérieux. Le bateau de lord Gosford avait apporté une lettre de Victoria, la sœur d'Edward. Elle y donnait deux nouvelles d'importance, l'une entraînant l'autre : leur père était mort et, sachant que son frère ne pourrait pas retourner à Belfast avant un an, à cause de ses engagements auprès de monsieur Chambers, elle arrivait par le prochain bateau afin de se rendre utile en prêtant main-forte à sa belle-sœur dans la tenue de la maison.

Le deuil que prit Elena, à l'énoncé de la nouvelle, était davantage celui de sa paix domestique que celui de son beau-père. Elle passa désormais son temps à se lamenter, faisant à Mary des récits circonstanciés de brimades et de vexations que Victoria lui avait fait subir et qu'elle se remémorait pour sa plus grande crainte.

— Ça marche bien ici, mais tu verras, prédisait-elle, elle va tout critiquer. Juste parce que ce n'est pas elle qui a organisé la maison.

À vrai dire, ce n'était pas Elena non plus. C'était plutôt Margot qui tenait les rênes. Madame Shandon se contentait d'annoncer les réceptions et de dire en gros ce qu'elle voulait. La cuisinière avait assez d'expérience pour s'en tirer seule. Au quotidien, c'était pareil : Elena n'intervenait que lorsqu'elle voulait quelque chose de spécial. Tout le monde était satisfait de la situation, et les inquiétudes de la maîtresse, répercutées en cuisine par sa femme de chambre, suscitaient beaucoup d'appréhension.

— Il faudrait peut-être envisager de chercher une autre place, répétait Margot.

Mais c'était un gros avantage de ne pas avoir la patronne sur le dos, et personne n'avait vraiment envie de partir. Surtout pas Herminie qui se jetait sur la petite Victoria chaque fois qu'elle entendait cette phrase et la serrait si fort que l'enfant se mettait à crier. La cuisinière devait intervenir pour les calmer toutes les deux. Francine, toujours prête à l'aventure, ne détestait pas l'idée d'aller ailleurs à la condition de ne pas être séparée de Mary. Or, pour son amie, il n'était pas envisageable de quitter les Shandon.

À la satisfaction générale, le dernier bateau arriva sans Victoria Shandon, et la maisonnée entière – y compris Edward, à qui sa femme serinait ses anciens griefs – poussa un soupir de soulagement. Chacun se mit secrètement à espérer que l'hiver soit long.

❧

Il le fut, et à plus d'un égard. Les récoltes ayant été mauvaises pour la deuxième année consécutive, la misère qui s'ensuivit réduisit nombre de gens à la mendicité, ce qui créa un sentiment diffus de danger aggravé par l'agitation politique. Le gouverneur Gosford avait déçu tout le monde. Tandis que le journaliste Adam Thom appelait les Anglais aux armes par le biais de textes incendiaires publiés dans le *Montreal Herald*, les émules de Papineau déclaraient dans *La Minerve* vouloir s'organiser pour ne pas être pris à l'improviste dans le cas d'une émeute. À force d'évoquer les débordements qu'ils craignaient, les gens finissaient par s'habituer à cette idée et à croire qu'ils étaient inévitables.

❧

L'hiver fut long, donc, à tel point que l'on put planter des arbres de mai sur le fleuve qui n'avait pas commencé de dégeler. Cependant, quand la débâcle survint, tout alla très vite, et Victoria Shandon fit son entrée rue Saint-Pierre au début du mois de juin.

Edward était allé la chercher avec James. Il avait aussi emmené l'homme engagé afin de pouvoir le renvoyer chez lui prévenir de leur arrivée. Ainsi, tout le monde serait sur le perron pour accueillir la voyageuse.

Quand le bruit des roues sur le pavé les annonça, le tableau vivant composé devant la porte d'entrée se figea. Madame Shandon était au milieu, avec dans ses bras son fils, un gros bébé de dix-sept mois, placide et souriant. Tenant la jupe de sa mère dans sa menotte, comme on le lui avait montré, la petite Victoria, maintenant âgée de deux ans et demi, restait sage pour ne pas salir sa plus belle robe. En retrait d'un pas, étaient placées, d'un côté, la cuisinière et son aide, de l'autre, la nourrice et la femme de chambre. La voiture s'arrêta au milieu de la cour. Edward en descendit, jeta un regard encourageant à sa femme et se retourna pour aider sa sœur à descendre.

C'était une grande femme massive, au visage sévère, entièrement vêtue de noir, qui serrait contre elle une sorte de cabas, noir également. Elle embrassa du regard le groupe qui l'attendait et avança sans sourire. Edward l'accompagnait, visiblement nerveux. Les deux belles-sœurs se saluèrent sèchement et échangèrent un baiser dépourvu de chaleur. Victoria effleura la joue du bébé qui se mit à hurler. Elle jeta un regard accusateur à Elena avant de se pencher sur la petite Victoria. Voyant approcher ce visage inconnu, l'enfant poussa un cri de frayeur, lâcha la jupe de sa mère et courut se réfugier dans les bras d'Herminie. La nourrice voulut la raisonner avec des « Allons, allons, ce n'est rien ! » qui accentuèrent le mécontentement de la vieille demoiselle Shandon. Pour faire diversion, Edward proposa d'entrer prendre le thé, et la domesticité s'en fut en un clin d'œil. Comme Elena l'avait prévu, cela se passait mal.

Mary servit le thé et revint avec des nouvelles alarmantes. La petite Victoria, terrorisée, ne voulait pas rester au salon. C'était la première fois qu'on voulait l'y garder sans sa nourrice, et elle jetait sur tous des regards apeurés, ne saisissant pas ce que l'on attendait d'elle. Sa mère lui dit de s'asseoir, ce qu'elle ne fit pas, et son père répéta l'ordre, avec plus de sévérité, mais sans plus de succès. C'est Mary qui obtint qu'elle obéisse après le lui avoir demandé en français.

Victoria Shandon, interloquée, s'était exclamée :

— Mais cette enfant ne comprend pas l'anglais !

Elena bredouilla quelques mots confus. Dans le regard d'Edward, il y avait la même désapprobation que dans celui de sa sœur. Lui-même ne s'était jamais préoccupé de sa fille, mais son rôle était de gagner leur vie, pas d'éduquer les enfants, alors que c'était celui de sa femme qui, d'ailleurs, n'avait rien d'autre à faire.

Elena ne résista pas longtemps aux remarques méprisantes et perfides de sa belle-sœur. Prétextant une migraine, elle s'enferma dans sa chambre, et on ne la revit pas de la soirée.

Avant le repas, Elena n'ayant pas reparu, Victoria Shandon prit la direction des événements. Réunissant tous les serviteurs pour la prière, elle exigea qu'ils entrent dans le salon les uns derrière les autres, par ordre hiérarchique, les plaça tout autour de la salle, à genoux, la tête tournée du côté du mur, et commença son oraison d'une voix assurée. Elle s'interrompait pour les répons, que seuls Edward et James étaient capables de formuler, puisque les autres étaient catholiques, et encore, le palefrenier restait muet de temps à autre, car il ne pratiquait pas et en avait oublié des bouts. Lorsque ce fut terminé, elle les renvoya à leur ouvrage, à la queue leu leu, dans le même ordre, et retint la petite Victoria qui avait profité de la prière pour se réfugier dans les jupes d'Herminie. L'enfant se débattit, hurla, pleura, de sorte que la nourrice, au lieu de quitter la pièce comme le souhaitait mademoiselle Shandon, resta là à tenter de la consoler. Victoria, exaspérée de ne pas pouvoir se faire comprendre, s'en prit à son frère :

— Dis à cette femme de sortir et raisonne ta fille, si tu le peux !

Herminie, sommée par son maître de quitter les lieux, s'en alla d'autant plus à regret qu'il fallut faire violence à l'enfant pour la détacher de son tablier. Quand, dans la pièce, il n'y eut plus personne pour la rassurer, la petite Victoria se terra derrière un fauteuil, pendant que sa tante et son père s'affrontaient.

Victoria émit sur sa belle-sœur un jugement sans complaisance et sans appel :

— C'est une paresseuse et une incapable. Cette maison est mal tenue et les domestiques font ce qu'ils veulent. La nourrice a une très mauvaise influence sur ta fille. D'ailleurs, cette petite n'est pas éduquée : elle ne connaît que les serviteurs et ne parle même pas sa propre langue ! Il va falloir remplacer tout le personnel qui parle français. En plus, je suppose qu'ils sont papistes !

Edward essaya de défendre sa femme. Évitant prudemment le sujet de l'enfant, il vanta les talents de la cuisinière et la qualité du service des jeunes filles. Madame Chambers elle-même avait complimenté Elena pour la classe avec laquelle elles s'en acquittaient. C'étaient pourtant deux paysannes, mais sa femme les avait formées et elles pourraient servir dans n'importe quelle grande maison.

— Eh bien, qu'elles le fassent! On n'aura aucun mal à en trouver d'aussi efficaces qui auront, en plus, le mérite de parler anglais. Ça permettra à ta fille d'apprendre sa langue, puisque sa mère ne la lui parle pas.

Après cet argument massue, Edward se tint coi et n'opposa plus aucune résistance à Victoria qui conclut ainsi sa charge :

— Heureusement que je suis venue! Dès demain, je prends la maison en main.

Si Elena avait été plus combative, peut-être Edward l'aurait-il soutenue, mais elle avait préféré abandonner le terrain. Que sa sœur dirige donc la maison si elle en avait envie! Quant à lui, il avait l'intention de se tenir le plus loin possible des querelles de femmes.

La situation se dégrada très vite. Il ne fallut pas deux jours à Victoria Shandon pour se faire haïr de tout le personnel, y compris de James dont elle avait découvert dès le premier soir le penchant pour la boisson et qu'elle surveillait de près. Pour les renvoyer, elle attendait que son frère ait trouvé des remplaçants. Cependant, ses critères de langue, d'âge et de références de moralité étaient difficiles à remplir, et elle devait ronger son frein. De leur côté, les domestiques cherchaient une meilleure place, et Margot avait déjà quelque chose en vue.

L'incident qui mit le feu aux poudres vint de la petite Victoria. L'enfant était à la cuisine lorsqu'elle prononça son premier mot parfaitement articulé. Elle dit « maman » en tendant les bras vers sa nourrice. Herminie le lui fit répéter à l'envi sans remarquer que Victoria Shandon se tenait sur le seuil. La vieille demoiselle avait deviné ce que disait sa nièce. Elle demanda néanmoins à Mary de traduire. Celle-ci s'exécuta sans réfléchir et le regretta aussitôt en la voyant prête à s'étrangler de fureur. Prenant par la main la fillette qui se mit à pleurer, Victoria Shandon monta les escaliers en la traînant, surgit dans le salon où son frère lisait le *Quebec Mercury* et hurla :

— Edward, il faut renvoyer cette femme immédiatement ! Donne-lui ses gages et qu'elle s'en aille.

Il essaya de la convaincre de différer sa décision, mais il ne put la faire céder. Quand elle eut obtenu gain de cause, elle déclara :

— Désormais, c'est moi qui m'occuperai personnellement de Victoria.

Herminie, convoquée à l'étage, ne saisit pas tout de suite ce qu'on lui voulait. Il fallut que monsieur Shandon lui remette une petite somme d'argent et lui dise d'aller faire ses paquets pour réaliser qu'elle était renvoyée. En quittant la pièce, elle jeta à l'enfant un regard désespéré qu'Edward intercepta. Il en ressentit un malaise. Il la suivit à l'office pour lui parler afin d'atténuer le coup, mais elle ne semblait pas l'entendre. Elle traversa la cuisine et la cour d'un pas raide, sans rien dire à personne, et s'en alla dans la rue. Monsieur Shandon était maintenant soucieux : cette femme avait toujours été bizarre, pourvu qu'elle ne fasse pas un geste irréparable !

Il appela James, qui astiquait la voiture, et lui demanda de la suivre.

Le palefrenier grogna qu'il avait autre chose à faire que s'occuper des humeurs de la nourrice, mais monsieur Shandon lui fit part de ce qui était arrivé et parvint à lui communiquer ses craintes. James comprit qu'il ne fallait pas traîner.

Quand il s'engagea dans la rue, elle était déjà loin. Elle marchait avec la rapidité d'une personne qui a un but. Soucieux, il força le pas, mais une douleur au genou l'empêchait d'avancer vite. La distance entre le palefrenier et la nourrice ne diminuait pas. Il devenait clair qu'elle allait droit vers la falaise qui surplombait le Saint-Laurent. Même si James ne parlait jamais à Herminie, il connaissait les liens qui unissaient cette femme à la petite Victoria. Il savait aussi qu'elle avait l'esprit un peu dérangé et qu'elle confondait parfois la fillette et sa fille morte. Cette femme désespérée, il n'en doutait plus maintenant, courait se jeter dans le fleuve. Et il était le seul à le savoir, le seul à pouvoir encore l'en empêcher s'il parvenait à la rattraper. Il essaya de courir, mais son genou le lâcha, et il dut se remettre à marcher.

Alors il cria, de toutes ses forces :

— Heeermiinie !   Heeermiinie ! Heeermiinie !

Mais la femme ne se retournait pas et continuait son avance inexorable. Quand elle fut parvenue à l'endroit où la falaise tombait à pic dans le fleuve, elle n'eut pas une hésitation, ne regarda pas en bas : elle fit simplement un pas de plus et disparut.

Lorsqu'il arriva à son tour au bord du précipice, il regarda en bas. La silhouette noire que le courant emportait était déjà loin. Elle s'enfonça et remonta deux ou trois fois, puis disparut définitivement.

James reprit pesamment le chemin de la maison. Dans la cuisine, tous les serviteurs étaient là, à l'attendre : la cuisinière, les deux filles, l'homme engagé. Ils comprirent à son visage qu'un malheur était arrivé.

Il le confirma :

— Elle s'est jetée dans le fleuve. Je n'ai pas pu la rattraper avant qu'elle y arrive.

Pendant qu'ils attendaient, les serviteurs n'avaient pas dit grand-chose, mais à l'énoncé de la nouvelle, leur colère contre Victoria Shandon se libéra violemment dans un flot de paroles.

James les interrompit. Trop bouleversés pour contester une autorité que d'ordinaire ils ne lui reconnaissaient pas, ils l'écoutèrent en approuvant de la tête, sans même remarquer qu'il parlait français.

— Moi, je ne travaillerai pas une minute de plus dans cette maison et je monte le leur dire.

La cuisinière défit solennellement les cordons de son tablier. D'accord pour la première fois avec le palefrenier, elle déclara :

— Moi non plus, je ne reste pas dans cette maison. Viens, Francine, et toi aussi Félicien.

Ils grimpèrent tous l'escalier, même Mary, qui suivait machinalement. Ils firent irruption dans le salon où Victoria Shandon pérorait tandis qu'Edward, nerveux, marchait de long en large et qu'Elena, le visage fermé, berçait distraitement le bébé. La petite

Victoria, les yeux gonflés d'avoir trop pleuré, se tenait le plus loin possible de sa tante.

L'intrusion des domestiques dans le salon laissa ses occupants pantois. C'est James qui prit la parole pour annoncer que la nourrice s'était donné la mort à la suite de son renvoi et qu'aucun d'eux ne voulait demeurer dans cette maison.

Elena s'évanouit. Edward, devenu très pâle, balbutia que c'était de sa faute, qu'il aurait dû empêcher ça. Mais Victoria ne se laissa pas démonter et affirma à son frère :

— Tu vois qu'il ne fallait pas laisser ta fille à cette femme : elle était folle !

— Tais-toi ! dit Edward à sa sœur avec une violence qui la surprit et la fit taire.

Puis il s'adressa aux serviteurs :

— Attendez-moi dans la cuisine, je vais descendre.

Pendant ce temps, Mary avait réussi à ranimer Elena, qui s'était accrochée à elle et suppliait :

— Tu ne partiras pas, toi, Mary. Promets-le moi !

Mary promit. Bien sûr, qu'elle ne partirait pas. D'ailleurs, où serait-elle allée?

Monsieur Shandon lui demanda de quitter la pièce et, tandis qu'elle s'engageait dans l'escalier pour rejoindre Francine sous les combles, elle entendit des éclats de voix. Jamais il ne s'était fâché ainsi. Peut-être renverrait-il sa sœur par le prochain bateau?

Francine, morose, faisait ses paquets. Elle était atterrée de partir. Non pas qu'elle eût envie de rester sous l'emprise de Victoria Shandon, mais elle aurait voulu demeurer à Québec, comme Margot, qui avait depuis quelques semaines une place en vue chez des Canadiens résidant plus haut sur la rue Saint-Pierre. La cuisinière avait hésité à accepter cette proposition à cause de sa nièce pour laquelle il n'y avait pas de travail. Mais, vu les circonstances, la décision s'imposait. De plus, elle savait depuis la veille où envoyer Francine : elle avait appris par Charles que leur père demandait à sa fille de rentrer à Berthier. Françoise Lacroix, la femme de leur voisin, était très mal. D'après le docteur, elle ne passerait pas l'été. Or elle avait deux petits enfants dont il fallait que quelqu'un s'occupe, et Francine, d'après son père, ferait parfaitement l'affaire.

La mort dans l'âme, Francine s'en retournait à Berthier. Elle qui avait rêvé d'un brillant avenir citadin se voyait condamnée à la campagne, loin de l'animation du marché, des élégantes de la place d'Armes et des parades des Habits rouges. Elle enrageait en pliant ses quelques vêtements et répétait que sa vie était gâchée.

— Tu te souviens, quand l'anneau ne tournait pas au-dessus du verre? Eh bien, c'était vrai : je ne me marierai jamais. Parce qu'il n'est pas question que j'épouse un habitant! Non, pas question! Et à Berthier, qui est-ce que je pourrai rencontrer d'autre?

Mary était trop ébranlée par la mort d'Herminie et par le départ de Margot et de Francine avec qui elle vivait depuis trois ans pour trouver la force de chercher les mots qui l'auraient consolée.

Margot aussi était triste de quitter les filles. Elle aimait cette nièce vive et rieuse et, bien qu'étant soulagée de la soustraire aux tentations de la ville, elle savait qu'elle regretterait sa gaieté. Quant à l'Irlandaise, elle s'y était attachée, et elle était peinée de la laisser aux prises avec la harpie. Avant de s'en aller, elle recommanda à Mary de lui rendre visite dans sa nouvelle place chaque fois qu'elle le pourrait et de ne pas hésiter à la mettre à contribution si elle avait besoin d'une aide ou d'un conseil. Pour tenter de les dérider, elle essaya une plaisanterie :

— Je risque de ne plus voir Charles aussi souvent. Il a une telle habitude de venir ici qu'il ne saura peut-être pas trouver ma nouvelle maison.

Elles sourirent pour lui faire plaisir, mais le cœur n'y était pas. Cependant, Mary en fut légèrement réconfortée : l'image de Charles était la seule à être rassurante dans la tourmente qui venait de décimer son univers.

La colère d'Edward Shandon n'avait pas fait long feu : non seulement Victoria resta, mais elle devint la maîtresse. Le personnel qu'elle engageait ne tenait pas huit jours, avec pour résultat que Mary était accablée d'ouvrage dans les périodes de vacance entre deux cuisinières et que le service, faute de bras pour l'exécuter, était toujours mal fait. Madame Shandon n'avait plus de femme de chambre, monsieur Shandon ne trouvait plus dans son assiette ses mets favoris, et surtout, il n'y avait plus de nourrice pour s'occuper des enfants. Elena, déjà excédée d'avoir toujours le bébé dans ses jambes, ne supportait plus d'entendre hurler la petite Victoria. Car l'enfant, qui ne se consolait pas de la perte d'Herminie, qu'elle réclamait continuellement, poussait des cris de terreur dès que sa tante s'approchait d'elle. Seule Mary parvenait à la calmer. Lorsque Victoria aussi était lasse de l'entendre, elle la laissait descendre à la cuisine avec la femme de chambre. Ensemble, la jeune fille et l'enfant retrouvaient un peu de leur joie de vivre passée.

Les amies d'Elena, glacées par la présence hostile de Victoria, espacèrent leurs visites pour finalement les supprimer complètement. Edward se mit à rentrer de plus en plus tard et Elena à sortir de plus en plus souvent, laissant la place à sa belle-sœur qu'elle n'avait pas la force de combattre. La vie, rue Saint-Pierre, était devenue un enfer.

L'été, que les Shandon passèrent dans la fournaise de Québec – Victoria n'avait pas accepté de louer une maison chez des papistes –, laissa Mary pâle et amaigrie. Au poids de sa charge et à la peur que Victoria Shandon faisait peser sur la maisonnée, s'ajoutait, pour la jeune fille, la préoccupation engendrée par son avenir incertain : quand les Shandon partiraient, avant l'hiver, où irait-elle ? Chaque fois qu'elle avait demandé à Elena de parler d'elle à ses relations susceptibles d'avoir besoin d'une femme de chambre, elle l'avait rabrouée :

— Arrête de t'obstiner ! Tu vas rentrer avec nous. Ainsi, tu continueras de travailler pour moi. Tu pourras aussi aller voir ta famille.

Monsieur Shandon aussi s'était mis de la partie, arguant que la situation politique était si tendue que tout pouvait arriver et qu'il ne ferait peut-être pas bon ne pas être Canadien.

Elena, qui n'hésitait pas à jouer sur toutes les cordes sensibles, ajoutait perfidement :

— Tu n'abandonnerais pas Victoria ? Cette enfant n'aime que toi.

Des paroles qui torturaient Mary. Mais elle ne voulait pas retourner en Irlande. À la peur de l'océan qu'elle invoquait pour justifier son refus s'ajoutait l'espérance que Jean-Denis, parti depuis bientôt deux ans, était sans doute sur le point de revenir. Elle se raidissait, s'encourageant elle-même en se répétant que personne ne lui ferait quitter Québec, même pas sa maîtresse dont elle serait pourtant peinée de se séparer.

En allant voir Thomas au marché – il avait grandi et sa lèvre supérieure se glorifiait maintenant d'une ombre de moustache –, elle avait dit au père Prévost qu'elle cherchait du travail et que, s'il entendait parler de quelque chose pouvant lui convenir, elle retournerait avec plaisir à l'île d'Orléans. Mais il ne lui donna pas beaucoup d'espoir : dans sa paroisse, personne n'avait les moyens d'avoir une femme de chambre. Mary, qui avait confusément espéré qu'il lui offrirait une place dans sa famille, comprit que cette porte lui était fermée. Elle en fut attristée, mais pas vraiment surprise : il y avait déjà trop de bouches à nourrir chez les Prévost et les récoltes étaient si maigres !

Margot, qui connaissait beaucoup de gens dans le milieu des domestiques de la ville, avait passé le mot, mais le temps s'écoulait sans amener de proposition. Il semblait que personne à Québec ne manquait de serviteurs.

La solution, finalement, vint de Charles, une semaine à peine avant le départ des Shandon. Alors que Mary ne savait plus à quel saint se vouer, le jeune homme vint lui dire que le docteur de Berthier, monsieur Rondeau, avait besoin d'une femme de chambre pour l'assister les jours de consultation et prêter main-forte à sa femme le reste du temps. Le docteur, qui cherchait, sans trop oser l'espérer, une candidate anglophone pour qu'elle enseigne la langue à sa fille, pensait que Mary, dont Francine était allée lui parler dès qu'elle avait su qu'il cherchait quelqu'un, conviendrait tout à fait. Si elle était d'accord, Charles aviserait le docteur Rondeau à son prochain passage et elle pourrait se rendre à Berthier par le *John Molson* dès la semaine suivante.

AUTOMNE 1836 –
AUTOMNE 1837

S ecouée par les cahots de la voiture, Mary, qui avait refusé de prendre le vapeur malgré l'insistance de Charles, regardait sans le voir le fleuve que la route longeait depuis le départ de Québec.

Elle allait vers l'avenir obsédée par le passé, incapable de chasser de son esprit l'embarquement des Shandon et les jours de folie qui l'avaient précédé. Une fois de plus, les domestiques n'étaient pas restés, et elle avait eu seule la charge de confectionner les bagages, sous la supervision de Victoria Shandon qui les lui avait fait défaire plusieurs fois. Elena, qui s'éclipsait le plus possible sous prétexte de prendre congé de ses relations, consacrait le temps passé à la maison à harceler Mary pour qu'elle vînt avec eux. La perspective de ne pas avoir sa servante-confidente sur le bateau l'affolait :

— Qu'est-ce que je vais faire, moi, pendant le voyage avec les enfants ? Et cette femme qui sera toujours sur mon dos !

Mary lui rappelait qu'elle n'avait eu aucun mal à se faire servir sur le *William Fell*. Il y avait eu d'abord l'épouse du capitaine et elle, ensuite. Elle était certaine qu'il se trouverait une passagère désireuse de gagner quelque argent avant de débarquer.

Elena se rendait à ses arguments, mais il lui venait une autre crainte, plus grave : se retrouver dans la maison Shandon avec sa belle-sœur qui la détestait et des domestiques qui ne lui obéiraient pas.

— Si tu étais là, Mary, tout serait plus facile pour moi !

Mais à cela aussi, Mary avait une réplique : arrivée au pays, mademoiselle Shandon s'empresserait de la chasser, car elle ne tolérerait jamais une papiste chez elle.

Elena n'avait rien à répondre. Énervée, elle arpentait la chambre, soupirait, geignait, froissait son mouchoir, insultait sa belle-sœur à mi-voix. Puis, lasse, elle s'effondrait sur le bord du lit et cachait son visage dans ses mains. Alors, Mary venait auprès d'elle et la berçait comme une enfant. Un jour, Victoria les trouva dans cette attitude. Son visage se tordit de dégoût et de mépris. À sa vue, elles se séparèrent aussitôt, comme si elles avaient été surprises dans des agissements condamnables. Par la suite, Mary avait entendu Victoria rapporter l'incident à son frère qui n'y avait accordé aucune importance.

Dépitée, la vieille fille avait sifflé :

— Il vaut mieux qu'elle ne parte pas avec nous. Tu aurais payé son voyage pour rien, puisque, de toute façon, il aurait fallu s'en débarrasser en arrivant.

La veille du départ, monsieur Shandon était descendu à la cuisine lui remettre ses gages.

— Je te remercie, Mary, d'être restée malgré tout…

Il laissa passer un instant après le «malgré tout» et le cauchemar des derniers mois dut défiler dans son esprit comme dans celui de la femme de chambre.

Tandis qu'il lui donnait une petite bourse, il lui serra les mains en disant :

— Sois heureuse, Mary, et prie pour nous.

Ce soir-là, Mary était exténuée, mais avant de se coucher, il lui restait à ranger ses propres affaires. Au fond d'un vieux sac de tapisserie prêté par Margot, elle mit ses souliers du dimanche et les fameux patins qui lui avaient valu la réprobation de la cuisinière et de son neveu. Entretenus avec soin, ils étaient toujours aussi beaux. L'hiver prochain, elle s'en servirait sur le bras du fleuve qui sépare Berthier de l'île Dupas. L'hiver prochain, autant dire dans une autre vie.

Elle y rangea ensuite son manteau d'hiver et son vieux châle de tous les jours, puis ajouta, soigneusement pliée, la robe en coton bleu qu'Elena lui avait donnée. Cette robe toute simple, que la jeune bourgeoise mettait le matin pour aller faire la charité, sa femme de chambre la considérait comme un vêtement de luxe. «Tu l'auras pour te marier», avait dit Elena.

Par dessus le reste, vint le châle aux pivoines qu'elle avait réussi à soustraire à la rapacité de sa tante. Où Nora pouvait-elle se trouver en ce moment ? Il était prévu qu'elle s'installe dans le Haut-Canada. Mary avait entendu dire que la vie des colons y était très difficile. « Tant mieux, pensat-elle avec rancune, qu'elle ait de la misère ! » Il ne restait plus que le coffret, cadeau de Charles. À l'intérieur, il y avait ses derniers gages, économisés au complet, cette fois – ce qui avait eu l'air de plaire à Margot. Elle y ajouta la bourse donnée plus tôt dans la journée par monsieur Shandon et dont elle n'avait pas eu le temps de regarder le contenu. En l'ouvrant, la jeune servante put constater que le maître lui avait été reconnaissant de sa fidélité. Bien que l'on soit en août, il l'avait payée autant que si elle avait travaillé toute l'année. Dans la boîte, à côté de la bourse, il y avait aussi un objet auquel elle tenait beaucoup : la sculpture en bois que le vieil homme avait offerte à Elena, à Sainte-Anne de Beaupré, et que celle-ci avait jetée à la naissance de sa fille. Mary l'avait récupérée et conservée. Pour elle, c'était un vrai porte-bonheur, puisqu'elle leur avait donné la petite Victoria.

Mary était satisfaite du contenu de son sac. Arrivée à Québec comme une pauvresse, elle avait maintenant de beaux vêtements et une petite somme d'argent. Tout cela venait de son travail et elle ne devait rien à personne. Tandis que sa poitrine se gonflait d'orgueil, une phrase lui traversa l'esprit : « Tu serais fière de moi, Maureen O'Connor ! »

Avant de quitter la maison, ultime humiliation, Victoria Shandon avait prétendu fouiller son sac afin de vérifier si elle n'avait rien volé. Monsieur Shandon s'était interposé sèchement, et sa sœur n'avait pas osé insister, laissant Mary aller déposer son bagage dans la nouvelle place de Margot qui lui offrait un lit pour la nuit. Elle courut ensuite au port où les Shandon se rendaient en voiture.

Comme ils ne l'avaient pas vue arriver, elle s'arrêta un instant pour les regarder : tandis que monsieur Shandon, toujours affable, donnait ses directives au matelot

qui transportait les malles sur le navire, sa
sœur, tout aussi égale à elle-même, houspillait le cocher afin qu'il prenne mieux
soin des bagages qu'il déchargeait. Elena ne
bougeait pas. Figée sur le quai, le bébé dans
ses bras, une main posée sur la tête de la
petite fille qui était collée à sa jupe, le visage
amer, elle regardait vers la Haute-Ville.
Elle avait dix-neuf ans. Trois ans à peine
avaient suffi pour que la jeune femme qui
croyait que la vie était belle soit convaincue
du contraire. Le sourire heureux avait fait
place à un rictus désabusé qui l'enlaidissait
et la faisait paraître plus vieille.

Mary s'approcha, le cœur serré. Sous
l'œil méprisant de la vieille fille, Elena et
Mary s'étreignirent longuement. Victoria
Shandon s'apprêtait à leur donner son opinion sur ces effusions, lorsque le regard
glacial de son frère l'obligea à ravaler
ses sarcasmes. Le capitaine vint presser
les adieux : il ne manquait plus que les
Shandon pour lever l'ancre. Après une dernière pression de main à l'amie qu'elle quittait pour toujours, Elena s'engagea sur la
passerelle. Mais la petite Victoria venait de

comprendre que Mary ne partait pas avec eux et elle lâcha la jupe de sa mère pour s'accrocher à celle de la femme de chambre. Il fallut que son père enlève de force la petite furie qui hurlait.

Mary ne s'en alla qu'une fois le voilier disparu, et tout le temps qu'elle les vit, l'enfant continua de crier, sourde et aveugle à tout ce qui n'était pas son désespoir.

La jeune fille était lentement remontée vers la Haute-Ville et l'avait traversée pour aller jusqu'aux champs, après les dernières maisons. Elle avait eu besoin d'être seule pour s'habituer à l'idée de ne plus jamais revoir Elena ni la petite Victoria qui avaient pris dans sa vie la place de sa famille. La pensée l'avait effleurée qu'elle n'aurait peut-être pas dû s'obstiner à rester. Évidemment, il y avait Jean-Denis, dont elle attendait le retour. Mais, avec le temps qui passait sans jamais avoir de nouvelles et les insinuations de Charles qui avaient fait sournoisement leur chemin, Mary s'était parfois surprise à douter de son idylle avec le jeune homme. Elle en avait rêvé si longtemps qu'elle les avait peut-être imaginés, les promenades dans les rues de Québec et les baisers sous les portes cochères. Tant que Francine avait été là pour évoquer Jean-Denis, elle avait alimenté son espoir et annulé les propos décourageants de Charles, mais depuis le printemps, plus personne n'aidait Mary à croire à son retour.

De toute manière, s'était-elle dit, même si le jeune homme n'existait pas, il ne vaudrait pas la peine d'affronter la mer jusqu'en Irlande, puisqu'à l'arrivée, Victoria l'obligerait à quitter les Shandon. Et retourner chez elle, en Armagh? En avait-elle vraiment envie? Elle revoyait la chaumière familiale avec son unique pièce, les paillasses que l'on tirait pour la nuit, les sempiternelles pommes de terre que sa mère sortait du chaudron et la pluie, glaciale et obstinée. Ici, elle gagnait sa vie. Elle avait déjà quelques pièces dans son coffret doublé de velours. Jamais sa mère n'avait possédé un si bel objet ni autant d'argent. Avec ce qu'elle allait gagner chez le médecin de Berthier, cela lui ferait une petite dot. Un jour, elle se marierait et vivrait dans une maison chaulée proche du fleuve, une demeure semblable à celles qu'elle voyait de la fenêtre du coche.

Elles avaient l'air prospères, les maisonnettes, et pimpantes. Des volailles picoraient sur les tas de fumier, des chiens aboyaient en direction de la voiture, quelques vaches, qui broutaient alentour, levaient la tête pour les regarder passer. Aurait-elle des vaches ? Le souvenir de l'attelage du père Prévost lui revint en mémoire et elle grimaça : c'était vraiment très gros, des vaches… Elle pourrait avoir plutôt des moutons… Comme ceux que Thomas menait au pré… Elle lui avait fait ses adieux la semaine d'avant. Là aussi, cela avait été difficile. Ils savaient tous les deux que leurs chemins ne se croiseraient probablement jamais plus. Elle finirait par oublier son visage, qui s'effacerait peu à peu, comme celui de Charlotte qu'elle n'avait pas revue. Ils s'étaient regardés intensément, puis Mary avait murmuré : « Adieu, Thomas Barry. » Les yeux du garçonnet étaient humides et sa bouche tremblait. Alors, elle s'était dépêchée de le quitter, pour ne pas céder à l'attendrissement. Mais Thomas n'avait pas pu la laisser partir ainsi. Elle s'était à peine éloignée de quelques pas qu'elle l'entendait dans son dos chanter les premiers mots de *Róisín Dubh*. Elle s'était raidie. Il avait commencé doucement. Sa voix, d'abord mal assurée, avait un timbre aigu d'enfant. Puis il avait chanté de plus en plus fort. Tandis qu'elle s'obligeait à continuer d'avancer, il lui lançait à tue-tête, à travers la place du marché, la ballade irlandaise de leur enfance, d'une voix qui avait commencé à muer et qui se cassait soudainement pour reprendre aussitôt dans des aigus déchirants. Elle s'était enfuie, les mains appuyées sur ses oreilles pour ne pas l'entendre, pour que son chagrin ne mine pas la force et le courage dont elle avait besoin.

Dans le coche, les gens échangeaient quelques mots de temps à autre, mais Mary ne les écoutait pas. Ayant fait le tour de ceux qu'elle quittait, elle songeait maintenant à celle qu'elle allait retrouver. Quatre mois que Francine était partie. Une éternité pour la rue Saint-Pierre. Quand tout va mal, les heures comptent double. Mais pour Berthier où, d'après les dires de son amie, rien n'arrivait jamais? Mary se demandait pourquoi Francine n'avait pas brigué, pour elle-même, la place chez le médecin : elle était devenue une bonne femme de chambre et se débrouillait en anglais. Mary savait, par Charles, que Françoise Lacroix était morte au début de l'été. Le veuf avait eu le temps de trouver une solution permanente pour son ménage et ses enfants. Il n'était pas convenable qu'il gardât chez lui une jeune fille. Il lui fallait une veuve âgée ou une vieille célibataire. Surtout que lui-même n'était pas vieux, enfin, pas vraiment vieux, puisqu'il touchait à peine à la trentaine.

Mary avait essayé d'avoir des réponses à ses interrogations, mais Charles n'avait pas été d'un grand secours : c'était le père qui décidait, et il devait avoir ses raisons. Elle avait aussi voulu le faire parler du médecin et de sa famille, mais sans plus de succès, car il les connaissait seulement de vue. Il se contenta de rapporter que le docteur Rondeau était un homme très capable, selon la rumeur, et que sa femme, une Française qu'il avait épousée avant de revenir au pays, après avoir terminé ses études à Paris, montrait de grands airs. Le couple avait des enfants, deux ou trois, il ne savait pas vraiment. Qu'importe, de toute façon, puisque Mary apprendrait tout cela dès le lendemain.

C'était d'avenir que Charles voulait parler, d'un avenir qu'il espérait commun. Il avait senti sa cause avancer pendant les mois d'été où sa visite hebdomadaire avait été le seul réconfort de Mary. Elle l'accueillait avec plaisir, lui racontait les mesquineries de Victoria Shandon, lui donnait une friandise, comme Margot autrefois. Il était devenu son confident et son ami. Mais cela ne lui suffisait pas. Lorsqu'elle avait refusé de s'engager parce qu'elle se trouvait trop jeune, il avait dit qu'il lui reposerait la question plus tard. C'était maintenant le moment de le faire, puisqu'ils allaient être séparés. Il y avait eu, bien sûr, l'amourette avec son frère, mais en deux ans, elle avait eu le temps d'oublier le jeune homme.

D'ailleurs, elle ne lui demandait jamais s'il avait appris quelque chose à son sujet. C'était toujours Francine qui le faisait et, depuis qu'elle n'était plus là, le nom Jean-Denis n'avait pas été prononcé.

Mary savait qu'elle ne pourrait pas éviter la question de Charles. Elle en était tourmentée depuis l'annonce de son départ pour Berthier. Malgré cela, elle n'était pas arrivée à décider de sa réponse. Charles comptait beaucoup pour elle, et l'idée de ne pas le revoir avant longtemps l'attristait. Chaque fois qu'elle avait eu besoin de lui, il avait répondu à l'appel. Accepter Charles lui assurerait l'avenir qu'elle souhaitait. Il avait parlé des sous qu'il avait économisés et qui lui permettraient d'avoir une petite maison où il vivrait avec sa femme. Elle aussi avait de l'argent : elle pourrait acheter du linge et de la vaisselle. Mais quand elle évoquait la maison, Mary ne parvenait pas à s'y voir avec Charles. C'était Jean-Denis qu'elle imaginait franchissant le seuil de la porte et la prenant dans ses bras. Avec le temps, les traits du jeune homme étaient devenus flous, mais il lui restait, toujours vivace, le souvenir de l'intonation de sa voix lorsqu'il disait « Mary l'Irlandaise ». Il était le seul à l'appeler ainsi et mettait dans ces mots toute sa joie de vivre, toutes ses promesses de bonheur. Elle ne voulait pas renoncer à Jean-Denis, du moins, pas avant de l'avoir revu. Mais elle ne voulait pas renoncer à Charles non plus.

Consciente de sa duplicité et mécontente d'elle, Mary avait atermoyé, prétendant qu'ils avaient le temps et que la séparation leur permettrait à l'un et à l'autre d'être sûrs de ce qu'ils voulaient. Charles avait eu un petit sourire triste : il avait aussitôt compris qu'elle attendait le retour de son frère. Son frère dont il était sûr qu'il la rendrait malheureuse.

La voiture s'arrêta dans un village, devant une auberge. L'un des passagers descendit, un homme au maintien raide qui salua ses compagnons de voyage en anglais avec un sec mouvement de tête. Les réponses de ceux qui restaient allèrent de la phrase respectueuse en anglais à la salutation française prononcée avec une intonation de défi en passant par le bougonnement incompréhensible. Ce voyageur fut remplacé par un homme que les autres passagers accueillirent avec empressement. Mary, qui essayait de replonger en elle-même, fut empêchée de le faire par le bruit de la conversation. Le nouveau venu, notaire de son état, était membre de la Chambre d'assemblée, et chacun avait des recommandations à lui faire à quelques jours du début de la nouvelle session.

La discussion ne tarda pas à s'animer, car ils n'étaient pas du même avis. L'élu, un fidèle de Papineau, prêchait la modération et la démarche légale, mais un jeune homme exalté lui répliqua qu'il fallait se soulever contre les autorités, ce qui était, à son avis, le seul moyen d'obtenir justice. Les trois autres passagers, deux paysans et un charron, n'étaient d'accord ni avec l'un ni avec l'autre, et la cacophonie devint telle que chacun n'entendait plus que lui-même. Soudain, ils se rendirent compte du ridicule de la situation et se turent, tous en même temps. Un silence embarrassé plana un moment, que personne n'osait rompre, puis le notaire-député, expert en compromis, posa une question à l'un des paysans au sujet de sa récolte. L'homme se plaignit de l'épidémie de mouche à blé, qui avait été dévastatrice, et du climat, sur lequel on ne pouvait plus se fier, ce qui mit tout le monde d'accord. Mais insensiblement, de mauvaise récolte en mauvais temps, on en revint au mauvais gouvernement.

Gosford faisait l'unanimité dans la colonie : déçus de le voir s'en remettre à la métropole pour trouver des solutions à ce qu'ils avaient espéré qu'il réglerait lui-même, tous lui en voulaient.

Les constitutionnels, dont le passager descendu à l'étape était peut-être, le détestaient autant qu'ils haïssaient les patriotes. Ils trouvaient inconcevable que le gouverneur accepte d'avoir à la Chambre des illettrés, car ces hommes avaient pour mandat la conduite d'une société que leur manque d'éducation les empêchait de comprendre. Comment ces paysans mal dégrossis pourraient-ils être capables d'apprécier les intérêts du commerce et de répondre aux vœux de la classe sociale instruite qui menait les affaires? Selon eux, Gosford aurait dû mettre un terme à ce scandale. Depuis quelques mois, les constitutionnels s'agitaient beaucoup, à Montréal, surtout, où les membres du Doric Club étaient particulièrement affairés à faire monter la tension. Les patriotes, Papineau en tête, un moment séduits par le nouveau gouverneur dont le discours inaugural promettait une série de réformes, n'avaient pas tardé à déchanter en apprenant que Londres – et donc Gosford, qui en était le représentant – s'opposait formellement à ce qui était un de leurs chevaux de bataille : que le Conseil législatif soit élu.

Dans la diligence, les discoureurs passaient d'un argument à l'autre, citaient des anecdotes dont ils connaissaient tous les détails et se comprenaient à demi-mot. Mary était perdue dans ce flot d'informations. Depuis l'arrivée de Victoria Shandon et le départ de Margot, on ne parlait plus guère politique rue Saint-Pierre; monsieur Shandon le faisait ailleurs que chez lui, Elena ne s'en préoccupait pas et les serviteurs ne restaient jamais assez long-temps pour cela. Charles non plus n'en disait rien. Elle connaissait son opinion sur le sujet pour avoir entendu un affrontement entre lui et Jean-Denis. L'aîné des frères Campeau soutenait qu'il fallait s'en tenir à la stricte légalité, alors que son cadet affirmait que les Canadiens n'obtiendraient jamais rien sans un coup de force. Ils avaient failli en venir aux mains, et Margot, à la suite de cet incident, leur avait interdit de parler de politique dans sa cuisine. Par la suite, Jean-Denis était parti et Charles n'avait plus abordé ce problème. La jeune fille, qui avait entendu répéter lors de l'automne et de l'hiver précédents que la situation était explosive et que cela finirait mal, avait imaginé, n'en ayant plus d'échos, que tout était rentré dans l'ordre. La conversation de ses compagnons de voyage l'inquiéta. Finalement, c'était une bonne chose que de quitter Québec.

Après deux jours de voyage, le coche déposa Mary à Berthier, devant l'église. La maison du docteur était toute proche, sur la rue du bord de l'eau. Elle s'y dirigea d'un pas qu'elle voulait résolu, essayant d'oublier l'anxiété qui s'était emparée d'elle au réveil et n'avait cessé de croître à mesure que sa destination approchait. Qu'est-ce qui l'attendait dans cette belle maison cossue, entourée d'un jardin où un homme de peine coupait un chou pour la soupe? La seule maîtresse qu'elle ait eue avait été une amie pour elle. Ici, tout serait différent : elle serait une servante comme les autres. Méprisée, peut-être, maltraitée, mal nourrie? On racontait de telles choses. Et si la femme du docteur était comme Victoria Shandon? Secouant la tête pour repousser ces images qui la tracassaient pour rien, elle alla frapper à la porte de côté qui lui parut être celle de la cuisine. Une matrone lui ouvrit, la toisa et dit sur un ton revêche :

— Je suppose que tu es l'Irlandaise qui arrive de Québec?

Saisie par la brutalité de l'accueil, Mary hocha la tête sans mot dire.

— Eh bien, entre! Tu ne sais pas parler? Tu parles français, au moins, j'espère?

— Oui, je parle français.

Mary s'entendit prononcer ces mots avec un fort accent irlandais. D'ordinaire, en s'appliquant, elle parvenait à gommer presque entièrement son accent, mais là, avec l'émotion, elle avait été incapable de faire cet effort. Voyant la cuisinière lever les yeux au ciel, elle se sentit découragée. La femme s'en aperçut et se radoucit :

— Allez, pose ton sac. Madame est dans son boudoir, elle t'attend. C'est à l'étage, la dernière porte au fond du corridor.

Madame la toisa aussi. Assise dans une bergère, près de la fenêtre, elle avait à la main un tambour de broderie qu'elle laissa reposer sur son giron afin de mieux détailler l'arrivante. Mary, ne voulant pas avoir l'air effronté en soutenant son regard, promena ses yeux dans la pièce. C'était une salle de dimensions modestes aux murs tendus d'une toile de Jouy fleurie dont les bouquets vieux rose avaient la même nuance que le fond, mais plus soutenue. Elle était meublée d'un lit de repos étroit et encombré de coussins, d'un secrétaire sur lequel trônait un grand registre doré sur tranche à la reliure en maroquin rouge, d'un guéridon flanqué de deux chaises ainsi que d'une petite bibliothèque où quelques livres côtoyaient quantité de petits objets : pots de faïence, flacons de verre, sculptures et bonbonnières.

Quand elle eut regardé les moindres détails de la vêture de Mary, madame Rondeau lui posa une rafale de questions, d'une voix haut perchée.

— Quel âge as-tu ? Tu as l'air bien jeune.

— Dix-sept ans, madame.

— Comme tu es pâle ! Tu es forte ? En bonne santé ?

— Oui, madame. Je ne suis jamais malade.

— Évidemment. C'est ce que vous dites toutes. On verra à l'usage. Qu'est-ce que tu sais faire ?

Mary répondit qu'elle avait été la femme de chambre de madame Shandon et pouvait donc aider à la toilette et à la coiffure ainsi qu'entretenir le linge. Elle savait aussi servir à table.

— À l'anglaise, je suppose ? Peu importe, tu apprendras. Sais-tu cuisiner ?

— Pas vraiment, ce n'était pas mon travail.

— Ici non plus, mais quand tu n'auras rien à faire, tu pourras donner un coup de main. Le mercredi, c'est le marché; le docteur consulte toute la journée, ainsi que le dimanche matin, après la messe. Les autres jours, c'est variable. Tu seras son assistante. Il faudra que tu installes les gens dans la salle d'attente et que tu viennes me dire leur nom pour que je l'inscrive dans le registre. Tu feras aussi tout ce que le docteur te demandera : tenir la cuvette pour les saignées, la laver. Il t'expliquera.

Puis elle annonça, satisfaite :

— Le jeudi, c'est mon jour. Je reçois les dames importantes de Berthier. Tu iras ouvrir à leur arrivée, tu les conduiras dans le salon et tu serviras les rafraîchissements. En plus, tu seras ma femme de chambre et celle de ma fille. Quand tu t'occuperas d'Hortense, tu lui parleras anglais. Le docteur trouve que l'enseignement des sœurs est insuffisant et il veut qu'elle fasse des progrès. Voilà pour ton travail. Quant à tes gages, ils seront de cinq livres par année.

Payés au jour de l'an. Si tu donnes satisfaction et si tu ne casses rien, cela va de soi.

Elle l'interrogea ensuite sur madame Shandon, voulut savoir si elle était reçue chez le gouverneur, si elle-même, Mary, l'y avait accompagnée, et pourquoi son ancienne maîtresse avait regagné l'Europe. Puis elle se leva et lui dit de la suivre.

— Nous allons faire le tour de la maison, et je te montrerai au fur et à mesure ce que tu auras à faire.

En suivant sa patronne, Mary put l'examiner à son tour. Bien que plantureuse, madame Rondeau se déplaçait avec une prestesse étonnante. Lorsqu'elle se tournait vers la femme de chambre, celle-ci pouvait voir un visage aux traits réguliers, mais sans agrément, encadré d'une sévère coiffure à bandeaux tirés par un chignon serré. À son cou, un ruban violet orné d'un camée attirait le regard vers un menton qui commençait à s'affaisser. L'épouse du docteur n'était plus très jeune et n'avait jamais dû être belle, mais elle débordait d'énergie.

Madame Rondeau avait un plaisir extrême à faire visiter sa demeure. Le docteur, qui l'avait fait construire six ans auparavant, s'en était remis à sa femme pour le nombre de pièces et leur disposition ainsi que pour l'ameublement et la décoration intérieure. Rayonnante de vanité satisfaite, elle apprit à sa nouvelle servante qu'elle aurait l'avantage de travailler dans une maison qui était la plus belle de Berthier et la plus commode. Elle montra d'abord les pièces du haut : deux chambres sur le devant, la sienne et celle du docteur, munies chacune d'un cabinet de toilette et d'un boudoir, et, sur l'arrière, celle de leur fille et celle de leur fils, qui était actuellement à Montréal. Les deux pièces avaient elles aussi un cabinet de toilette. Contiguë à la chambre de la jeune fille, il y avait une pièce dans laquelle Mary se tiendrait beaucoup, puisqu'elle était réservée au rangement du linge et à son entretien.

Madame Rondeau ouvrit les deux grandes armoires de la lingerie et ne fit grâce à Mary d'aucune des pièces de son trousseau : douze douzaines de serviettes ordinaires et leurs nappes, six douzaines de serviettes damassées et leurs nappes pour les réceptions, six douzaines de serviettes de toilette brodées pour la famille et trois douzaines de serviettes solides pour les serviteurs, six paires de draps pour chaque lit de maître et quatre pour ceux des domestiques. Elle lui montra aussi les tabliers blancs avec berthes et bonnets assortis, qu'elle devrait porter pour servir, et les grands tabliers de toile écrue, qu'elle mettrait par-dessus le tablier blanc le reste du temps pour le garder toujours immaculé. En quittant la pièce, elle précisa que tout le linge était numéroté et qu'elle le vérifiait une fois par mois.

Avant de descendre, elle désigna au passage l'escalier qui menait aux combles où Mary aurait sa chambre. Elle en profita pour l'aviser qu'elle y ferait une inspection de temps à autre pour voir si elle la tenait propre.

Le rez-de-chaussée, autour duquel courait une galerie, abritait les pièces de réception – le salon et la salle à manger –, le cabinet de consultation du docteur et sa salle d'attente, la cuisine, la dépense et une pièce destinée au lavage du linge. Dans la buanderie, en plus des récipients destinés à la lessive, il y avait un cuveau de forme ovale que madame Rondeau lui désigna comme étant la baignoire.

— Tu prendras un bain par semaine, comme tout le monde dans la maison.

Devant l'air ahuri de la femme de chambre, elle ajouta :

— Le docteur l'exige. C'est pour des raisons de santé. La propreté permet à la peau de respirer.

Ensuite, elle lui expliqua comment s'y prendre, en détachant ses mots et en appuyant ostensiblement sur les consignes qui lui paraissaient être les moins évidentes pour son interlocutrice :

—Tu empliras la baignoire jusqu'à la moitié avec de l'eau «tiède», je dis bien «tiède», et pas «froide», tu te plongeras dedans «nue», et quand tu auras trempé un moment, tu savonneras «tout» ton corps. Ensuite, tu t'aspergeras avec le seau d'eau «tiède» que tu auras préparé à l'avance pour te rincer. Pour finir, tu t'essuieras énergiquement. Bien entendu, tu te laveras le visage et les mains tous les jours.

Mary n'était pas encore revenue de sa stupéfaction quand madame Rondeau la quitta, le tour du propriétaire terminé, en lui disant de s'installer et de se tenir prête à servir le repas du soir.

Ce fut la cuisinière qui la conduisit sous les combles pour lui montrer la minuscule chambre, attenante à la sienne.

— Arrange tes affaires et descends m'aider, avait-elle grommelé, bourrue.

Malgré l'hostilité de la femme, Mary avait pris le temps de regarder son domaine. Outre la paillasse, posée sur un châlit de bois clair, il y avait une chaise, un petit coffre et une table de toilette avec une cuvette et son broc de faïence blanche. Le minimum. Mais une lucarne donnait sur le fleuve et, au-delà, sur une prairie où l'on voyait vaches, moutons et chevaux. Rien n'arrêtait le regard. Mary avait une ouverture sur le ciel, comme à Sainte-Famille. Et Francine était tout près. Elle la verrait dans deux jours, à la messe du dimanche.

Elle vida son sac dont elle rangea soigneusement le contenu dans le coffre. Puis elle déposa sur la chaise le coffret de Charles, après en avoir sorti la petite sculpture qu'elle plaça à côté. Elle recula d'un pas et admira la chambre, satisfaite. Elle était chez elle : ces deux objets précieux en témoignaient. Il lui fallait maintenant rejoindre la cuisinière. Pourquoi donc cette femme était-elle aussi désagréable ? Parce qu'elle était Irlandaise ?

Bertille, la cuisinière, lui donna des pommes de terre à éplucher, la surveillant ostensiblement pour s'assurer qu'elle ne faisait pas de gaspillage. Pendant un moment, elle ne dit rien, et Mary se garda de rompre le silence la première. Mais bientôt, la femme n'y tint plus :

— Il paraît que tu as travaillé avec Margot Campeau. C'est vrai qu'elle a une bonne place ?

— Je crois, oui. Elle a l'air contente. Mais depuis le printemps, elle n'était plus chez les Shandon, alors, je ne sais pas vraiment.

— Elle les a quittés en même temps que Francine, c'est ça ?

— Oui, en même temps.

— C'est après ce qui est arrivé à la pauvre Herminie Mousseau, à ce qu'on dit. Je comprends qu'elle n'y soit pas restée. Moi, j'aurais fait de même. Mais toi, tu n'es pas partie.

C'était donc pour cela que la cuisinière lui en voulait ! Mary ne répliqua pas, ne voulant pas expliquer à cette inconnue ses relations avec les Shandon.

La cuisinière ajouta, amère :

— Herminie, c'était la fille de ma cousine. On pensait que ça lui ferait du bien d'aller à la ville. Et puis voilà : la petite, d'abord, et ensuite, elle... Sa pauvre mère ne s'en console pas.

Elle s'essuya les yeux avec le coin de son tablier et tourna le dos. «Et encore, se dit Mary, elle ne sait pas tout.» Lorsque le corps de la nourrice avait été repêché, monsieur Shandon avait obtenu d'un ami médecin qu'il attribue la noyade à un accident afin que l'Église ne lui refuse pas la sépulture chrétienne. La famille d'Herminie reprochait aux Shandon de l'avoir bouleversée au point qu'elle ne voyait plus où la portaient ses pas. S'ils avaient su qu'elle avait volontairement mis fin à ses jours...

Au grand soulagement de Mary, le bruit d'une voiture dans la cour fit diversion. La jeune fille jeta un regard par la fenêtre et vit un petit homme bedonnant sauter à terre avec agilité malgré son embonpoint. Sans doute le docteur Rondeau. Elle pensa fugitivement que Francine aurait dit qu'il portait bien son nom, et l'évocation de son amie lui redonna courage.

L'identité du nouveau venu lui fut confirmée par la cuisinière. Tout en ouvrant la porte au labrador qui venait de se faire refuser l'entrée principale, elle l'informa :

— Le docteur est arrivé. Prépare deux verres de quinquina. Monsieur et madame en prennent toujours avant le souper. La carafe est dans le vaisselier de la salle à manger. Il va monter dans sa chambre pour se changer. Il fait ça tous les soirs. Dès que tu l'entends redescendre, vas-y.

Le plateau dans les mains, Mary resta près de la porte, l'oreille tendue, à l'affût des pas dans l'escalier. Elle laissa au docteur le temps d'entrer dans le salon avant d'y pénétrer à son tour. Monsieur Rondeau était en train de baiser sa femme au front.

Il s'enquit :

— La fille est arrivée ?

— Oui, cet après-midi.

— Et alors ?

Mary, voulant éviter une situation gênante, toussota pour signaler sa présence. Le docteur se retourna.

— Ah, la voilà ! Viens ici, que nous causions.

Il prit les verres de quinquina, en tendit un à sa femme, avec la phrase rituelle : « Buvez ce fortifiant, chère amie, c'est bon pour la santé », et s'installa dans un fauteuil muni de son propre verre. Mary attendit à quelques pas, le plateau derrière son dos, le maintien modeste, comme Elena le lui avait appris.

— Tu es pâlichonne. Est-ce que tu as été malade ?

— Non, monsieur. Mais j'ai passé l'été à Québec. Comme il faisait très chaud, je n'avais pas d'appétit.

— Si ce n'est que ça, ce n'est pas grave. L'air de Berthier va te redonner des couleurs. Demain matin…

C'est à ce moment-là qu'une tornade en coton fleuri et dentelles blanches s'engouffra dans le salon, interrompit le docteur et monopolisa l'attention.

— Tiens, notre vibrion est rentré du couvent !

— Père, vous exagérez toujours ! Je suis devenue une jeune fille accomplie, capable de rester assise des heures sans bouger. Sœur Augustine m'en a fait compliment tout à l'heure.

Ce disant, elle embrassa son père, puis sa mère, se tourna vers la femme de chambre qu'elle salua gentiment avec un sourire, fit sans raison le tour de la pièce, s'approcha de la fenêtre, remarqua une voiture inconnue qui longeait le fleuve, demanda ce que l'on avait à souper et ne s'arrêta que lorsque sa mère lui intima de prendre place sur une chaise et de se taire.

— Heureusement que tu as fait des progrès, remarqua le docteur avec une

affectueuse ironie, sans quoi nous n'y sur-
vivrions pas !

Elle prit une mine confuse et fit une sorte
de révérence contrite à son père qui éclata
de rire. Mais sa mère, elle, ne riait pas :

— Hortense, voyons ! Qu'est-ce que je
viens de te dire ?

— Oh pardon, mère !

Un soupir excédé échappa à madame
Rondeau.

— Allons, Joséphine, soyez indulgente,
reprit le docteur, elle a des vivacités, c'est
tout.

Il ajouta galamment, avec un petit signe
de tête en guise de courbette :

— Elles lui viennent d'ailleurs de vous et
elles font son charme.

— Amédée ! J'ai toujours su me tenir,
moi. J'étais une jeune fille posée.

Comme il arborait un sourire très ironique, pour couper court, elle commanda
à Mary :

— Tu peux servir.

En sortant du salon, la femme de
chambre entendit que la jeune fille se faisait
réprimander par sa mère :

— Tu ne dois pas être aussi familière avec les serviteurs, sinon, ils ne te respecteront pas.

Pendant qu'elle servait, madame Rondeau observa sa nouvelle domestique d'un œil auquel rien n'échappait. Elle lui fit quelques remarques et lui donna deux ou trois conseils qui firent craindre à Mary que cela n'aille jamais. Quant à ses retours en cuisine, ils ne la réconfortaient pas, car Bertille se contentait de lui dire ce qui était strictement indispensable au service.

Alors qu'elle finissait de desservir, le docteur s'adressa à elle :

— Ne prends rien demain matin en te levant; tu dois être à jeun pour que je te vaccine.

Avant que Mary ait pu répondre quoi que ce soit, madame Rondeau lui dit qu'elle pouvait disposer, car elle n'aurait plus besoin d'elle ce jour-là.

Comme elle sortait, le docteur répéta :

— N'oublie pas : à jeun.

Mary s'attabla à la cuisine. Bertille avait déjà commencé de manger avec l'homme engagé, un être taciturne qui ne s'exprimait que par monosyllabes. La cuisinière ne parlait pas, et Mary n'osa pas en prendre l'initiative. Pourtant, elle aurait aimé avoir quelques détails à propos de l'inoculation qu'elle allait subir le lendemain. C'était un sujet d'actualité. Elle savait, pour l'avoir entendu dans le salon d'Elena, que les avis étaient partagés. Ceux qui la préconisaient traitaient les autres d'obscurantistes et ceux qui s'y opposaient accusaient les premiers de vouloir se substituer à Dieu. Des histoires effrayantes circulaient sur des gens morts d'avoir été vaccinés. Mary n'avait pas envie de l'être, mais apparemment, elle n'avait pas le choix : le docteur devait faire partie de ces fanatiques de l'inoculation qui vaccinent tous ceux à qui ils parviennent à faire retrousser une manche. « Dans ce cas, se dit-elle, et cela diminua un peu son appréhension, toute la maisonnée doit déjà y avoir eu droit.» Or ils paraissaient en bonne santé. Si la cuisinière avait été plus aimable, elle lui aurait demandé comment cela se passait, ce qui l'aurait tranquillisée. Ou inquiétée davantage. Tout en mangeant la soupe, elle caressait de sa main libre le labrador qui était venu poser la tête sur ses genoux. Lui au moins était accueillant.

Tandis que l'homme engagé, assis près du feu, le chien à ses pieds, se curait les dents de la pointe de son couteau, Mary aida à la vaisselle, qui fut lavée et essuyée sans qu'un mot fût échangé. Elle grimpa ensuite à sa chambre, pressée d'être seule pour essayer de se détendre.

Elle s'accouda à sa fenêtre, comme elle l'avait fait à Sainte-Famille le premier soir. Ici, pas de croix en face, pas d'enfants qui jouent : des bêtes de l'autre côté de l'eau et un grand silence. À y bien penser, l'île d'Orléans aussi était silencieuse, c'était la ville de Québec qui ne l'était pas avec les bruyants attelages dévalant le pavé à bride abattue, les hurlements des cochers, les boniments des vendeurs d'eau, de glace ou de bois qui criaient leurs marchandises, les cloches des églises, toutes un peu décalées, dont le vacarme éclatait à chaque heure du jour. Pour le bruit, c'était fini, et elle dut s'avouer qu'il lui manquait.

Mais la chaleur humaine lui manquait davantage. Le premier contact avec les gens de cette maison n'avait pas été engageant, tant du côté des domestiques que de celui des maîtres : l'homme de peine ne l'avait quasiment pas regardée, la cuisinière lui faisait grief d'un drame où elle n'avait aucune responsabilité et madame Rondeau semblait tatillonne et soupçonneuse. Son mari, par contre, avait l'air bonhomme. Si seulement, il ne s'était pas mis en tête de la vacciner ! Et cette histoire de bain, de peau qui respirait et de savonnage ! Elle n'avait jamais entendu rien de pareil. Ce docteur était un original qui la laissait perplexe. La personne la plus plaisante de la maison était Hortense, mais c'était elle que Mary verrait le moins.

La fraîcheur était tombée et commençait de pénétrer dans la chambre. La jeune fille ferma la fenêtre et s'agenouilla face au crucifix qui surmontait sa paillasse. Elle pria d'abord pour Elena, qui était sur l'océan, à la merci des tempêtes, puis pour elle-même, demandant à la Sainte Vierge et à saint Patrick de veiller sur les débuts de sa nouvelle existence. En se couchant, elle se dit, pour s'encourager, que si madame Rondeau n'était pas Elena, elle n'était pas non plus Victoria Shandon. Puis elle s'endormit et fit un rêve très doux : Blacky, le labrador de son enfance, l'attendait devant la porte de la chaumière d'où s'échappait la voix de Maureen qui fredonnait une chanson parlant de l'éternel retour du printemps.

Au matin, la tentation de déjeuner l'effleura : si elle n'était pas à jeun, elle échapperait à la vaccination. Mais elle savait que cela ne servirait qu'à indisposer le docteur qui la reporterait au lendemain. Résignée, elle se dirigea vers le cabinet où il était déjà.

— Tu n'as pas peur, j'espère ? Tout le monde ici a été vacciné. C'est important, vois-tu, parce que nous sommes plus exposés que les autres à cause de mon métier.

Tout en dénudant le bras de la femme de chambre, il expliqua que la vaccine lui permettrait d'échapper à la petite vérole s'il y avait une épidémie.

— Je vais en profiter pour te dire les noms des instruments que j'utilise. Ainsi, tu les reconnaîtras quand je te les demanderai. Ceci, dit-il en montrant une sorte de couteau très aiguisé, c'est la lancette. Elle sert aussi pour les saignées. Elle doit toujours être parfaitement affûtée. C'est toi qui le feras. Tu utiliseras cette pierre que tu vois là, sur la première étagère, avec l'huile et la chaux éteinte qui sont à côté, dans les pots en faïence bleue.

Mary s'efforçait d'écouter et de retenir ce que disait le docteur, mais elle était fascinée par la lancette qui s'apprêtait à entailler son bras nu. Plus encore que de souffrir, elle avait peur du contenu du flacon que le docteur allait déposer sur la plaie. Il l'avait obligeamment informée qu'il s'agissait d'une solution pleine de germes de variole, et elle imaginait que de minuscules petites bêtes allaient s'introduire dans son corps pour le dévorer de l'intérieur.

— Tu es prête? demanda le docteur d'un ton jovial.

Mary, incapable d'émettre un son, acquiesça d'un faible signe de tête. Les dents serrées, la sueur au front, elle détourna le regard de la main armée du médecin. Une légère douleur au bras la fit se crisper davantage.

— Voilà, annonça-t-il, c'est fini !

— Déjà ?

— Eh oui, tu vois que ce n'était pas la peine d'avoir peur ! Va déjeuner, maintenant. Si tu ne te sens pas bien dans la journée, repose-toi. Tu seras sans doute fiévreuse un jour ou deux, et ton bras va enfler. Mais dans une semaine, il ne te restera pour tout souvenir qu'une minuscule cicatrice.

Avant qu'elle ne sorte, il ajouta :

— Au fait, madame Rondeau t'a dit que tu devais prendre un bain par semaine ?

— Oui, monsieur.

— Parfait. N'oublie pas de le faire. Et surtout, savonne-toi ! La crasse empêche la peau de respirer et c'est très mauvais pour la santé.

Pendant que Mary mangeait une assiettée de la soupe de la veille, la cuisinière préparait le plateau d'Hortense. Elle y disposa du thé, des rôties et une coupelle de confiture de rhubarbe sur un napperon de dentelle. Le plateau en mains, Mary alla frapper à la porte de la jeune fille. Hortense sauta du lit et se précipita à la fenêtre.

— Quelle chance, il fait beau! Félix ne s'était pas trompé : le vent a tourné au sud-ouest, ça annonce l'été indien. Je vais pouvoir mettre ma robe jaune. C'est ma préférée. Mary, veux-tu la préparer, s'il te plaît?

Mary sortit la robe et la posa sur un dossier de chaise, puis elle entreprit de faire le lit pendant qu'Hortense mangeait. Même en déjeunant, elle parvenait à bavarder. Comme sa mère, elle était curieuse de madame Shandon :

— Tu sais, Mary, on parle toujours des Anglais, mais on n'en connaît aucun. Toi, tu vas pouvoir me raconter comment ils vivent. Et puis, tu me décriras Québec. Je n'y suis jamais allée, et à Montréal non plus. Je voudrais tant voir une ville!

« Comme Charlotte, pensa Mary. Décidément, à part moi, toutes les filles ont envie d'aller ailleurs. »

Tandis que sa femme de chambre la coiffait, Hortense, assise face au miroir, se regardait sans complaisance :

— Qu'est-ce que je suis laide !

— Ce n'est pas vrai, mademoiselle, vous avez de très jolis yeux. Ils sont du même bleu que les myosotis.

— Mmm… C'est vrai. C'est pour ça que mon père m'a offert un peigne orné de turquoises : il a dit qu'il était assorti à mes yeux. Mais ils sont globuleux et à fleur de tête. Une horreur !

Avant que Mary ait pu protester, elle s'en prenait à ses cheveux, qu'elle trouvait ternes et mous, à ses lèvres, trop charnues, à son nez, rond comme une patate. L'exagération était si criante, que Mary ne put qu'en rire :

— Si vous êtes comme vous le dites, il va falloir vous mettre dans le verger pour faire peur aux oiseaux !

Hortense rit à son tour :

— Je suis trop excessive, père a raison. Mais c'est vrai que je ne suis pas jolie. Ce n'est pas comme toi, Mary. Toi, tu es belle ! Tu dois avoir des tas d'amoureux !

Tu as un amoureux, Mary? Tu me raconteras? Maintenant, je n'ai pas le temps, c'est l'heure de partir au couvent.

Hortense quitta sa chambre et fit le tour de la maisonnée pour embrasser tout le monde, y compris la cuisinière, qui sortit de son mutisme pour dire à Mary, avec une certaine vanité :

— Je suis dans cette maison depuis que le docteur et madame sont arrivés de France. Cette petite, je l'ai vue naître.

Mary fit un commentaire sur la gentillesse de la jeune fille, ce qui eut l'air de plaire à la femme visiblement sous le charme d'Hortense. Le plateau de madame Rondeau étant prêt, Mary se réengagea dans l'escalier en supposant qu'il valait mieux s'armer de patience : les conseils et les remarques n'allaient pas tarder à affluer. «Cependant, se dit-elle, si la cuisinière est là depuis tant d'années, la place ne doit pas être mauvaise.»

Au lieu de donner à l'épouse du docteur des envies de robe jaune, le soleil l'incita à entreprendre la grande lessive d'automne :

— On nous promet quelques jours de soleil, c'est le moment. Dépêche-toi de faire le lit, je vais m'habiller seule et on s'y mettra tout de suite.

Elles disposèrent tout le linge sale de la maison dans une grande cuve emplie d'une eau froide adoucie de lessi. En prévision, la cuisinière l'avait préparé quelques jours auparavant en filtrant de l'eau bouillante versée sur de la cendre de bois. Les draps, nappes et essuie-mains allaient tremper pendant deux jours avec le linge de corps, les chemises et les tabliers. Mary se réjouit que le lavage du linge au battoir ne soit pas pour le jour même, car son bras la faisait souffrir. Le docteur lui avait dit qu'elle pourrait se reposer, mais comme madame ne le lui proposait pas, elle n'osa pas le demander. Toute la journée, elle accomplit sa tâche sans se plaindre, bien qu'elle fût souvent au bord de la faiblesse.

Au retour de ses visites, le médecin examina son bras et lui toucha le front.

— Elle a de la fièvre, dit-il à la cuisinière, prépare-lui une infusion d'angélique.

Puis il ordonna à la femme de chambre :

— Bois la tisane et va te coucher. On se passera de toi pour ce soir.

Mary eut du mal à monter l'escalier. Rendue à sa chambre, elle s'effondra sur le lit sans même avoir la force de se déshabiller. Elle eut une nuit très agitée et, au matin, ne parvint pas à se lever. Alerté par la cuisinière, le docteur vint la voir. Il lui dit que la réaction de son corps était normale et lui prescrivit du repos. Grâce à cela et aux tisanes de Bertille, son état s'améliora en quelques heures. Dans l'après-midi, elle eut la visite de madame Rondeau, qui fut presque aimable, et celle d'Hortense, qui le fut tout à fait. Le jour d'après, conformément à ce qu'avait annoncé le docteur, elle fut sur pied, juste à temps pour frotter la lessive.

Le dimanche, vu que tout le monde se préparait en même temps pour la messe, Mary ne savait où donner de la tête : madame voulait qu'elle serre son corset, mademoiselle avait besoin d'aide pour sa coiffure et les souliers choisis par monsieur étaient justement ceux qui n'étaient pas lustrés. Elle courait de l'un à l'autre, voulant donner satisfaction à chacun. Pendant ce temps, Bertille préparait un repas froid que le docteur avalerait sur le pouce avant ses consultations. La cloche appelait les fidèles quand la famille Rondeau fut réunie sur la galerie, prête à partir. Tandis que madame vérifiait la cravate de monsieur et les boucles de mademoiselle, elle ordonna à Mary :

— Va vite mettre ton châle et dire à Bertille de venir. Il est temps que l'on parte.

Mary avisa la cuisinière en passant et courut à sa chambre où elle attrapa le châle aux pivoines qu'elle avait heureusement pris la précaution de sortir la veille du coffre. Essoufflée par sa cavalcade, elle rejoignit le perron où il ne manquait plus qu'elle.

— Oh, Mary, qu'il est beau, ton châle ! s'exclama Hortense. C'est Elena qui te l'a donné ?

— Hortense ! grinça madame Rondeau d'une voix que l'agacement rendait métallique. Ce soir, tu viendras dans mon boudoir, j'aurai deux mots à te dire.

La jeune fille fit une petite grimace penaude, mais, dès que sa mère tourna le dos, elle adressa à Mary un signe de connivence. Les ennuis allaient commencer. Madame Rondeau n'accepterait pas la liberté de relations établie par Hortense avec la femme de chambre. Mary n'aurait pas dû se laisser aller à parler d'Elena, mais Hortense en avait envie, et c'était si doux de le faire. Si seulement la jeune fille l'avait appelée « madame Shandon » ! Mais non, elle avait dit « Elena », comme elles le faisaient toutes les deux lorsque Mary la coiffait et qu'elle voulait avoir toujours plus de détails sur ses robes, ses sorties, les jeunes gens qu'elle fréquentait.

La famille Rondeau se rendit à l'église en cortège. Le docteur avançait fièrement, droit, la tête haute, ne perdant pas un pouce de sa taille, donnant le bras à sa femme, qui le surplombait d'une demi-tête, et à sa fille, qui n'allait pas tarder à en faire autant. Derrière, suivaient avec dignité la cuisinière et la femme de chambre et, finalement, fermant la marche, venait Félix, endimanché lui aussi, et paraissant à l'étroit dans son habit.

Mary fit du regard le tour de la foule qui attendait en bavardant l'heure d'entrer. Soudain, elle la vit. Francine mouchait le nez d'une fillette plus petite que Victoria. Près d'elle, il y avait un garçonnet accroché à la main d'un homme, vraisemblablement le père des deux enfants. Francine se redressa et sourit à l'homme qui la regardait avec un air de propriétaire. Cette infime scène domestique laissait deviner des choses dont Mary avait hâte d'entendre le récit. Malheureusement, le dimanche était jour de consultation. Comment allaient-elles pouvoir se rencontrer ?

Francine, qui avait dû la repérer pendant la célébration, lui sauta au cou dès qu'elle sortit. Heureuses de se retrouver, elles n'en finissaient plus de s'embrasser. La voix sèche de madame Rondeau les interrompit :

— Mary, n'oublie pas les consultations. Il y a sans doute des gens qui attendent.

— Bien, madame, j'y vais.

Avant qu'elle ne s'en aille, Francine lui glissa :

— Quand tu auras fini, viens me rejoindre chez ma tante Zélie. Bertille te dira où c'est.

Madame Rondeau avait dit vrai : il y avait déjà du monde devant la maison. Elle les fit entrer dans la salle d'attente et les pria de s'asseoir. Puis, ne sachant que faire, elle alla à la cuisine. Bertille lui avait préparé une assiette :

— Tiens, mange maintenant. Tout à l'heure, tu n'auras pas le temps.

Les gens que Mary introduisait dans le cabinet du médecin paraissaient aussi impressionnés par le lieu qu'elle-même l'avait été la première fois. Ce n'était pas surprenant, car tout avait été conçu pour qu'ils le soient. Mary faisait asseoir le patient sur une chaise qui faisait face au bureau du docteur, lui-même installé sur un fauteuil, créant ainsi une hiérarchie propre à inspirer le respect. Aux murs, étaient accrochés les diplômes ainsi que des planches anatomiques et des dessins coloriés de plantes médicinales dont ils étaient incapables de lire les inscriptions. Les livres reliés qui trônaient dans l'armoire vitrée participaient du même étalage de savoir, tandis que les divers instruments et récipients qui les côtoyaient – lancettes, spatules, entonnoirs, mortiers, fioles, trébuchets et autres bistouris – inspiraient un type de respect différent : celui qu'engendre la crainte. Sur le bureau, des feuilles d'ordonnances, quelques bibelots ramenés de voyage, un coupe-papier au manche sculpté; sur le fauteuil, un homme attentif et plein d'assurance; sur la chaise, un patient effrayé : la consultation pouvait commencer.

Il y eut de tout : un furoncle à percer, une dent à extraire, une entorse à replacer et nombre de maux de ventre ou d'estomac pour lesquels le docteur prescrivit vermifuges et purgatifs. L'assistance de Mary ne fut nécessaire que pour le furoncle. Elle dut tenir la cuvette afin de recueillir le pus au-dessous du bras que le docteur avait incisé d'un geste sec et précis. Tout le temps qu'il passa à vider l'abcès, elle réussit à contenir la nausée qui lui montait aux lèvres, mais dès qu'elle sortit du cabinet, elle vomit son repas dans la cuvette, persuadée qu'elle ne s'y habituerait jamais. Cependant, il lui fallut reprendre sa place, après s'être rafraîchie. Elle le fit en espérant qu'il n'y aurait pas d'autres cas du même genre.

Ils arrivèrent enfin au dernier patient, qui venait directement de la taverne. Il se plaignit de troubles de vision survenus dès qu'il avait posé le pied dehors. Le docteur, qui n'avait même pas pris la peine de le faire asseoir, le renvoya en lui conseillant de revenir si les troubles persistaient après trois jours sans whisky. L'homme s'était drapé dans une dignité chancelante et il était reparti en marmonnant que le docteur n'y entendait rien, qu'il irait en voir un autre, qu'il irait en voir un vrai, ou peut-être à la fois un autre et un vrai, car il vaut mieux en voir deux plutôt qu'un, et qu'il irait pour cela jusqu'à Joliette s'il le fallait.

Monsieur Rondeau, s'apercevant que Mary avait du mal à contenir son envie de rire, l'informa en souriant :

— Tu as fait la connaissance de Justin, l'ivrogne du village. Il vient tous les dimanches, et il a toujours mal à un endroit différent. Bon, ajouta-t-il, c'est terminé pour aujourd'hui. Tu t'es bien débrouillée. Tu peux aller te promener maintenant.

La jeune fille monta se débarrasser de ses attributs de servante, reprit le châle aux pivoines et descendit jusqu'à la chambre d'Hortense qui était partie bras dessus bras dessous avec Henriette, sa meilleure amie. Devant la glace de la coiffeuse, elle arrangea le châle, lissa ses cheveux, se pinça les joues et se mordit les lèvres pour leur donner de la couleur. Puis elle s'éloigna du miroir et s'examina d'un œil critique. Hortense l'avait complimentée sur sa beauté, mais Mary se dit qu'elle avait exagéré, comme d'habitude. La jeune servante admit cependant qu'elle se trouvait plutôt jolie avec ses cheveux noir-bleuté, ses grands yeux brillants et ses dents correctement alignées dont pas une n'était gâtée. Contente de son apparence, elle s'en alla demander à Bertille de lui indiquer où était la maison de la tante Zélie.

— Je t'attendais, répondit la cuisinière, j'y vais moi aussi. Zélie est ma cousine.

Le dimanche, la parenté de Francine avait coutume de se réunir chez cette sœur de Margot qui lui ressemblait comme une jumelle. Au sortir de la messe, les hommes allaient à la salle du presbytère où le notaire leur lisait le dernier numéro de *La Minerve* qu'ils commentaient ensuite longuement, par petits groupes, sur le parvis de l'église. Pendant ce temps, les femmes préparaient les victuailles qu'elles avaient apportées, houspillant les enfants, une meute de cousins et cousines de tous âges qui menaient un train d'enfer, et qu'elles envoyaient courir dehors.

Quand Mary arriva, ils avaient fini de manger. Les hommes, regroupés à un bout de table, avaient tombé la veste et continuaient leur discussion en buvant du fort et en fumant la pipe. La conversation des femmes portait sur le nouveau curé. Après avoir eu le même pendant près de quarante ans, elles se demandaient si elles n'auraient pas du mal à s'habituer à celui-là. Le vieux était sourd et, de ce fait, fort indulgent pour les péchés de ses ouailles qu'il ne devait saisir qu'à moitié. Le nouveau était jeune, et elles craignaient qu'il ne veuille se mêler de trop les diriger. En bavardant, elles fumaient, elles aussi, et buvaient un thé de trèfle rouge qu'elles sucraient d'une cuillerée de miel et corsaient discrètement d'une giclée d'eau de vie.

Francine présenta Mary à sa famille. Ils l'accueillirent gentiment, puis les hommes retournèrent à leur discussion et les femmes agrandirent le cercle pour lui faire une place. Munie d'une tasse de thé, elle les écouta parler de gens qu'elle ne connaissait pas. La tante Zélie, dont la voix dominait toutes les autres et qui dirigeait la conversation, voulut avoir des nouvelles de Charles que Mary était la dernière à avoir vu. Madame Campeau, une femme effacée qui semblait aux antipodes de Francine, lui demanda :

— Tu le voyais souvent, je crois, mon fils aîné ?

Elle répondit qu'en effet, elle voyait Charles tous les dimanches. Les femmes échangèrent des regards entendus. Mary se sentit prise dans un piège, comprenant qu'elle avait laissé croire qu'ils s'étaient accordés. Mais comment rectifier ? Elle imaginait leur tête si elles apprenaient qu'elle avait laissé Charles espérer alors qu'elle attendait le retour de Jean-Denis. Elles seraient scandalisées. Mary se rendit compte de ce que son attitude avait eu d'imprudent :

aux yeux des femmes Campeau, elle était engagée auprès de Charles, et celles-ci étaient probablement en train de se demander si l'Irlandaise ferait pour lui une bonne épouse et pour elles une bonne parente.

Sitôt que la politesse le permit, Francine se leva. Entraînant Mary, elle annonça à la cantonade qu'elles allaient faire un tour.

— Va, ma Francine, dit la tante Zélie gentiment ironique, tu dois avoir beaucoup de choses à lui raconter.

Francine gloussa et rougit. En sortant, elle jeta un regard du côté des hommes où elle rencontra celui de Julien Lacroix qui lui sourit.

Elles s'éloignèrent le long du fleuve en se tenant la main, heureuses de s'être retrouvées.

— Si j'en crois ta tante Zélie et ce que j'ai pu voir moi-même, tu as quelque chose à m'annoncer, dit Mary.

— Oui, mais c'est toi qui racontes d'abord. Comment ça s'est passé avec la vieille folle? Et le départ des Shandon? Je veux tout savoir!

— Je te dirai tout, mais ça ne presse pas. Commence, toi !

Francine ne se fit pas prier longtemps, car elle mourait d'envie de parler de son idylle. Quand elle était arrivée chez Lacroix, Françoise venait de mourir. Il y avait à la ferme la mère de Julien, qui vivait avec eux et faisait de son mieux, mais sa vieillesse et son embonpoint l'empêchaient de venir à bout de l'ouvrage. Francine avait pris tout naturellement la place libre.

— Ça, c'est le travail, mais moi, c'est de Julien que je veux entendre parler.

— On va se marier en juin : ça fera un an qu'il est veuf.

— Félicitations ! Depuis quand vous êtes accordés ?

— Oh, ça c'est décidé très vite. Tu sais, on vit comme mari et femme. Sauf qu'on ne dort pas ensemble, ça va de soi. Clara, qui a juste deux ans, m'appelle même maman. Alors, forcément, ça donne des idées.

— Et tu l'aimes ?

— Oui. Je crois.

— Dis-moi, il t'a embrassée ?

Francine éclata de rire.

— Et toi, Charles, il t'a embrassée?

— Tu sais que Charles n'est qu'un ami pour moi.

— Ce n'est pas ce qu'il a laissé entendre la dernière fois qu'il est venu. Et ce que tu as dit tout à l'heure a l'air de confirmer.

— Je sais, dit Mary avec un soupir accablé. Je ne m'en étais pas rendu compte. Mais je ne veux pas parler de ça, et tu ne m'as pas répondu : est-ce qu'il t'a embrassée?

— Oui, bien sûr! Tous les soirs, quand je vais à l'étable pour soigner les bêtes, il vient me rejoindre. Même qu'il ne faudrait pas que je m'y attarde trop longtemps, sinon, il faudrait nous marier plus vite que prévu, ajouta-t-elle dans un éclat de rire.

— Alors, tu es heureuse?

Francine devint mélancolique :

— Tu sais que ce n'est pas de ça que j'avais rêvé… Je voulais voyager, vivre ailleurs, autrement. Mais ici, c'est ce qui pouvait m'arriver de mieux. Il est doux et gentil. Sa mère n'est pas trop autoritaire. De toute façon, je ne me laisse pas faire. Les enfants m'écoutent. Oui, je vais être heureuse. Et puis, tu es là! Ça me fait plaisir de te retrouver.

Émues, elles marchèrent un moment sans rien dire. Mais Francine ne pouvait rester longtemps silencieuse :

— Maintenant, c'est toi qui parles! Le docteur Rondeau semble bizarre et sa femme pète-sec. Est-ce qu'ils le sont autant qu'ils en ont l'air?

Retrouvant d'emblée leurs vieilles habitudes, Mary lui mima une scène de salon chez Rondeau, en jouant tour à tour chaque personnage. Elle commença par elle-même présentant sur un plateau imaginaire le quinquina du soir avec une attitude exagérément déférente à madame Rondeau qui le flaira d'une narine suspicieuse tandis que son mari défaisait discrètement le premier bouton de son pantalon avant de se carrer dans une bergère. Devant la mobilité des traits du visage de Mary, Francine rit jusqu'à en avoir un point de côté. Elle dut s'appuyer à un arbre.

— Tu m'as tellement manqué! dit-elle. Maintenant, on va s'amuser.

L'après-midi passa trop vite, mais elles se donnèrent rendez-vous pour le dimanche suivant, chez la tante Zélie.

Depuis la lingerie, où elle recousait l'ourlet d'un pantalon du docteur, la conversation entre madame Rondeau et sa fille parvenait clairement aux oreilles de Mary qui comprit pourquoi sa patronne lui avait dit de laisser la porte ouverte : madame Rondeau voulait que la femme de chambre entende ce qu'elle avait à dire.

— Ma fille, commença-t-elle pincée, je crois que tu as oublié ce que cette bonne madame Pariset explique au sujet des relations que l'on doit avoir avec les domestiques. Je t'ai pourtant déjà lu ce chapitre, mais j'ai pu constater ce matin que tu n'en as pas fait ton profit. Ah, si ma mère t'entendait ! Mais en France, ça ne se passerait pas ainsi : on sait garder les distances. Alors qu'ici, tout le monde est sur le même pied !

— Mère, je vous assure…

— Tu ne m'assures de rien du tout. Tu te tais et tu écoutes. Ce petit livre, ma mère me l'a donné quand je me suis mariée. Comme je partais m'établir loin d'elle et que je n'aurais pas la chance de bénéficier de ses conseils, elle m'a offert ce *Manuel de la maîtresse de maison* qui m'a été utile dans plusieurs circonstances et que je te donnerai quand tu te marieras à ton tour. En attendant, écoute-moi.

Madame Rondeau, pour le bénéfice de sa fille et de sa femme de chambre, lut la série de conseils qui devait assurer le bon ordre de la maison. Selon madame Pariset, il ne faut jamais être familier avec les serviteurs, qui en profiteraient pour avoir des exigences, il ne faut pas leur offrir trop souvent les vêtements dont on n'a plus l'usage parce qu'ils le considéreront ensuite comme un dû et, surtout, il faut surveiller leur travail, sans quoi, ils en feront le moins possible. Il faut aussi avoir toujours pour eux du pain de la veille : s'il est dur, ils en mangent moins. Sans oublier de ne pas trop chauffer les pièces où ils se tiennent : de cette façon, ils travailleront davantage pour se réchauffer.

Elle fut interrompue par une exclamation d'Hortense :

— Mère ! C'est horrible ce que vous dites !

La jeune fille s'élança hors de la pièce en disant :

— Je vais en parler à père, je suis sûre qu'il n'est pas d'accord avec ça !

— Hortense, reviens ! croassa madame Rondeau qui s'était levée et l'avait suivie jusqu'à la porte.

Mais la jeune fille était déjà en bas et on entendait sa voix suraiguë. Depuis la porte de son boudoir, le regard de madame Rondeau plongea dans la lingerie où il croisa celui de Mary. Un peu gênée, elle bredouilla, comme pour elle-même : « Évidemment, tout ça est très exagéré. » Refermant d'un geste sec le petit livre à couverture marbrée, reliée de cuir rouge, d'où dépassait un signet de soie verte, elle se retourna avec raideur et entra dans son boudoir.

La jeune femme de chambre avait été profondément blessée par ce qu'elle avait entendu. Ne pouvant garder cela pour elle, elle se confia à Bertille, car la cuisinière était devenue plus affable depuis l'après-midi chez Zélie où elle avait constaté son acceptation tacite comme promise de Charles.

La cuisinière dédramatisa l'affaire :

— Ne t'en fais pas, elle n'est pas méchante. Elle a toujours quelque chose à redire, mais il ne faut pas y faire attention : c'est plus fort qu'elle. On fait quand même ce qu'on veut si on est assez maligne pour lui laisser croire que c'est elle qui l'a décidé.

Cela lui fut confirmé pendant le service du soir. Madame Rondeau, dans le but évident de faire oublier l'affront, s'appliqua à être aimable et alla même jusqu'à complimenter sa femme de chambre sur la manière dont elle présentait les plats. Quand Mary aida Hortense à se défaire pour la nuit, la jeune fille revint sur l'incident.

— Tu sais, Mary, ici, ça ne se passe pas comme dans le livre de mère. Tu ne seras pas malheureuse avec nous. Bertille était là avant ma naissance et Firmin aussi. Quant à Lucie, que tu remplaces, elle est restée six ans, et c'est pour se marier qu'elle nous a quittés.

Elle s'assit à sa coiffeuse et, tandis que Mary la brossait, elle s'écria :

— J'ai une idée. Devant mère, on se parlera en anglais. De toute façon, c'est ce que père veut. Elle ne le comprend pas : on aura la paix. Elle est française, tu le savais ? Son père était chirurgien des armées de l'Empereur, c'est pour ça qu'elle s'appelle Joséphine, comme la première impératrice, et que je m'appelle Hortense, comme sa fille. Mon grand-père haïssait tout ce qui était anglais et il n'a pas voulu qu'elle apprenne leur langue. Tu vois, on va pouvoir continuer à parler d'Elena sans qu'elle le sache !

Le lundi était le jour désigné à Mary pour son bain – chacun avait son jour –, et elle le prépara avec une certaine appréhension.

Bertille l'avait encouragée :

— Rassure-toi, on n'en meurt pas ! Et on se sent même plutôt mieux après.

Mary vérifia qu'elle avait mis le verrou et que le rideau l'isolait d'un éventuel regard extérieur, puis elle commença de se dévêtir. Au moment d'enlever sa chemise, elle hésita : on lui avait toujours dit que c'était un péché de se mettre nue. Elle pourrait peut-être la conserver ? Mais si la chemise était mouillée, madame Rondeau saurait qu'elle l'avait gardée et elle la réprimanderait. « Après tout, se dit-elle, c'est le docteur et sa femme qui l'exigent : le péché est pour eux. » Résolument, elle ôta son dernier vêtement.

Elle mit dans l'eau un pied prudent, puis l'autre, et finalement, rassemblant tout son courage, elle y entra tout entière. Les mains accrochées au rebord de la baignoire, le corps crispé, elle attendit qu'il se produise quelque chose de terrible. Mais il n'arriva rien, et elle commença de se détendre.

Quelle curieuse sensation ! Son corps lui paraissait si léger qu'il lui semblait indépendant d'elle ! Elle bougea une jambe, puis l'autre, sortit un pied de l'eau, l'y replongea et dut admettre que c'était plaisant. Il fallait maintenant qu'elle se savonne – le docteur avait insisté là-dessus. Elle se mit debout, promena le savon sur ses bras et s'amusa à le faire mousser. Puis, après avoir un peu hésité, elle se le passa sur les seins dont le mamelon durcit, lui donnant un petit frisson de plaisir. Elle arrêta aussitôt, à demi honteuse mais à moitié contente, et se frotta le ventre. Sa main descendit et s'arrêta encore : devait-elle vraiment mettre ses mains «là»? Elle avait peut-être mal compris. Mais non, elle s'en souvenait, madame Rondeau avait dit «tout». Alors, en fermant les yeux et en essayant de penser à autre chose, elle se savonna entre les cuisses. Puis, très vite, elle passa aux jambes et aux pieds et s'immergea dans l'eau sur laquelle flottait une écume grisâtre. «Ma crasse», songea-t-elle avec dégoût. Ce n'était finalement peut-être pas une mauvaise idée de s'enlever cette saleté de sur le corps. Elle se remit debout pour se rincer, puis sortit de la baignoire et se frictionna. Elle enfila ensuite sa chemise propre, car madame Rondeau, s'étant assurée qu'elle en possédait deux, lui avait recommandé de se changer après son premier bain.

De la chambre du docteur où elle faisait le lit, Mary aperçut un grand déploiement d'activité aux abords du fleuve.

Curieuse, elle se mit à la fenêtre et vit que des hommes regroupaient les animaux qui avaient passé l'été sur la pâture commune, à l'île Dupas, pour les embarquer à bord d'une barge qui les déposait à Berthier, de l'autre côté du chenal. Ce n'était pas simple : les animaux, affolés, tentaient de fuir, les hommes couraient et criaient, les chiens donnaient de la voix et ramenaient les fugueurs en leur mordillant les pattes. Sur l'autre berge, ce n'était pas plus facile, car les propriétaires des bêtes devaient les reconnaître. Avant l'estivage, ils étaient censés les marquer, mais il y en avait toujours un ou deux qui négligeaient de le faire, ce qui engendrait des disputes lorsqu'ils s'obstinaient à se prétendre propriétaires de la même bête. Il fallait alors l'intervention d'un tiers pour que tout revienne dans l'ordre.

Comme Mary s'étonnait que l'on rentre les bêtes alors qu'il faisait encore beau, Bertille lui expliqua que cela se faisait toujours à la Saint-Michel parce que le froid était proche, même si parfois il tardait de quelques jours.

— D'ailleurs, ajouta-t-elle, il est temps de préparer la maison. Prends ce sac de guenilles, madame t'attend pour calfeutrer les fenêtres.

Supervisée par madame Rondeau, Mary glissa des vieux chiffons dans tous les interstices de manière à empêcher le froid de pénétrer. Pendant ce temps, Firmin installait devant la porte d'entrée un petit vestibule amovible, le tambour, dans lequel on quitterait bottes et manteaux sans refroidir toute la maison quand la neige serait venue.

— Va chercher un panier et des ciseaux, commanda madame Rondeau lorsque ce fut terminé, je vais cueillir le raisin. Il est mûr, il faut le récolter avant que les oiseaux le mangent ou que la gelée le fasse perdre.

Sur le coin le mieux abrité de la maison et le plus exposé au soleil, on avait planté une tonnelle de chasselas. Parmi les feuilles devenues pourpres, pendaient de grosses grappes dorées. Voyant madame Rondeau prête à grimper à l'escabeau que Firmin avait apporté, Mary se proposa.

— Non. C'est moi qui vais le faire. Je ne laisserai à personne le soin de cueillir mon chasselas.

Appuyée au montant de l'escabeau, elle laissa courir son regard sur les belles grappes mûres et dit d'une voix altérée que Mary ne lui avait jamais entendue :

— Ces plants de vigne, c'est mon père qui me les a envoyés quand nous avons fait construire la maison, l'été avant sa mort. Ils viennent du jardin de mon enfance. Cette tonnelle, vois-tu, c'est un petit coin de mon pays que j'ai acclimaté ici.

Elle grimpa, tandis que Mary tenait d'une main l'escabeau ct dc l'autre le panier. Quand elle eut récolté la douzaine de grappes, elle redescendit, en prit une dans le panier, la partagea et en tendit la moitié à Mary :

— Tiens, goûte comme c'est bon.

Elles savourèrent le raisin en silence, puis retournèrent à la maison où madame Rondeau, sans doute confuse de s'être laissée aller à la nostalgie devant sa femme de chambre, la houspilla pour une vétille.

Le soir, Hortense rentra du couvent bouleversée. Ses larmes l'étouffaient, et son père dut lui faire prendre une potion calmante pour qu'elle puisse raconter ce qui lui était arrivé.

Le nouveau curé s'était rendu au couvent confesser les jeunes filles. Il avait posé à Hortense toutes sortes de questions qu'elle n'avait pas vraiment comprises, puis il lui avait demandé si elle avait déjà vu son corps nu. Elle avait répondu qu'elle le voyait lorsqu'elle prenait son bain.

Le prêtre, choqué, s'était exclamé :

— Vous prenez des bains, mademoiselle ! C'est contraire à toutes les règles de la décence. Et vous les prenez « nue » ?

— Oui, monsieur le curé.

— Et vous touchez votre corps « nu », quand vous prenez votre bain ?

— Oui, pour le savonner.

— Le savonner ! De mieux en mieux ! Et vous savonnez « tout » votre corps, mademoiselle ?

— Oui, monsieur le curé.

— Et vous « aimez » savonner « tout » votre corps, mademoiselle ?

— C'est agréable, après on se sent bien.

— Malheureuse! Vous n'avez même pas honte! Vous allez rôtir en Enfer pour vos gestes impurs! Je vais de ce pas dire à la supérieure qu'elle interdise à vos camarades de vous parler pour que vous ne les pervertissiez pas. Allez réciter un rosaire et ne vous présentez pas à la communion : je vous refuse l'absolution.

Le docteur avait eu du mal à laisser parler sa fille sans l'interrompre. Plus le récit avançait, plus il montrait des signes d'irritation. Incapable de rester assis, il arpentait la pièce en fulminant contre cet imbécile ignorant à qui il allait dire deux mots.

Sa femme essayait de l'apaiser :

— Ne vous énervez pas, mon ami, ça ne sert à rien. Attendez demain pour aller le voir.

Mais il n'eut pas à attendre : le prêtre se présentait à la porte.

— Venez dans mon cabinet, monsieur le curé, je ne veux pas que ces dames entendent ce que j'ai à vous dire.

Néanmoins, pour entendre, elles entendirent ! Tant sa femme et sa fille, qui étaient au salon, que la cuisinière et la femme de chambre, qui préparaient le repas à la cuisine. La discussion leur parvenait aussi clairement que si elles y étaient. Le médecin était furieux, le prêtre aussi, et ils hurlaient à pleins poumons. Aux arguments scientifiques de l'un faisaient écho les réticences pudibondes de l'autre. Un vrai dialogue de sourds. Le docteur, qui voulait convaincre, prit dans sa bibliothèque un ouvrage de William-Frédéric Edwards. Ce savant physiologiste, qui avait démontré par des expériences sur les grenouilles que la peau respirait, préconisait les bains et les savonnages afin que celle des gens respire sans contrainte.

Au curé, qui répétait obstinément : « L'Église réprouve le bain, je ne saurais l'approuver », le docteur proposa :

— Voulez-vous que je vous prête ce livre, que vous puissiez vous rendre compte des bienfaits du bain pour la santé ?

Le curé prit l'ouvrage, l'ouvrit au hasard et tomba sur une planche anatomique qui montrait les organes féminins. Il rejeta le livre au travers du bureau en criant :

— *Vade retro* !

— Mais enfin, on ne peut pas soigner les corps sans les connaître !

— On n'a pas besoin de connaître son corps, il suffit de connaître son âme. Je condamne sans appel le bain qui est une pratique immorale source de mauvaises pensées.

— C'est vous qui êtes immoral et qui suggérez, par vos questions insidieuses, des mauvaises pensées à des jeunes filles qui ne les auraient pas eues toutes seules si vous ne leur aviez rien dit.

— Monsieur, comment osez-vous !

— Et vous, comment osez-vous ostraciser ma fille alors qu'elle ne fait qu'obéir à son père ?

— Un père immoral !

Le ton avait dangereusement monté et, dans le salon où Hortense mordillait nerveusement ses ongles, madame Rondeau se lamentait :

— Mon Dieu, mon Dieu, comment tout cela va-t-il finir ?

Les deux femmes de la cuisine avaient cessé leur travail pour mieux écouter.

Le docteur fit un effort surhumain pour se calmer et reprit d'une voix plus basse, mais que la colère faisait encore vibrer :

— Monsieur le curé, vous êtes un âne bâté. Puisqu'il n'y a pas moyen de vous faire comprendre les savants de votre époque, je vais vous expliquer autre chose. Je suis médecin, comme vous le savez, et mon père l'était avant moi, et son père avant lui. Les Rondeau sont les médecins de Berthier depuis trois générations, et leur médecin actuel – moi-même – est aussi le capitaine de la milice. Vous voyez, monsieur le curé, je suis en place, alors que vous, vous n'êtes là que depuis une semaine. Si vous ne voulez pas avoir la vie trop difficile, je vous conseille d'aller dire à la supérieure de conserver avec ma fille l'attitude qu'elle a eue jusqu'à ce jour. Et s'il en est besoin, j'écrirai un mot à monseigneur Lartigue, qui est de mes parents, pour l'informer que vous faites preuve d'un zèle intempestif.

Le prêtre suffoquait d'indignation :

— Comment ? Des menaces ?

— Comprenez cela comme vous le voulez, dit le docteur en le raccompagnant à la porte. Au plaisir, monsieur le curé !

Le docteur Rondeau retourna au salon.

— Ne pleure plus, ma petite fille, c'est réglé. Demain matin, je t'emmènerai au couvent et j'irai saluer la mère supérieure.

Pendant que Mary rangeait la vaisselle dans le buffet de la salle à manger, elle entendait la conversation du salon. Souvent, le docteur lisait, en l'expliquant à sa femme et à sa fille, un article de *La Minerve*. Avec l'éditeur du journal, Ludger Duvernay, il pestait contre les bureaucrates responsables de la mauvaise administration du Bas-Canada. Madame Rondeau approuvait, disant que rien de bon ne pouvait venir des Anglais. Duvernay, qui avait été traduit en justice sous l'accusation de libelle diffamatoire, fut condamné à un mois d'emprisonnement et à vingt louis d'amende. Lorsque monsieur Rondeau connut le verdict, il passa des soirées entières à tempêter. Ces soirs-là, Mary quittait la salle à manger dès qu'elle avait terminé. Par contre, quand il demandait à sa fille de se mettre au piano ou de leur faire la lecture, elle s'attardait pour écouter Hortense lire ou jouer.

Parfois, selon le souhait de son père, elle lisait une fable de La Fontaine dont il commentait la morale. Lorsque Hortense choisissait, c'était immanquablement un chapitre de Walter Scott, son auteur préféré. Mais si le choix venait de madame Rondeau, on pouvait compter sur un texte destiné à instruire sa fille de ses devoirs futurs. Le *Manuel de la maîtresse de maison* de madame Pariset était souvent à l'honneur, et elle ne manquait jamais de faire commencer la lectrice par la phrase de Xénophon citée en exergue : « Vous êtes comme la reine des abeilles, vous devez présider aux ouvrages et veiller à l'entretien de la ruche. »

Arrivée dans sa chambre, pendant que Mary préparait son lit, Hortense faisait le tour de la pièce en courant, les bras écartés, les joues gonflées et les yeux exorbités.

— Bzz… Bzz… Regarde ! Je suis la reine des abeilles.

Mary, qui riait aussi discrètement qu'elle pouvait, tâchait néanmoins de la faire taire :

— Vous feriez mieux d'arrêter, mademoiselle Hortense, si votre mère vous entend, elle ne sera pas contente.

Un soir, le docteur demanda à sa fille :

— Si tu continuais la lecture de ce livre que nous avons reçu par le dernier bateau, les *Conseils à ma fille*, de monsieur Bouilly ?

— Il est dans mon boudoir, intervint madame Rondeau, sur la première étagère de la bibliothèque.

De retour avec le livre, Hortense glissa à l'oreille de Mary qui faisait semblant d'essuyer un meuble dans la salle à manger :

— Tu devrais t'asseoir, c'est assez long.

En regagnant le salon, elle prit garde de laisser la porte entrouverte pour être audible de la pièce voisine.

— Nous en sommes à la cinquième histoire, si je ne me trompe, dit le docteur.

— En effet. Elle est intitulée «Le petit dîner ou les amies de pension».

Hortense, de sa voix claire et agréable, commença la lecture : «Les liens de l'amitié, qui sont étroitement serrés dans l'enfance, s'affaiblissent bien souvent dans un âge plus avancé...»

C'était l'histoire navrante de deux jeunes filles qui s'étaient liées au couvent d'une amitié indéfectible, mais que la différence de position sociale avait éloignées l'une de l'autre. La rupture était survenue après un dîner où la jeune fille riche, ayant honte de la mise modeste de son amie, l'avait reçue dans sa chambre et traitée avec des restes desséchés de la veille afin qu'elle reparte avant l'arrivée de relations plus prestigieuses.

La conclusion de l'auteur enchanta madame Rondeau : «L'amitié, ma fille, est un miroir fidèle qui ne peut souffrir le moindre souffle impur : souviens-toi que rien n'est plus rare qu'une intimité mutuelle et parfaite, et qu'on ne la trouve que parmi ses égaux.» Elle insista sur la dernière partie de la phrase et recommanda à Hortense de ne pas l'oublier. L'allusion à sa familiarité avec la femme de chambre était claire, et Mary s'en alla, n'ayant pas envie d'en entendre davantage.

Accoudée à sa lucarne, profitant de la douceur de la nuit tombée, Mary regardait le cheval errer sur la commune. Lorsque les autres bêtes avaient été embarquées dans les barges, il avait fui, effrayé, et personne n'était parvenu à le capturer, car il était devenu sauvage pendant les mois d'été. Depuis, il allait ici et là, hennissant en direction du village où ses compagnons d'estive avaient disparu, chaque jour plus maigre, plus hirsute et l'œil plus fou. On avait expliqué à Mary que la première neige, le privant de la rare pitance qu'il avait encore, le ramènerait, affamé, sur la berge où il n'y aurait plus qu'à le cueillir.

La leçon de l'histoire lue par Hortense lui restait dans la tête, l'amenant à se demander si sa relation avec Elena avait été une véritable amitié, bien qu'elles ne fussent pas des égales. Une foule de souvenirs lui revint en mémoire, heureux et malheureux, et elle se dit que oui, elles s'étaient aimées, chacune donnant à l'autre ce qu'elle pouvait offrir. Comme chaque soir, ainsi qu'elle le lui avait promis, elle pria pour Elena, la petite Victoria, le petit Edward et monsieur Shandon.

Un jour que Mary rapportait dans le cabinet d'Hortense une robe qu'elle venait de ravauder, elle vit la jeune fille installée à son secrétaire qui écrivait avec application. Hortense ayant levé la tête, elle lui demanda :

— Vous faites vos devoirs, mademoiselle Hortense ?

— Non. J'écris dans mon journal.

Devant l'incompréhension de la servante, elle expliqua :

— C'est un cahier dans lequel je note mes pensées. Je raconte tout à mon journal, même ce que je n'oserais pas dire à ma meilleure amie.

— Et vous n'avez pas peur que quelqu'un le lise ?

— Non, je ne risque rien. Regarde, il a une serrure, et je garde toujours la clé sur moi.

— C'est de votre amoureux, que vous parlez dans votre journal, mademoiselle Hortense?

— Comment sais-tu que j'ai un amoureux?

— Avec des yeux comme les vôtres, on a forcément un amoureux.

— Maligne! Je me suis laissée prendre!

— Je le connais, votre amoureux?

Hortense soupira.

— Non, tu ne le connais pas. Et tu ne le connaîtras pas de sitôt : il est parti en France étudier la médecine pour deux ans. C'est Charles-Étienne Daviault, le frère d'Henriette. À son retour, nous devons nous marier. Il travaillera avec mon père : la clientèle est trop importante pour un seul docteur. S'il avait choisi le droit, comme mon frère, il serait à Montréal, et je le verrais de temps en temps, ajouta-t-elle avec regret.

Quoi qu'elle en dise, son frère Hervé ne venait pas souvent à Berthier, et Mary n'eut pas l'occasion de le rencontrer avant Noël. Cependant, elle en apprit davantage sur lui à l'occasion d'une saignée que le docteur fit au notaire Daviault. Les deux hommes, qui étaient amis d'enfance, avaient fait leurs études au collège de Montréal où ils avaient ensuite envoyé leurs fils. Ils partageaient les mêmes vues politiques et étaient restés liés malgré le séjour en France du docteur qui les avait séparés plusieurs années. Leurs femmes s'entendaient raisonnablement et les deux familles se fréquentaient. Enchantés des presque fiançailles de Charles-Étienne et d'Hortense, ils caressaient l'espoir que les relations entre Hervé et Henriette évolueraient dans le même sens, ce qui permettrait à chacun de léguer à son beau-fils l'un son cabinet, l'autre son étude.

Mary, qui assistait à sa première saignée et craignait de faire une erreur, était très attentive aux consignes du médecin. Sur une table, elle avait préparé la palette d'étain qui permettrait de mesurer le sang prélevé et le vase dans lequel on le recueillerait, ainsi que les compresses et les bandes. Le docteur vérifia tout et approuva. Elle finissait d'affûter la lancette lorsque le notaire s'annonça. Elle fit alors l'obscurité dans le cabinet de consultation et alluma quelques bougies.

Après avoir demandé à son patient s'il était à jeun, le docteur lui fit enlever sa redingote et remonter la manche de sa chemise, puis il l'installa sur un divan avec un coussin sous la tête. Il lui mit un garrot au-dessus de la veine à ouvrir, lui tendit un objet cylindrique, qu'il lui recommanda de faire rouler entre ses doigts afin de comprimer les veines et, ayant vérifié que Mary tenait la palette au bon endroit, il entailla, d'un geste sûr, le bras du notaire.

— Aïe, tu m'as fait mal !

— Arrête de te plaindre, tu ne sens déjà plus rien.

Daviault grogna que ce n'était pas vrai. Sans prêter attention aux protestations de son ami, le docteur s'installa dans un fauteuil à ses côtés et lui demanda :

— Donne-moi plutôt des nouvelles de Montréal, puisque tu en reviens.

Daviault y avait passé une semaine à démêler une affaire d'héritage compliquée. Il avait logé chez un collègue, lui aussi ami de collège, Robert Arcand, celui-là même qui avait pris Hervé comme clerc et lui donnait pension.

— Montréal n'est pas une ville sûre par les temps qui courent, surtout la nuit. Des factions des deux bords, essentiellement composées d'une racaille qui ne cherche que la bagarre, patrouillent dans les rues dès la nuit tombée, et on n'est pas à l'abri d'un mauvais coup si on s'aventure dehors.

— J'ai peur que tout ça finisse mal.

— Je ne vois pas comment ça pourrait bien finir. Les esprits sont très échauffés. Et ce n'est pas en condamnant Duvernay qu'ils vont ramener la paix.

Le docteur se leva, prit les pulsations du notaire, lui souleva les paupières et regarda sa langue. Il dit en se rasseyant :

— Ça va, on peut continuer. Dis-moi, as-tu vu mon chenapan de fils ? Donne-t-il satisfaction à Arcand ?

— Arcand n'a pas l'air de s'en plaindre. Ce qui est plus préoccupant, c'est son exaltation politique. Il parle de s'organiser, de trouver des armes et de régler leur compte aux constitutionnels.

— Diable! C'est fâcheux, ça. Je vais aller le rechercher par la peau du cou, moi, s'il fait des bêtises.

— Pour le moment, il n'y a pas lieu de s'énerver. Lui et ses amis ne font pas grand-chose : ils se contentent d'aller écouter les membres de la Société Saint-Jean-Baptiste refaire le monde chez Édouard Fabre, le libraire. Tant qu'ils ne vont pas dans la rue provoquer les fanatiques du Doric Club, ils ne risquent rien. De toute façon, s'il jugeait qu'il court un danger, Arcand t'en avertirait tout de suite : il me l'a promis.

Ils parlèrent ensuite du nouveau curé qui se mêlait de ce qui ne le regardait pas, et Daviault approuva son ami sans réserve lorsqu'il lui fit le récit de leur orageuse entrevue.

La saignée terminée, le docteur appliqua de fines compresses sur le bras du notaire avant de l'emprisonner dans un bandage «en huit» qu'il montra à Mary. Il examina ensuite le contenu du vase, trouva le sang vert-bleuâtre, signe d'engorgement du foie, et prescrivit une purge au sel d'Epsom.

— Voilà, dit-il, après ça, tu te sentiras comme un jeune homme.

⁓

L'automne passa. Les grands érables perdirent leurs feuilles écarlates et la tonnelle se dénuda. Firmin ratissa l'allée, fit de grands tas de feuilles qui dégageaient en brûlant une épaisse fumée, récolta les betteraves et les derniers choux du jardin et enveloppa les rosiers qui entouraient la galerie dans de la paille pour qu'ils ne gèlent pas. De longs voiliers d'outardes et de sarcelles traversèrent le ciel pour la plus grande joie des chasseurs, et Mary aida Bertille à plumer le gibier que le docteur ramenait de ses tournées. Souvent, les habitants le payaient en nature. Selon la saison, il ramenait de la sauvagine, du blé d'Inde, du lard, des œufs, des fraises ou des anguilles.

À la première neige, comme prévu, le cheval, qui n'avait pas voulu se laisser capturer et qui hantait la commune depuis plusieurs semaines, se rapprocha de la berge où il se mit à hennir de détresse. En conduisant à l'écurie la bête farouche au corps agité de tremblements, son propriétaire regardait avec consternation ses côtes saillantes et se lamentait qu'il n'aurait pas assez de tout l'hiver pour le rendre présentable.

Après la Toussaint, les routes, transformées en bourbiers, devinrent impraticables pour les voitures. En attendant de pouvoir utiliser le traîneau, le docteur Rondeau se rendit chez ses patients à dos de cheval. Il rentrait aussi crotté et fourbu que sa monture. En abandonnant son manteau trempé dans la cuisine pour qu'on le fît sécher devant le poêle, il répétait chaque soir : «Vivement qu'il neige!»

À la Sainte-Catherine, Mary apprit comment doser le sucre et la mélasse pour confectionner la tire, mais l'orgie qu'elle en fit avec Hortense ne la consola pas de ne pouvoir accepter l'invitation des Campeau, chez qui se réunirent voisins et parents pour festoyer et danser au son du violon.

— Patience! Tu viendras pour Noël, avait dit Francine.

Noël! Mary l'attendait-elle ce seul jour de l'année où son congé irait au-delà des quelques heures consenties le dimanche après-midi ! Bertille le lui avait dit : elles se rendraient ensemble chez les Campeau et n'en reviendraient que le lendemain.

Le jour suivant la Sainte-Catherine, Charles se présenta à la porte de la cuisine. Il avait profité de la fin de la période de navigation pour venir faire une visite avant de s'engager au chantier naval. Il avait espéré voir Mary plus longuement et regrettait qu'elle n'ait pas été à la fête. Mais là, il fallait qu'il parte : s'il arrivait trop tard au chantier, toutes les places seraient prises. Bertille, pour être aimable, se trouva quelque chose à faire à la cave et les laissa seuls. Aussitôt qu'elle eut disparu dans l'escalier, Charles prit les mains de Mary et lui demanda, suppliant :

— Alors, tu as réfléchi, tu te sens prête, maintenant ?

Elle baissa les yeux pour ne pas affronter la peine qu'elle allait lui faire.

— Non, Charles, pas encore. Tu ferais peut-être mieux de m'oublier.

Il protesta :

— Je ne veux pas t'oublier, Mary. C'est toi que je veux épouser.

Que pouvait-elle faire ? Ajourner encore ? Jean-Denis s'était engagé pour deux ans : il serait bientôt de retour. Sûrement avant Noël.

— Je déciderai pour Noël.

— Je ne peux pas venir à Noël. Mais au printemps, je passerai avant de reprendre mon service sur le *John Molson*, et là, tu me donneras ta réponse pour de bon.

Elle approuva d'un geste incertain. C'est à ce moment-là qu'il aurait dû partir, mais il n'arrivait pas à s'y décider, car il ne l'avait pas vue depuis des semaines et ils venaient de passer très peu de temps ensemble. Tout en pressentant son erreur, il ne put s'empêcher de lui donner l'information qu'il avait pourtant prévu de garder pour lui.

— Sais-tu que Jean-Denis est revenu ? Je l'ai vu à Montréal.

Mary sentit qu'elle manquait d'air. Elle alla à la fenêtre, l'ouvrit et tendit son visage vers l'extérieur. Une rafale de vent s'engouffra dans la cuisine, qu'elle ne sentit pas et qui fit chuter divers objets. Posément, Charles la prit aux épaules pour l'éloigner de la fenêtre qu'il referma. Il ramassa ce qui était tombé, sans la regarder, pour lui donner le temps de se reprendre.

Il eut mieux valu qu'il s'en tienne à sa décision première : il aurait encore de l'espoir. Car il était clair que la nouvelle bouleversait Mary. Quand il la regarda, la vue de son visage heureux le frappa comme un coup de poing. Pris d'un désir de revanche, il voulut lui faire mal à son tour :

— Nous avons passé un moment ensemble. Il voulait avoir des nouvelles de tout le monde. Je lui ai raconté pour Herminie. Je lui ai dit aussi que Francine allait se marier et que toi, tu travaillais ici. Je croyais qu'il viendrait vous voir, mais il prétend qu'il a trop à faire.

Il ricana :

— Ce qu'il fait, moi je le sais : il boit son argent avec des filles dans les bordels du port.

Mais la phrase perfide manqua son but. La seule chose que Mary avait retenue, c'était le retour de Jean-Denis. Charles était oublié, ses hésitations aussi : Jean-Denis allait venir et rien d'autre ne comptait.

La colère de Charles retomba. Il ne lui restait que le sentiment d'être abandonné. Il aurait voulu retourner en arrière et continuer d'ignorer combien elle était attachée à son frère. S'il n'avait rien dit, il aurait attendu Pâques avec l'espoir de se voir agréé, mais il savait maintenant qu'il n'avait pas besoin de revenir. La réponse, il la connaissait.

La clochette de madame Rondeau délivra Mary qui avait hâte de quitter Charles.

— Tu ne m'embrasses pas? lui demanda-t-il, l'air misérable, comme elle s'apprêtait à sortir de la cuisine. Pour me souhaiter la bonne année, puisqu'au moment de le faire, je ne serai pas là.

Mary, prise de pitié, l'embrassa avec chaleur, mais elle s'esquiva lorsqu'il ébaucha le geste de la serrer contre lui.

Jean-Denis était de retour! Il viendrait sûrement pour Noël. Francine aussi l'espérait, et Bertille, et toutes les femmes de la famille, qui en parlèrent chez la tante Zélie. Il était parti depuis deux ans, et il ne restait plus qu'un mois à l'attendre. Mais à décompter chaque heure de chaque jour, ce fut interminable.

Les Rondeau aussi attendaient quelqu'un : Hervé, le fils aîné, qui viendrait passer une semaine. Cela occasionna un grand branle-bas dans la maison. Il fallut aérer sa chambre, qui n'avait pas servi depuis des mois, et la préparer une semaine avant Noël parce qu'il n'avait pas annoncé la date exacte de son arrivée et que tout devait être prêt pour l'accueillir. Madame Rondeau et Bertille eurent d'interminables conciliabules pour établir les menus de manière à y faire figurer les plats préférés du garçon. Monsieur Rondeau, en lisant son journal, disait à tout propos : « Est-ce bien vrai, ça ? Il faudra que je demande à Hervé, lui qui est à Montréal, il doit savoir. » Quant à Hortense, c'était la plus impatiente : elle adorait son frère, l'admirait inconditionnellement et se promettait monts et merveilles de son séjour. La dernière semaine, elle commençait toutes ses phrases par : « Quand Hervé sera là… »

Il déplut tout de suite à Mary qui comprit, à sa façon de la regarder – comme s'il avait pu voir sous sa chemise –, qu'elle ferait mieux de se méfier si elle ne voulait pas risquer d'enrichir de sa personne la confrérie des servantes engrossées par le fils de la maison. Doté de traits fins, de cheveux blonds et bouclés, d'un port hautain, c'était un beau garçon, plus gâté par la nature que sa jeune sœur. Habillé avec recherche, muni de l'indispensable canne d'ébène des élégants, il paradait sous les yeux ravis de ses proches.

Sa venue donna beaucoup de travail à la cuisinière et à la femme de chambre parce qu'elle fut l'occasion de lancer nombre d'invitations. À titre d'intimes, les Daviault étaient de tous les dîners avec leur fille Henriette. Celle-ci se pâmait d'amour pour le bel Hervé qui ne lui accordait aucune attention.

Lorsque le repas en était aux liqueurs, les deux jeunes filles, autorisées à quitter la table, fuyaient les conversations des adultes pour aller se réfugier dans la chambre d'Hortense. Mary, venue leur apporter un rafraîchissement, surprit plusieurs fois Hortense en train de consoler son amie :

— Mais si, Henriette, je suis sûre que tu lui plais! Seulement, en ce moment, il n'y a que la politique qui l'intéresse, et ils sont tous comme ça. Tu les as entendus? Ils sont incapables de parler d'autre chose.

En effet, au salon, la discussion faisait rage. L'affaire Duvernay était à l'honneur, mais aussi la courte session parlementaire de douze jours qui n'avait servi qu'à rendre plus fermes les positions de chaque parti.

Gosford partageait avec Adam Thom le titre d'ennemi public. Que le gouverneur ait aboli le régiment de fusiliers composé de jeunes tories qui s'était formé sur les incitations du journaliste-avocat n'était pas jugé suffisant, puisqu'Adam Thom continuait, sans être menacé, de publier des articles haineux incitant à la violence. Les convives du docteur Rondeau n'avaient pas de mots assez durs pour les vilipender, et son fils plus que les autres, qui préconisait la création d'un groupe armé pour faire pendant au Doric Club.

Mais, quoi qu'en pense sa sœur, le fils de la maison ne s'intéressait pas qu'à la politique, Mary était bien placée pour le savoir. Il avait entrepris de la séduire tambour battant, car le temps pressait. Il n'avait qu'une semaine pour aboutir sur la paillasse de la femme de chambre, et, s'il voulait en profiter un peu, il devait y parvenir le plus vite possible. Hervé Rondeau n'avait pas perdu de temps en compliments ni en promesses : sa cour s'était résumée à lui dire entre deux portes qu'il la rejoindrait le soir dans sa chambre pour qu'ils se donnent du bon temps ensemble.

Mary lui avait opposé une fin de non-recevoir, mais elle savait qu'il monterait quand même et qu'elle ne pourrait pas crier pour obtenir du secours sous peine d'être traitée d'aguicheuse et de perdre sa place.

Elle en fut tourmentée toute la journée, ne sachant comment se tirer de ce mauvais pas. La seule qui pouvait l'aider, c'était Bertille. Mais elle adorait Hervé, et la jeune servante n'osa pas lui exposer clairement le problème. À la place, elle fit état de cauchemars qui la réveillaient en sursaut et l'empêchaient de se rendormir. Si, pendant quelques nuits, elle ne dormait pas seule, insinua-t-elle, ça irait peut-être mieux.

C'est à ce moment qu'Hervé entra dans la cuisine sous un prétexte fumeux. Il engagea la conversation avec Bertille tout en rôdaillant du côté de Mary qu'il frôla intentionnellement à plusieurs reprises. La cuisinière, qui n'était pas née de la dernière pluie, vit le manège et, lorsque le jeune homme fut reparti, elle dit à la femme de chambre :

— Pour les cauchemars, je suis un très bon remède. Viens dormir avec moi, ce soir.

Mary se félicita d'avoir été méfiante, car elle entendit le soir même des pas monter l'escalier des combles et s'arrêter devant sa chambre. Après avoir levé la clenche de la porte, qui ne fermait pas à clé, et constaté que la pièce était vide, le visiteur exprima sa déception par un juron sonore, parfaitement perceptible de la pièce voisine.

Bertille serra la main de Mary :

— Ne t'en fais pas, dors.

Le lendemain, Mary avait peur qu'il ne se venge, ce qu'il fit en lui infligeant une série

de corvées inutiles et humiliantes comman-
dées avec beaucoup de morgue. Mais, au
grand soulagement de la jeune fille, il s'en
lassa vite et préféra bientôt l'ignorer.

Noël vint enfin, un beau Noël blanc et
froid. Bertille et Mary passèrent toute
la journée du 24 décembre à préparer le
réveillon des maîtres afin que tout fût prêt
et qu'ils n'aient qu'à se servir. Le visage en
feu au-dessus du poêle, la cuisinière tournait deux sauces en même temps tout en
récitant ses *Ave* et en regardant si Mary
abaissait la pâte convenablement. Elles
firent des pâtés, des beignets, des mokas.
La cuisine embaumait, ce qui leur valut la
visite de tous les habitants de la maison.
Madame Rondeau, qui ne pouvait s'empêcher de venir vérifier si tout était fait à
sa convenance, soulevait les couvercles et
donnait des conseils inutiles. Elle exaspérait d'autant plus Bertille qu'elle devait la
subir en silence. La cuisinière se rattrapait
lorsque c'était l'un des enfants qui venait
chiper une gourmandise dans un plat.

— Je ne veux personne dans ma cuisine, protestait-elle en brandissant la louche ou le couteau à découper qu'elle avait en mains. Sortez !

Hervé, faisant semblant d'être terrorisé, mettait ses mains devant lui pour se protéger :

— Je t'en supplie, Bertille, ne me frappe pas.

Elle grognait qu'elle en était capable et faisait mine de le poursuivre.

— Ne te fâche pas, Bertille, je m'en vais !

Mais il ne s'en allait qu'après avoir trempé son doigt dans chaque marmite.

Hortense s'y prenait autrement :

— Ma petite Bertille, ça a l'air si bon ce que tu fais ! Je peux goûter ? demandait-elle câline.

— Non, on ne goûte pas. C'est pour cette nuit.

— Juste à peine, Bertille, je meurs de faim.

La cuisinière se laissait toujours fléchir, mais elle la chassait ensuite en lui interdisant de reparaître devant ses yeux.

Il y avait jusqu'au docteur qui venait faire un petit tour sous prétexte que de si bonnes odeurs l'empêchaient de se concentrer sur sa revue médicale. Résignée, Bertille lui servait une part de ce qu'il préférait dans une petite assiette. Il la dégustait debout, sans ménager ses compliments.

Lorsqu'à leur tour Firmin et le labrador pointaient leur nez à la porte, elle les interpellait :

— Entrez, vous deux ! Tout le monde en a eu, il n'y a pas de raison que vous soyez les seuls à vous contenter de l'odeur.

Mary travailla avec Bertille jusqu'à ce qu'arrive l'heure d'aider madame Rondeau et Hortense à s'habiller pour la messe de minuit.

En se faisant coiffer, Hortense soupirait :

— Quelle journée interminable ! J'ai cru qu'elle ne finirait jamais. Je m'ennuie depuis que je suis levée.

Mary, quant à elle, ne s'était pas ennuyée. Elle avait couru depuis l'aube sans même avoir le temps de s'asseoir pour manger.

Mais peu importait la fatigue : après plus de deux ans, elle allait revoir Jean-Denis.

Les Rondeau et leurs domestiques se rendirent à l'église à pied, comme tous les gens du village, alors que les habitants des rangs arrivaient en carriole – que la neige et le froid avaient permis d'équiper de patins –, dans le tintement des grelots, les hennissements des chevaux et les aboiements des chiens. En cette nuit exceptionnelle où tout paraissait joyeux et un peu irréel, il était facile de croire au miracle, et Mary y croyait très fort. Sur le parvis, les femmes et les enfants échangeaient des salutations avec leurs connaissances en attendant que les hommes aient conduit les chevaux dans une écurie accueillante ou, à défaut, les aient attachés à un poteau et protégés du froid avec une épaisse couverture.

Mary repéra tout de suite Francine et s'en fut la rejoindre. Son amie lui dit en l'embrassant :

— Je suis heureuse que tu puisses venir fêter avec nous.

Heureuse, Mary l'était aussi : elle avait attendu ce jour si longtemps ! Le père

Campeau arriva, Julien Lacroix aussi, et l'oncle Alphonse, et l'oncle Jérémie.

— Nous sommes tous là ? demanda la tante Zélie après avoir jeté un regard circulaire.

Comme les autres approuvaient, elle ajouta :

— Alors, entrons !

Le cœur de Mary s'affola. Et Jean-Denis ? Où était Jean-Denis ? Il était impossible qu'il ne soit pas venu : tout le monde l'attendait.

Avant que Francine ne suive sa famille et qu'elle-même rejoigne le banc des Rondeau, elle osa la question :

— Où est Jean-Denis ?

— Il n'est pas venu, répondit son amie. C'est dommage, ajouta-t-elle avec une pointe de tristesse, on aurait aimé le voir. Mais on sait qu'il est vivant, c'est l'essentiel. On le verra à mes noces. Là, je suis sûre qu'il viendra !

Pour Noël aussi, elle en était sûre. Maintenant que l'espoir de voir le jeune homme ne portait plus Mary, la fatigue de la journée lui tomba dessus, et elle regretta de ne pas pouvoir aller se coucher.

Quand la messe fut terminée, elle quitta la famille Rondeau. Monsieur et madame lui serrèrent la main en lui souhaitant un joyeux Noël, Hortense l'embrassa sur les deux joues et Hervé affecta de regarder ailleurs. Francine, que la perspective de la fête mettait de bonne humeur, l'entraîna chez la tante Zélie.

Le réveillon des Campeau avait été préparé avec autant de soin que celui des Rondeau, et la nourriture y était aussi abondante. Les convives, mis en appétit par le froid intense, firent honneur aux mets. Pour ne pas éveiller la curiosité de son amie, Mary cacha sa peine comme elle put, s'efforçant de sourire pour paraître à l'unisson. De toute manière, le bruit était si fort que personne ne s'aperçut de son mutisme. À mesure que la soirée avançait, elle se laissait gagner par la gaieté ambiante et elle finit par oublier sa déconvenue, riant avec les autres des farces de l'oncle Alphonse, le comique de la famille.

Soudain, tante Louise qui passait près de la porte avec un plat de croquignoles se figea.

— Taisez-vous, dit-elle, je crois qu'on a frappé.

Elle s'attira toutes sortes de quolibets. Quelqu'un insinua même qu'elle avait dû cacher un flacon de rhum dans la poche de son tablier – le rhum, c'était connu, faisait entendre des voix. Mais les coups reprirent, et là, tout le monde les entendit. C'était tellement inattendu que le silence se fit.

— Qui cela peut-il être, à cette heure ? fit Zélie, perplexe.

— Si on ne va pas voir, on ne le saura pas, répondit le père Campeau en allant ouvrir.

Sur le seuil, il y avait un jeune homme habillé en coureur des bois. Il tenait encore à la main la raquette qu'il avait utilisée pour frapper. C'était lui.

Mary crut que son cœur allait cesser de battre. Tout devint plus beau, plus gai, plus léger.

Les exclamations de surprise et de joie fusèrent de toute part. La voix de l'oncle Alphonse couvrit toutes les autres et on l'entendit s'exclamer :

— Tu n'es pas venu avec la chasse-galerie, toujours, mon Jean-Denis ?

Sa femme le gourmanda :

— Ne dis pas ça, Alphonse, ça porte malheur de parler du Diable.

Elle se signa avec vigueur, machinalement imitée par une ou deux autres femmes.

Mary connaissait la légende qui était au répertoire de Césarie Pouliot. Elle imagina un instant celui qu'elle aimait dans le canot volant guidé par le Démon et dut admettre que cette image de risque-tout lui allait bien.

Un attroupement s'était formé autour du nouveau venu. Sa mère et sa tante Louise l'aidèrent à se débarrasser de ses vêtements en tirant chacune sur une manche. Tante Zélie lui donna du ragoût de pattes, oncle Jérémie du vin de cerises, Francine des croquignoles, oncle Alphonse du rhum… Tout en le gavant, ils l'assaillaient de questions, mais lui reprochaient de ne rien manger dès qu'il interrompait sa mastication pour y répondre. Il fit honneur à tout ce qu'on lui servit, puis finit par demander grâce et repoussa son assiette.

Sur son arrivée tardive, Jean-Denis ne fut pas très clair. Il parla plus volontiers de sa vie de coureur des bois. Devant un auditoire suspendu à ses lèvres, il évoqua l'existence sauvage qui avait été la sienne pendant deux ans. Quelques-uns des hommes présents avaient mené autrefois la même vie, et le récit du jeune homme leur rappela des souvenirs d'où ils avaient banni la fatigue et les moustiques, les interminables portages et le sempiternel blé d'Inde au lard, pour ne retenir que l'accueil des filles nomades, la solidarité des compagnons de canot et les bivouacs au clair de lune. Les jeunes garçons écoutaient bouche bée et leurs mères soupiraient, sachant qu'ils ne rêvaient que d'une chose : y aller à leur tour. Un cousin lui demanda une chanson d'aviron, et toute la tablée se mit à scander : «Jean-Denis, une chanson!» Sans se faire prier, il entonna :

Ce sont les voyageurs
Qui sont de bons enfants;
Ah! qui ne mangent guère,
Mais qui boivent souvent!

Tout le monde reprit en chœur le refrain :

Lève ton pied, ma jolie bergère !
Lève ton pied, légèrement !

Mary chantait avec les autres, aussi légère que la bergère. Chaque fois que le chanteur posait les yeux sur elle, il lui souriait. Jamais elle ne s'était amusée ainsi, jamais elle n'avait été aussi heureuse. La fête terminée, trop exaltée pour dormir, elle resta les yeux ouverts, à penser à Jean-Denis, pendant que Francine, qui lui avait offert la moitié de son lit, dormait paisiblement.

Elle attendit toute la journée du lendemain qu'il vienne frapper à la porte de la cuisine, mais il ne vint pas. Le jour suivant, elle espéra encore. En vain : il était reparti. À la messe du dimanche, elle épia Marie-Berthe Ferland, celle que Jean-Denis embrassait sur la bouche selon de vieilles confidences de Francine. Dès son arrivée à Berthier, Francine la lui avait présentée, ainsi que ses autres amies d'enfance. Depuis, elle se demandait ce qu'il avait pu trouver d'attirant à celle qu'elle appelait en secret «la Marie-Filasse». Elle n'était pas belle et elle avait l'air sotte. Sans doute était-elle «facile», comme aurait dit Margot. Mary s'était persuadée que pour Jean-Denis, sa voisine ne comptait plus. Mais elle avait un air triomphant, aujourd'hui, la Marie-Filasse, et la jalousie lui tordit les entrailles. Était-il allé la voir?

Mary se croyait liée au jeune homme parce que, avant de s'en aller, deux ans auparavant, il lui avait dit de l'attendre. Mais lui, qu'avait-il promis? Rien. Jamais il n'avait parlé de mariage. Quant à ses projets d'avenir, elle n'y figurait pas. Elle s'était imaginé y avoir une place, alors qu'elle était peut-être une simple confidente. Jean-Denis avait dû oublier leurs rendez-vous depuis longtemps. Si elle avait eu quelque importance, il serait venu vérifier ses sentiments avant de repartir et il aurait parlé des siens. Qui sait s'il n'avait pas une famille dans une tribu? Il avait passé deux ans au loin, le temps de prendre femme et d'avoir un enfant. Lorsque son cousin Robert lui avait demandé s'il allait y retourner, il n'avait pas dit non, sa réponse était restée floue.

En se remémorant cette nuit de fête, qui lui avait donné tant de bonheur, Mary dut admettre que cela n'avait été que du vent. Elle avait cru que les sourires de Jean-Denis étaient tendres, mais ils ne devaient pas être différents de ceux qu'il faisait aux autres jeunes filles. Elle regrettait amèrement la période heureuse d'avant Noël, celle où ses rêveries lui montraient le coureur des bois amoureux d'elle.

Francine, habilement sondée, ne put rien lui apprendre au sujet d'éventuelles allées et venues du jeune homme avant son départ : elle était retournée chez Lacroix dès le lever du jour parce que les enfants s'éveillent tôt, quelle que soit l'heure où ils se sont couchés, et que les bêtes ne jeûnent pas sous prétexte que les humains ont fêté toute la nuit. Son amie ignorait ce qu'avait fait son frère avant de s'en aller pour une destination qu'il n'avait d'ailleurs pas précisée. Mary mit toute sa volonté à chasser le sourire content de la Marie-Filasse qui lui revenait chaque fois qu'elle trouvait une excuse à la défection de Jean-Denis. Elle luttait contre toute raison pour raviver son espoir en pensant aux noces de Francine qui le ramèneraient en juin.

❧

Pendant les mois qui suivirent, la fièvre politique ne désempara pas, attisée par les brûlots des boutefeux qui ne souhaitaient qu'une chose : l'affrontement. Adam Thom était de ceux-là. Le notaire Daviault arriva un jour chez son ami le docteur en brandissant la dernière édition du *Montreal Herald*. Il était hors de lui et prit à peine le temps de saluer madame Rondeau.

— Écoute ce qu'il a osé écrire sur nous, dit-il à peine entré, c'est un appel au meurtre : « Entassés comme ils le sont sur les rives du Saint-Laurent et autres voies navigables, on pourrait les atteindre dans tous leurs villages avec un gros canon monté sur une canonnière qui, crachant des obus de quarante-huit livres, pivoterait et décrirait des cercles successifs de feu et de sang d'un bout à l'autre des seigneuries. »

Le docteur et le notaire pestèrent la soirée durant contre le fou furieux. Cependant, ils convinrent qu'il valait mieux ne pas lire ces horreurs à la salle du presbytère. Thom ne pouvait pas être représentatif de la majorité des Anglais : s'ils voulaient dominer les Canadiens, ils n'avaient pas le projet de les exterminer. Leurs concitoyens étaient suffisamment irrités sans que le docteur et le notaire leur fassent connaître les propos d'un extrémiste que le gouverneur lui-même désapprouvait. D'ailleurs, on ne connaissait pas encore le résultat du rapport d'enquête des commissaires qui avaient été envoyés par le gouvernement britannique l'année précédente. S'ils étaient de bonne foi, tout pouvait encore s'arranger.

Au début du mois d'avril, on le connut. La réponse du gouvernement britannique aux demandes canadiennes était parfaitement claire : Londres rejetait toutes les revendications et autorisait le gouverneur à prendre dans le trésor les sommes nécessaires aux dépenses gouvernementales. Les journaux se déchaînèrent. « Il est temps que chacun commence à nettoyer sa carabine et à dérouiller sa lance ! » pouvait-on lire dans *Le Canadien*, tandis que *La Minerve* s'en prenait à Gosford : « C'est sur la tête de cet homme, c'est sur sa faiblesse et l'imbécillité de son administration que nous faisons retomber tous les torts dont se rendent, dans ce moment, coupables les ministres en Angleterre.» Le *Vindicator*, quant à lui, accusait le ministère britannique de faire de la province «l'Irlande de l'Amérique du Nord».

La permission donnée par Londres au gouverneur de mettre la main dans les coffres provoqua, en représailles, un appel au boycott des produits anglais et à la contrebande. *La Minerve* reproduisit le discours du docteur Wolfred Nelson sur ce sujet. Le notaire en fit la lecture le dimanche suivant, après la messe, de sa voix grave et persuasive.

Dès lors, tandis que les chefs patriotes préparaient une série d'assemblées publiques de protestation contre la décision du gouvernement britannique, les jeunes habitants allèrent s'approvisionner en whisky de l'autre côté de la frontière. Quant à elles, madame Rondeau et ses invitées du jeudi après-midi affectaient de coudre de rudes toiles du pays en buvant une infusion de trèfle rouge qu'elles prétendaient meilleure que leur thé habituel.

À la mi-mai, il y avait encore de la neige, et de nombreuses familles, leurs provisions épuisées, avaient du mal à survivre. On fit appel aux réserves de la paroisse pour leur porter secours. Sans cela, plusieurs seraient mortes de faim. Selon les journaux, la situation dans les environs du lac Saint-Pierre était pourtant moins grave qu'en aval de Québec où, après plusieurs années de mauvaises récoltes, la misère gagnait toujours davantage.

Julien Lacroix, le futur époux de Francine, avait une bonne ferme dont le rapport était satisfaisant, même si elle n'était pas aussi prospère qu'au début de la décennie. Il restait encore des provisions et ils avaient pu garder le cochon engraissé en prévision de la noce. Francine, cependant, redoutait que la fête ne soit pas réussie.

— Et si la neige ne fond pas? disait-elle à Mary dimanche après dimanche. Tu imagines le genre de mariage que ce sera, s'il y a encore de la neige?

Son amie la rassurait : de la neige en juin, personne n'avait vu ça.

— Détrompe-toi : il y a vingt ans, il a neigé jusqu'à la fin du mois de juin. Les tantes en parlent souvent.

Mais le temps n'était pas le plus grave souci de Francine : son futur époux était plus engagé dans la contrebande qu'elle ne l'aurait voulu. Bien qu'il ne lui en ait rien dit, elle avait compris qu'il ne ramenait pas que du whisky et que, sous la trappe de la cuisine, il y avait des armes parmi les navets et les carottes. Jean-Denis, qui était passé une nuit où ils avaient déchargé des sacs de jute au contenu mystérieux, n'avait pas été plus prolixe. Malgré leurs dénégations, Francine sentait que tout cela était dangereux. Elle craignait que le spectre de la guerre civile, qui était sporadiquement agité, ne soit pas une menace en l'air : quand on se procure des fusils, c'est que l'on est prêt à se battre.

— Jean-Denis est venu ? questionna Mary d'une petite voix.

— Oui, mais il ne faut pas le dire. Il est arrivé en canot à la nuit et est reparti avant le jour.

— Et il va venir pour tes noces ?

— Il me l'a promis.

Mary ne savait pas si elle devait ou non être heureuse d'avoir eu des nouvelles de Jean-Denis. L'assurance de le voir prochainement était une grande joie, mais elle était tempérée par la crainte qu'il ne lui arrive malheur. La contrebande était déjà un acte illégal pour lequel il serait puni s'il se faisait prendre, mais le trafic des armes était beaucoup plus grave que celui de l'alcool ou du thé. On parlait de peines extrêmement sévères, de bagne, de pendaison.

Dire qu'à son arrivée à Berthier, elle était persuadée qu'elle avait laissé l'agitation politique loin derrière! En disant qu'il ne se passait jamais rien dans son village natal, Francine avait été très éloignée de la vérité. Mary craignait même qu'il ne s'y passe trop de choses.

L'ouverture du fleuve à la navigation apporta chez le notaire Daviault des nouvelles de France. Charles-Étienne avait envoyé deux lettres : une à son père, que celui-ci vint lire dans le salon des Rondeau, et une à sa sœur, qu'Henriette s'empressa d'apporter à son amie Hortense.

À son père, Charles-Étienne parlait de ses études. Il l'assurait qu'il travaillait avec beaucoup de sérieux, précisant que le docteur Rouvière, l'ami du docteur Rondeau auquel celui-ci l'avait recommandé, était ouvert aux progrès et qu'il se perfectionnait sous sa houlette. Du climat social en France, le jeune homme ne disait pas grand-chose : ce qui l'intéressait, c'était la situation au Bas-Canada, dont il ne savait rien depuis la dernière lettre de sa famille à l'automne. Ce n'étaient certes pas les journaux britanniques, dont certains étaient accessibles à Paris, qui pouvaient lui en donner une idée juste, écrivait-il avec dérision. Il priait instamment son père de l'informer de l'avancement de la cause des patriotes.

La lettre à sa sœur était plus légère. N'étant pas officiellement fiancé à Hortense, Charles-Étienne ne pouvait pas lui écrire : cela aurait été contraire aux règles de la bienséance. Pour contourner l'interdit, il avait envoyé à sa sœur une lettre intitulée «Ma chère âme», qui se terminait ainsi : «J'espère, ma très chère sœur, que vous partagerez cette missive avec votre amie Hortense qui occupe dans mon cœur une place privilégiée.» L'inhabituel voussoiement qu'il employait dans toute sa lettre en était un de pluriel et non de politesse; les deux amies ne s'y trompèrent pas.

Henriette la lut d'abord à haute voix, puis elle la donna à Hortense qui la lut à son tour. Charles-Étienne, outre qu'il donnait de ses nouvelles, parlait aux jeunes filles de la mode parisienne. «Je sais, disait-il, que le sujet vous intéresse, alors, pour vous complaire, je me suis informé des habits et de la parure des dames afin de vous en faire la description.»

Les jeunes filles apprirent que les élégantes arboraient des vêtements et des bijoux inspirés d'époques ou de lieux lointains et étranges. Le Moyen Âge était à la mode, grâce aux romans de Walter Scott et à *Notre-Dame de Paris*, de Victor Hugo, dont elles avaient déjà vu des illustrations envoyées à madame Rondeau par sa mère. Depuis que ce roman avait été adapté au théâtre, l'année précédente, nombre de jeunes femmes portaient des châles «Esméralda». N'hésitant pas à mélanger les genres, elles y ajoutaient parfois un bijou issu de la Renaissance, la ferronnière, qui était une perle retenue sur le front par une chaînette ou un ruban. Avec la récente conquête de l'Algérie, l'Orient aussi était à l'honneur. Les Françaises portaient, entre autres, des bracelets à forme de nœuds arabes. Cette lecture arracha aux jeunes filles force soupirs. Elles auraient troqué sans regret leurs sages bijoux en corail contre des parures romantiques représentant chevaliers, licornes ou gargouilles.

Charles-Étienne leur disait aussi que les robes, confectionnées dans les tissus les plus variés – soie, cachemire, satin, crêpe, taffetas –, avaient gagné de l'ampleur au niveau de la jupe, tandis qu'elles en perdaient à celui des manches. Quant aux chapeaux, ils se faisaient plus petits, de forme capote.

— Heureusement qu'il ne nous voit pas avec nos robes en laine du pays, commenta

Hortense. J'espère que tout sera réglé avant son retour et que nous aurons recommencé de nous habiller décemment. On est fagotées comme si on avait enfilé des sacs!

Henriette la reprit :

— Veux-tu te taire! Ce n'est pas digne d'une patriote de parler ainsi!

— Tu as raison, ironisa-t-elle, je suis trop futile. Mais continuons cette lettre. Quel plaisir d'avoir de ses nouvelles!

— Oui, j'en suis très heureuse, dit son amie, qui ajouta tristement : c'est dommage qu'Hervé ne t'écrive pas.

— Mais Hervé est à Montréal, c'est tout près et il peut venir facilement.

— Oui, il pourrait, mais il ne le fait pas…

— C'est à cause des événements politiques, Henriette, je te l'ai dit cent fois.

— Je sais : je radote. Revenons à la lettre de Charles-Étienne.

Pour finir, le jeune homme avouait : «La précision de mes connaissances dans le domaine de la mode doit vous étonner. Il faut que je vous confesse qu'elle n'est pas le fruit de mes observations : je n'aurais pas su remarquer tout cela. Ma science toute neuve me vient de madame Rouvière, l'épouse du docteur chez qui je complète ma formation. Quand je lui ai fait part de mon projet de vous donner les grandes lignes de la mode parisienne, elle a eu la gentillesse de m'apprendre ce que je viens de vous écrire. Elle m'a aussi recommandé un livre de madame de Genlis, *Adèle et Théodore*, comme étant une excellente lecture pour une jeune fille. Je le joins à mon courrier et j'espère que vous l'aimerez. »

Tout en ne pouvant s'empêcher de regretter que Charles-Étienne n'ait pas plutôt choisi *Notre-Dame de Paris*, les deux amies décidèrent de lire *Adèle et Théodore* ensemble et à haute voix.

Mary, qui les entendait depuis la lingerie, espéra que la lecture se ferait chez les Rondeau afin qu'elle pût en profiter. Elle fut immédiatement rassurée par la proposition d'Henriette :

— Je l'apporterai pour le lire ici : à la maison, on n'est jamais tranquille avec mes petites sœurs.

La lettre de Charles-Étienne Daviault rappela à Mary que son père, la dernière fois qu'il lui avait fait écrire chez monsieur Shandon, lui avait demandé d'envoyer de ses nouvelles une fois l'an. Elle eut envie de prier Hortense de le faire pour elle, mais elle songea que madame Rondeau, en l'apprenant, serait froissée. Elle alla donc trouver l'épouse du docteur dans son boudoir et lui demanda si elle voulait écrire pour elle à ses parents.

— Certainement, répondit madame Rondeau avec bienveillance.

Elle prit du papier et une plume et demanda à Mary :

— Que veux-tu que je leur dise ?

— Que je vais bien et que j'ai une bonne place.

— Bon. Et puis ?

Mary resta muette. Que pouvait-elle leur dire d'autre ? Il y avait si longtemps qu'elle les avait quittés. Ils ne savaient rien de sa vie, des gens qu'elle connaissait, du pays où elle vivait.

— C'est tout, répondit-elle.

— Je pourrais quand même leur raconter comment tu vis, tu ne crois pas ?

— Si vous voulez.

Madame Rondeau fit une longue lettre où elle décrivit complaisamment sa belle maison et la bonne situation de son mari. Elle ajouta que Mary était très heureuse de sa vie à Berthier et donnait entièrement satisfaction à ses maîtres. Puis elle en fit lecture à sa femme de chambre qui déclara que c'était tout à fait ce qu'elle avait voulu dire à ses parents. Aucune des deux ne s'avisa que la lettre était écrite en français, et que Sean O'Connor avait peu de chances de trouver quelqu'un pour la lui traduire.

Le deuxième dimanche de mai, commença la publication des bans en vue du mariage de Francine Campeau et de Julien Lacroix. Le curé s'en acquitta à la fin du prône, trois semaines consécutives, précisant que s'il y avait dans l'assemblée quelqu'un connaissant une raison de s'opposer à cette union, il devait en informer la communauté. Francine, rougissante, baissait les yeux tandis que les autres filles la regardaient en gloussant. Mary se réjouissait du bonheur de son amie.

Lors d'une promenade le long du fleuve, Francine lui avait confié que sa nuit de noces n'aurait pas grand-chose à lui apprendre : à force de s'embrasser dans le foin, à l'heure de la traite, ils avaient fini par passer à d'autres jeux.

— Et alors, avait voulu savoir Mary, comment c'est ? Raconte !

Francine, gênée, n'avait rien voulu dire.

— Tu verras toi-même.

Mary avait insisté, lui rappelant qu'elles s'étaient promis de tout se dire.

— Dis-moi au moins si tu as aimé ça !

— Oui, là, j'ai aimé ça. Et si tu veux savoir comment c'est, tu n'as qu'à dire «oui» à Charles. Depuis le temps qu'il te demande de l'épouser et que tu lui dis «non» sans vraiment le décourager, tu pourrais finir par te décider.

C'était la première fois que Francine lui en faisait reproche, et Mary, sachant qu'elle avait raison, prit un air désolé.

Francine s'en aperçut et s'excusa :

— Je ne voulais pas te faire de peine. Oublie ça. Tu dois avoir tes raisons.

Sans l'avoir voulu, Mary s'entendit confier à Francine son amour pour Jean-Denis. Il y avait trop longtemps qu'elle gardait le secret et elle avait eu soudainement besoin de le partager. Elle raconta les rendez-vous à Québec et dit que Jean-Denis, avant d'aller courir les bois, lui avait demandé de l'attendre.

Francine fut interloquée :

— Ça alors! J'avais eu un vague doute à l'époque, mais je croyais que c'était fini depuis longtemps. Vous avez décidé quelque chose quand il est venu à Noël?

Mary dut avouer qu'il ne s'était rien passé ce jour-là. Elle craignait que Jean-Denis ne l'ait oubliée.

— Et, bien sûr, tu continues de l'attendre?

Le silence de Mary étant éloquent, Francine réagit avec sa vivacité coutumière :

— Bon, dit-elle, tu ne peux pas rester ainsi à espérer toute ta vie sans savoir. Je vais t'aider : pour mes noces, tu seras ma demoiselle d'honneur, et je vais demander à Julien de prendre Jean-Denis comme garçon d'honneur. Ils doivent rester ensemble une bonne partie de la fête. Souvent, d'ailleurs, après ça, ils se fréquentent et se marient à leur tour. C'est tout ce que je peux faire. Pour le reste, c'est à toi de jouer.

Mary ne pensait plus qu'à cela. Pendant deux jours, elle allait être la cavalière de Jean-Denis! Car elle aurait deux jours de liberté : madame Rondeau, apprenant qu'elle était demoiselle d'honneur, n'avait pas pu les lui refuser.

Pour plaire à Jean-Denis, il fallait qu'elle soit belle. Mettrait-elle la robe en coton bleu que madame Shandon lui avait donnée? Elena avait dit : «Tu l'auras pour te marier.» Mais le mariage de Francine était un événement aussi important que le serait le sien, puisqu'elle espérait que Jean-Denis en profiterait pour renouer leurs liens. Avec la robe bleue et le châle aux pivoines, le jeune homme la trouverait irrésistible. Lors d'une absence de sa maîtresse, elle ne put résister au plaisir d'essayer sa tenue de fête devant le grand miroir du cabinet de toilette de madame Rondeau. Mary trouva qu'elle avait grande allure, habillée ainsi, comme une jeune bourgeoise.

Elle s'admirait avec complaisance, faisant des mines devant la glace, lorsqu'elle réalisa qu'avec ces vêtements, elle serait sans doute la plus élégante de la noce. Elle serait même mieux habillée que la mariée ! Elle ne pouvait pas faire une chose pareille à son amie. Le jour de ses noces, c'était à Francine d'être le point de mire. Il ne fallait pas qu'elle soit éclipsée par sa demoiselle d'honneur. Mary, un peu déçue, décida de se contenter du châle, que tout le monde avait déjà vu, et replaça la robe bleue dans son coffre.

Quand le grand jour arriva, Hortense, presque aussi excitée qu'elle, voulut l'aider à se préparer. Jouant à la femme de chambre, elle la coiffa, la parfuma et même la poudra avec le fard qu'elle avait rapiné sur la coiffeuse de sa mère. C'était un plaisir que Mary n'avait pas connu depuis longtemps. Autrefois, avec Francine, lorsqu'elles jouaient à être des dames, chacune servait de femme de chambre à l'autre. Mais Mary ne goûta pas longtemps aux joies de la nostalgie, car Hortense la ramena douloureusement à la réalité en lui tirant les cheveux : la jeune fille était loin d'être une femme de chambre accomplie!

Se reculant pour juger de l'effet, Hortense affirma :

— Tu es vraiment très jolie, Mary! Je serais surprise que tu ne trouves pas un amoureux aujourd'hui.

Mary se croisa les doigts. Cependant, Hortense n'était pas tout à fait satisfaite :

— Il te manque quelque chose… Je sais : un peigne dans les cheveux!

Elle fourragea dans un coffret et en sortit un peigne en corail.

— Tiens, avec ça, ce sera très joli!

— Non, mademoiselle Hortense, je ne porterai pas votre peigne en corail.

— Et pourquoi donc, s'il te plaît?

— Parce que votre mère ne serait pas contente.

— Ma mère ne dira rien. Je fais ce que je veux avec mon peigne.

— N'insistez pas, mademoiselle Hortense, je ne le porterai pas.

Hortense, qui tenait à son idée, finit par parler fort, ce qui attira madame Rondeau. Voyant la servante assise et sa fille debout, un peigne à la main, elle fronça les sourcils.

— Que se passe-t-il ici ? demanda-t-elle.

Tandis que Mary se levait précipitamment, Hortense expliqua l'affaire avec volubilité.

Sa mère lui dit sévèrement :

— C'est Mary qui a raison, elle a plus de bon sens que toi.

La discussion menaçant de tourner à l'aigre, car Hortense prétendait demander à son père de trancher, Mary s'esquiva : c'était l'heure de partir chez la mariée.

Les joues colorées par l'émotion, les yeux brillants, Francine était belle dans sa robe neuve qui mettait en valeur sa poitrine ronde et ses hanches solides. Mais elle était en laine du pays, comme tout ce que l'on faisait maintenant, et Mary se réjouit d'avoir renoncé à sa robe de coton bleue beaucoup plus seyante. Elle chercha des yeux Jean-Denis, s'alarmant déjà de ne pas le voir, craignant qu'il ne lui ait fait à nouveau faux-bond pour se livrer à ses mystérieuses occupations.

En passant près d'elle, Francine la rassura à voix basse :

— Il est arrivé, ne t'en fais pas.

Le cortège s'organisa. La mariée monta dans la première calèche avec son père. Mary s'installa dans la deuxième, qu'elle devait partager avec le garçon d'honneur, puis venaient les parents et les amis. Parmi eux, se trouvait Charles dont le sourire s'était effacé en apprenant que Mary et Jean-Denis seraient fille et garçon d'honneur. Il y avait sur le chemin une quinzaine de voitures prêtes à prendre le départ. Dans la dernière, se tenaient Julien et sa mère. Ses enfants étaient avec leurs cousins, dans un autre véhicule.

Jean-Denis sauta dans la calèche au dernier moment. Il lui ouvrit les bras :

— Embrasse-moi, Mary l'Irlandaise! Aujourd'hui, nous passons la journée ensemble. Commençons-la comme il faut.

Jean-Denis prit les rênes. Mary, assise à ses côtés, sentait la chaleur de son corps contre sa hanche. Cela créait une intimité qu'elle eut envie d'accentuer en s'occupant de lui. Elle lui ôta le brin de paille accroché dans ses cheveux et lui demanda, légèrement ironique, où il était allé le glaner. Jean-Denis répondit qu'il était arrivé trop tard et qu'il avait couché dans la grange pour ne pas réveiller la maisonnée. Mary en profita pour essayer d'en savoir davantage, insinuant qu'il fallait avoir des occupations peu ordinaires pour être obligé de se déplacer en pleine nuit. Mais Jean-Denis ne mordit pas à l'appât. Il se déroba en la faisant parler de sa vie chez le docteur. Pour l'amuser, elle lui raconta les petites bizarreries de la maison Rondeau. Jean-Denis l'écoutait et riait. Elle était bien. Mais le jeune homme ne ratait jamais une occasion de la taquiner, et elle regretta vite d'avoir mentionné le bain hebdomadaire : l'œil allumé, il en profita pour poser toutes sortes de questions gênantes. Plus elle rougissait et refusait de répondre, plus il riait et insistait.

Debout derrière Francine, qui s'était agenouillée aux côtés de l'homme dont elle allait partager la vie, Mary sentait la présence toute proche de Jean-Denis. Elle ne pouvait s'empêcher de s'imaginer à la place de son amie. Le prêtre, au lieu de prononcer le nom de Francine Campeau, dirait celui de Mary O'Connor. Comme Francine, elle répondrait un «oui» clair et net, et Jean-Denis lui passerait au doigt un anneau d'or. Elle le voulait si fort qu'il fallait que cela se réalise! Elle glissa un regard vers le jeune homme pour voir s'il ressentait la même chose, mais il était en train d'essayer d'étouffer un bâillement : sa nuit n'avait pas dû être longue.

Au sortir de l'église, Francine menait le cortège au bras de son mari. Le garçon et la fille d'honneur étaient toujours en deuxième place. Après eux venait le personnage sur lequel reposait la réussite de la fête : le violoneux. C'était un homme déjà âgé dont la réputation était grande dans plusieurs paroisses environnantes et que Julien Lacroix avait arraché de haute lutte à une autre noce. Son whisky de contrebande avait en l'occurrence fait merveille.

Ils allèrent au presbytère signer les registres, puis remontèrent en calèche pour faire le tour de la paroisse jusqu'aux rangs les plus éloignés. Un cousin des

Campeau, qui monta avec le garçon et la fille d'honneur, prit les rênes tandis qu'ils s'installaient à l'arrière. Bercé par le mouvement de la voiture, Jean-Denis s'endormit, et Mary put le regarder à son aise. Abandonné dans le sommeil, il perdait cet air d'être toujours celui qui mène les choses. Il perdait aussi le charme de ses yeux ironiques et de son sourire, mais on voyait mieux sa jeunesse, et il y gagnait une apparence de vulnérabilité qui donna à Mary le désir de le protéger. De l'avoir vu dormir, elle l'aima plus encore.

Sur l'heure du midi, ils se retrouvèrent chez les parents de Francine où les attendait le repas de noces. L'arrêt de la calèche réveilla le dormeur. Confus d'avoir dormi, il s'excusa :

— Tu dois trouver que je fais un piètre garçon d'honneur, Mary. Pour me faire pardonner, je vais te faire danser toute la journée et toute la nuit.

Il se pencha vers elle et, avant de l'aider à descendre, il lui fit un petit baiser sous l'oreille, presque dans le cou. Mary, heureuse, lui sourit.

De la noce de Francine, elle n'aurait pu raconter que des moments émergeant du brouillard où elle flottait. Les chansons, par exemple, qui commencèrent lorsque les invités eurent englouti des monceaux de ragoût de pattes, de rôti de porc, de tourtières et de tartes, le tout assaisonné de l'inévitable discussion politique.

Tout le monde devait chanter la sienne. Le rhum aidant, chacun s'exécuta volontiers. La mariée, requise la première, lança une chanson de mensonges. Elle entonna gaiement :

J'ai vu au pied d'un sapin,
Une carpe avec un lapin,
Qui se tenaient par la main...

Chacun y alla de son couplet, encouragé par les applaudissements de la tablée. Comme Mary n'en connaissait pas, on lui demanda un chant de son pays. Le seul qui lui vint à l'esprit était la ballade de Maureen. Mais elle était associée à tant de souvenirs tristes que Mary hésita. Les convives insistaient, frappant la table du manche de leur couteau. Alors elle chanta *Róisín Dubh*. Elle le fit avec une assurance dont elle ne se serait pas crue capable et qu'elle sentit grandir à mesure qu'elle chantait. Francine, sachant que tout ce qui rappelait l'Irlande lui faisait de la peine, lui serra la main. Mais aujourd'hui, rien ne pouvait l'affliger.

Le repas terminé, on enleva les tables pour faire de la place. Le violoneux s'installa et appela les danseurs :

— En avant pour le quadrille !

Fidèle à sa promesse, Jean-Denis l'entraîna. Heureusement que Francine lui avait appris à danser pendant les longues soirées de la rue Saint-Pierre où elles attendaient le retour des maîtres ! L'après-midi durant, ils sautèrent *reels*, gigues et cotillons. Ils changeaient parfois de partenaires, mais se retrouvaient toujours. Mary ne voyait que lui, indifférente aux cousins qui se succédaient dans la ronde et qu'elle ne distinguait pas les uns des autres. Elle ne remarqua même pas que Charles ne dansait pas. Malheureux, il restait dans un coin à boire du rhum et à regarder la salle d'un air sombre.

En la croisant pendant un quadrille, Jean-Denis chuchota à Mary :

— Dis-moi, Mary l'Irlandaise, tu n'as pas oublié nos rendez-vous de Québec?

La gorge nouée, elle fit signe que non. Le moment était venu : il allait lui parler d'avenir. Mais la danse se termina, le violoneux annonça une pause et son cousin Robert en profita pour appeler le jeune homme :

— Jean-Denis, viens nous raconter le chantier!

Il la quitta avec un sourire navré et rejoignit le groupe des adolescents qui l'entourèrent pour le bombarder de questions.

Puis les tables furent réinstallées pour le repas du soir, et ils remangèrent avec autant d'appétit, burent avec la même soif et chantèrent avec le même entrain. Les agapes terminées, la pièce fut à nouveau dégagée pour la danse.

Comme le violoneux levait son archet, on frappa à la porte : c'était la jeunesse du voisinage qui venait danser.

Le père Campeau les accueillit :

— Venez, les survenants! Il y a de la place pour tout le monde.

Marie-Berthe Ferland s'empara avec autorité du bras de Jean-Denis et l'entraîna sur la piste. Mary pensa qu'après Marie-Berthe, en bon voisin, il devrait faire danser Rose, Josette, Bertrande, Juliette, toutes les filles du rang. Se rendant soudainement compte que l'on étouffait à l'intérieur, elle planta là son cavalier sur une vague excuse et s'en alla dehors prendre l'air. Personne ne sembla y prendre garde, car il y avait beaucoup de va-et-vient. De temps en temps, un des jeunes gens sortait de la maison, allait boire un coup d'eau de vie à la bouteille qu'il avait cachée dans la grange ou dans l'étable et retournait se lancer dans la danse, le regard brillant et le teint avivé.

Il y avait un banc sous un érable. Mary alla s'y asseoir, face au fleuve, le dos tourné à la maison. Après la touffeur de la salle, la nuit était fraîche et elle eut un frisson. Elle songeait à rentrer quand elle entendit des pas derrière elle. Son cœur bondit : Jean-Denis avait échappé à ses amies d'enfance pour venir la rejoindre ! Elle se retourna, pleine d'espoir. Mais c'était Charles qui lui apportait son châle. La déception lui donna une bouffée de rage. Elle en voulait à tous ceux qui s'interposaient entre elle et Jean-Denis : à Robert qui l'avait appelé alors qu'il était sur le point de se déclarer, aux voisines qui l'avaient accaparé, à la maudite politique qui les passionnait tous, du notaire au docteur et du curé aux habitants, à Charles, même, qui avait pensé à lui apporter son châle et qui était désolant à force d'être fidèle, irréprochable et malheureux.

Charles allait lui donner son vêtement, lorsque l'on marcha de nouveau. Au changement de physionomie de Mary, il devina que c'était son frère qui arrivait. Il se raidit. Arrivé à son niveau, Jean-Denis s'arrêta. Les deux hommes se mesurèrent du regard, puis se tournèrent vers la jeune fille. C'était Jean-Denis que Mary regardait, et sur son visage se disputaient l'inquiétude causée par la crainte qu'ils s'affrontent et la joie de le voir.

Cela suffit à Charles. Il tendit le châle à son frère en disant :

— Tiens, Jean-Denis, Mary a un peu froid. Moi, je rentre danser.

Mary esquissa un geste. Pour le retenir ou le consoler? Elle ne savait trop, mais il lui semblait impossible de le laisser partir ainsi. Jean-Denis la retint et dit à son frère :

— Merci, Charles. On te rejoint dans un instant et on dansera tous ensemble.

Il posa le châle sur les épaules de Mary et la prit dans ses bras. Aussitôt, elle oublia Charles. Ils restèrent embrassés, face au fleuve, avec la seule compagnie de mouches à feu qui se prenaient pour des étoiles.

Puis ils rejoignirent les danseurs. Mary dansa toute la nuit avec Charles, Jean-Denis et tous les autres. Marie-Berthe aussi dansait, et les cousines, et les voisines, dans une ronde sans fin et une joie devenue mécanique à force de fatigue. Cela ne finit qu'à l'aube, lorsque le violoneux, épuisé, s'endormit d'un coup sur sa chaise.

La fête recommença le lendemain, mais sans Jean-Denis. Il était parti à la fin de la nuit. Pour les invités surpris, Julien fit état d'une obligation au sujet de laquelle il ne donna pas de détails. Pour Mary, Jean-Denis avait laissé une rose et un message : il promettait de donner bientôt de ses nouvelles.

Tout au long du printemps et de l'été, les chefs du Parti patriote tinrent un grand nombre d'assemblées afin d'obtenir le soutien des gens dans leur lutte contre le gouvernement. Devant leur succès, dont témoignaient les articles des journaux qui publiaient le nombre des participants, souvent chiffré en milliers, Gosford voulut les interdire. Il émit un décret en ce sens et envoya des émissaires dans les paroisses afin qu'ils le lisent à la sortie de l'église.

Ce fut pour l'oncle Alphonse une belle occasion de se distinguer. Dès que l'officier commença de lire «J'exhorte très solennellement…», le mauvais plaisant lança un bêlement digne du plus fier bélier – une brebis s'y serait trompée. Les chiens, en tout cas, s'y trompèrent et se mirent à aboyer à qui mieux mieux, étouffant la voix de l'homme qui essayait en vain de couvrir le tumulte. On perçut quelques mots épars : «sédition», «commande strictement», «inviolabilité des lois», mais les aboiements se multiplièrent, auxquels s'ajoutèrent les rires des assistants. Le malheureux envoyé du gouverneur, furieux, replia sa feuille, enfourcha son cheval et s'en alla sous les quolibets en lançant des menaces qui n'intimidèrent personne.

L'avènement de la reine Victoria entraîna des mesures de clémence à l'égard de la colonie, car la Chambre des communes ne voulait pas que le nouveau règne commence dans la coercition. Mais cela ne suffit pas à contenter les opposants, et les assemblées, que l'édit de Gosford n'avait pas empêchées, continuèrent.

Berthier eut la sienne. Annoncée depuis plusieurs semaines par des agents du Parti patriote, elle mit toute la paroisse en émoi, d'autant que Papineau devait y prendre la parole. Voulant se montrer au chef sous son meilleur jour, la milice s'entraîna activement de manière à produire un défilé acceptable. Cela relevait de la gageure, car les hommes n'avaient aucune formation militaire, à l'exception des survivants de la guerre de 1812. Ils n'avaient pas non plus d'uniforme, ct leurs armes, des fusils de chasse, pour ceux qui en possédaient, étaient dépareillées et souvent fort anciennes. Qu'à cela ne tienne! Ils s'entraînaient tous les mercredis, à la fin du marché. Après l'entraînement, ils commentaient les dernières nouvelles en petits groupes qui s'attroupaient sur la place ou à la taverne.

Leur capitaine en revenait parfois éméché, ce qui le mettait d'humeur badine. Quand madame Rondeau l'entendait remonter l'allée en chantant à tue-tête *Savez-vous planter des choux?*, elle se portait à sa rencontre pour tenter de le faire taire.

— Voulez-vous cesser! Vos chansons de salle de garde sont scandaleuses! Si Hortense vous entendait!

— Elle n'y comprendrait goutte, mon amie, ne vous frappez pas. Elle croirait que c'est une chanson agricole!

Là-dessus, il éclatait d'un rire égrillard, prenait le menton de sa femme, qui se raidissait de fureur, et lui disait :

— Savez-vous, mon amie, qu'il y a longtemps que nous n'avons pas planté des choux? Si nous allions le faire, qu'en pensez-vous?

— Docteur Rondeau, vous déparlez!

Elle le conduisait dans son cabinet de toilette, lui plongeait la tête dans une cuvette d'eau froide et allait s'installer dans le salon où elle s'appliquait à sa broderie, les lèvres pincées, sans relever la tête. Lorsque le docteur, dessoûlé, venait la rejoindre, il essayait de l'amadouer, mais elle ne desserrait pas les dents. Cela durait au moins trois jours, quoi qu'il fît pour être aimable. Quand elle se décidait à parler de nouveau, c'était pour faire remarquer qu'il n'était pas besoin de s'enivrer pour montrer que l'on était patriote. Ses amies et elle-même préparaient aussi le grand jour, en se réunissant le jeudi après-midi pour confectionner des bannières, ce qu'elles faisaient en buvant une infusion.

Madame Rondeau et ses visiteuses avaient passé plusieurs après-midi à mettre au point le menu du banquet qui suivrait l'assemblée. La femme du capitaine de la milice avait la haute main sur son organisation et elle entendait que la journée soit parfaite. Dans ce but, elle avait utilisé les talents de chacune.

Afin de respecter le boycott des produits britanniques, ces dames préparaient leur toilette en étoffe du pays. Si plus d'une regrettait les fines cotonnades, elles n'en disaient rien et cousaient stoïquement l'étoffe rêche en se glorifiant de l'audace de leurs consœurs qui avaient organisé une assemblée à Saint-Antoine-sur-Richelieu. Les participantes, qui étaient au moins deux cent cinquante selon *La Minerve*, n'avaient pas seulement prononcé des discours, certaines d'entre elles avaient aussi montré aux citoyens venus les soutenir leur habileté à manier un fusil.

Les jeunes élèves du couvent, quant à elles, étaient fort déçues : elles avaient espéré se voir confier la décoration florale de l'arc de triomphe sous lequel passerait Papineau. Mais le curé avait opposé son veto en disant qu'il ne seyait pas à des jeunes filles de se mêler de politique, encore moins d'une politique que l'évêque désapprouvait.

Le prêtre était rentré de la consécration du coadjuteur de Montréal fort remonté. Monseigneur Lartigue avait profité de la cérémonie pour rappeler son devoir au clergé. Les curés devaient avertir leurs ouailles qu'il n'est jamais permis de s'opposer à l'autorité légitime ni de transgresser les lois du pays. Ils avaient pour consigne de refuser l'absolution à ceux qui se révolteraient contre le gouvernement ou violeraient ses lois, en faisant de la contrebande, par exemple.

Le dimanche suivant son retour, lorsqu'il avait annoncé ces mesures en chaire, presque tous les hommes s'étaient levés et avaient quitté l'église en signe de désaccord. Sa frustration l'avait mené au couvent où il avait menacé les jeunes filles de l'Enfer si elles faisaient la moindre chose en vue d'accueillir les misérables se faisant appeler patriotes. «En réalité, avait-il dit, c'est l'inverse : ces individus sont des révoltés déméritant de la patrie.»

Pour consoler les couventines, leurs mères les associaient à leurs propres préparatifs, ce qu'elles avaient garde d'avouer en confession.

Le banquet allait réunir plusieurs centaines de personnes et nécessiterait un important personnel de service. Madame Rondeau et ses amies prêteraient leurs cuisinières et servantes, mais cela ne suffirait pas. Pour compléter, elles firent appel à des volontaires. Francine se proposa et l'annonça à Mary. Elles étaient enchantées de retravailler ensemble, même si ce n'était que pour une journée.

Chez la tante Zélie, les dimanches après-midi, Mary participait à la confection de la bannière familiale. Émoustillées à la perspective de voir le grand Papineau en personne, les femmes Campeau brodaient en lettres rouges sur un drap blanc : « La liberté, le pain du peuple, la volonté de Dieu », en faisant à l'infini des prospections sur l'assemblée à venir. Mary avait remarqué leurs regards en coulisse : mine de rien, elles vérifiaient si elle savait coudre. La jeune fille eut une pensée reconnaissante pour Charlotte et Anne-Marie qui lui avaient appris à le faire en ce lointain été passé à l'île d'Orléans. Elle s'était ennuyée à ourler des torchons pendant que ses compagnes brodaient de belles choses, mais elle avait appris à faire les points minuscules et réguliers qui lui valaient maintenant l'approbation de son entourage.

Elle comprit qu'elle avait surpris ces femmes. « Finalement, se disaient-elles, elle est bien pour une Irlandaise : elle a des manières de dame, elle sait tenir une maison et même cuisiner depuis que Bertille lui montre ses recettes. Charles n'a pas mal choisi, d'autant qu'elle doit avoir des sous : elle travaille depuis plusieurs années et n'a pas de famille à aider. »

Mary aurait été tout à fait contente de sentir qu'on l'acceptait s'il n'y avait pas eu ce malentendu au sujet de Charles. C'était de sa faute. Dès le premier jour, elle aurait dû mettre les choses au clair. Maintenant, elle ne savait plus comment rectifier. Francine lui avait rapporté que leur attitude le jour des noces avait été perçue comme une chicane d'amoureux : d'abord, Charles avait boudé dans son coin, et ensuite, ils avaient passé ensemble du temps dehors. Selon les commères, ils en avaient sûrement profité pour se rabibocher, puisqu'après cela Charles avait dansé. Elle se demandait comment elle pourrait sortir de cette situation à son honneur, si cela se pouvait encore.

De Jean-Denis, elle avait des nouvelles par son amie qui le voyait lorsqu'il venait apporter ses marchandises de contrebande. Avant qu'il ne reparte dans la nuit, elle lui servait un verre de rhum que le jeune homme buvait sans même prendre le temps de s'asseoir. Chaque fois, il y avait quelque chose pour Mary : un pois de senteur, une viorne, une reine-des-prés, qui allaient rejoindre, dans le vase prêté par Hortense, la rose séchée du mariage de Francine.

La tenue de l'assemblée politique fut une réussite à tous égards. Le temps était idéal, sans menace d'orage, ce qui incita les gens à venir nombreux, même ceux des rangs éloignés, et permit de manger dehors, sous les arbres de la place.

Quand Papineau arriva, tout le monde était réuni à l'attendre, y compris les cuisinières et leurs aides, qui avaient lâché leurs fourneaux dès que les clameurs l'avaient annoncé. Mary était curieuse de voir cet homme qu'elle entendait associer à Daniel O'Connell depuis son arrivée au pays. Non qu'elle eût l'occasion de voir son compatriote en Irlande, mais il faisait partie de son enfance au même titre que les personnages des légendes racontées par sa mère.

Mary et Francine, qui s'étiraient le cou pour le voir, applaudirent Papineau à tour de bras, se laissant gagner par l'atmosphère. Lorsque le chef fut juché sur l'estrade, Mary parcourut du regard les hommes qui l'entouraient. Son cœur sauta un battement quand elle vit Jean-Denis. Il faisait partie d'un groupe de jeunes gens entourant un autre orateur, qui – elle l'apprit par la suite – était Wolfred Nelson, le loup rouge.

Les deux amies retournèrent à regret à leur travail, mais elles s'échappaient quelques instants, à tour de rôle, pour ne pas manquer tout à fait le spectacle. Autour des marmites, chaque détail de l'aspect de Papineau fut commenté. Les femmes le voyaient pour la première fois, après avoir entendu parler de lui pendant des années, et elles s'en étaient fait une image qu'il fallait adapter à la réalité. Les plus âgées, séduites par sa prestance et son profil autoritaire, y trouvaient leur compte, mais il était clair que les jeunes filles eussent préféré un héros plus jeune et moins corpulent, car si Papineau avait un physique qui en imposait, il ne donnait guère à rêver. Pour sa tenue, c'était la même chose : tandis que les aînées s'extasiaient sur sa simplicité – il arborait un habit en étoffe du pays, des souliers en peau de bœuf et un chapeau de paille, par respect de la consigne de boycott –, les jeunes regrettaient de ne pas le voir dans ses vêtements habituels dont les journaux vantaient l'élégance.

Papineau parla longtemps, de cette voix qui lui avait valu un grand renom d'orateur, et son discours emporta l'adhésion d'un public conquis d'avance. Il s'en prit à la proclamation de Gosford au sujet des assemblées séditieuses, fustigea le despotisme du gouvernement britannique, réaffirma qu'il ne reculerait pas sur le principe électif du Conseil législatif, suggéra une action commune avec les mécontents du Haut-Canada et évoqua la possibilité de s'unir aux États-Unis. Ses thèses étaient connues de tous, car les journaux qui le soutenaient s'en faisaient l'écho depuis longtemps, et la foule applaudissait à tout rompre chacun des arguments qu'elle reconnaissait. Dans l'assemblée en délire, il n'y eut aucune voix dissidente – soit que les opposants aient choisi de se taire, soit qu'ils eussent préféré rester chez eux.

Francine, qui revenait des abords de l'estrade, fit signe à Mary :

— Viens voir !

Dans l'angle du presbytère, derrière une touffe de verdure, le curé, qui avait interdit d'assister à l'assemblée, n'avait pas pu résister à la curiosité et se cachait pour regarder. Convaincu que toute l'attention des spectateurs était tournée vers l'estrade, il ne se méfiait pas, et les filles le virent qui essayait d'imiter les gestes de Papineau.

— Tu crois que dimanche prochain il va prêcher comme ça ? demanda Francine en faisant à son tour des effets de manches imaginaires.

Elles s'esclaffèrent tandis que Mary regrettait :

— Dommage qu'Hortense ne voie pas ça !

Le banquet qui suivit dura tout l'après-midi. Il y fut porté nombre de toasts : à

Papineau, mais aussi au peuple, à la liberté, à la justice. Quelqu'un entonna la chanson de George-Étienne Cartier, que le jeune patriote avait chantée pour la première fois à la fameuse Saint-Jean-Baptiste de 1835, à Montréal : « *O Canada, mon pays, mes amours...* », et tout le monde enchaîna.

Les femmes qui assuraient le service s'affairaient à remplir des verres toujours vides. Mary avait des ailes. Chaque fois qu'elle passait près de Jean-Denis, ils échangeaient un sourire. Le jeune homme pouvait difficilement quitter sa place et devait repartir avec les autres à la fin de l'après-midi, mais ils parvinrent quand même à s'isoler un instant, le temps que Jean-Denis, enthousiaste et convaincu, lui dise entre deux baisers :

— On va gagner. Et après, Mary l'Irlandaise, je viendrai te chercher.

Lorsque tout fut terminé, les serveuses étaient lasses – Francine, surtout, qu'un début de grossesse fatiguait –, mais elles étaient exaltées et heureuses, persuadées, comme tous les gens présents, que leur sort allait changer, et qu'il changerait très vite.

Le gouvernement, que ces assemblées inquiétait, y envoyait des officiers pour lui rendre compte des propos tenus et faire la liste des orateurs afin de sévir contre eux, puisqu'elles étaient interdites. Certains des émissaires de Gosford faisaient leur travail, mais d'autres se mettaient du côté des protestataires, au grand dam du gouverneur qui décida de faire place nette. Il révoqua d'abord les officiers n'ayant pas fait leur devoir, puis s'attaqua aux chefs de milice qui avaient laissé se tenir une assemblée sur leur territoire et qui y avaient activement participé. Comme c'était le cas du docteur Rondeau, il fut destitué. Pour les gens de Berthier, la nouvelle que le docteur avait perdu son poste de capitaine de la milice fit plus que l'assemblée pour la cause des patriotes. Le docteur fut considéré comme un martyr et, le gouverneur étant trop loin, on chercha des coupables sur place.

Un soir d'entraînement des miliciens – car ils s'entraînaient toujours, même dépourvus de chef –, quelqu'un fit remarquer qu'Amable Trudelle, du rang de la

Rivière Bayonne, avait depuis le début une conduite douteuse. Lorsque les hommes avaient quitté l'église pour protester contre le refus d'absoudre les contrebandiers, il était resté à sa place et, après l'assemblée, où il n'avait pas montré une grande ardeur à soutenir la cause, il était retourné chez lui au lieu d'assister au banquet comme tout le monde. De là à conclure qu'on lui devait la dénonciation du docteur et sa destitution, il n'y avait qu'un pas qui fut vite franchi. À mesure que l'excitation gagnait, montait le besoin d'agir et les plus vindicatifs proposèrent de lui faire un charivari.

Ce fut par Amable Trudelle en personne que le docteur Rondeau, le lendemain matin, apprit tous les détails de l'affaire. Le malheureux avait passé une mauvaise nuit et venait s'en plaindre au capitaine de la milice qui tenait aussi le rôle de chef de police. Bien que le docteur lui fasse remarquer qu'il n'était plus en fonction, puisqu'on l'avait destitué, l'autre ne voulut rien entendre et se plaignit longuement. Jusqu'au matin, ils avaient rôdé autour de sa maison en criant et en frappant sur des casseroles. Il n'avait pas pu les reconnaître : trop lâches pour se montrer à visage découvert, ils s'étaient barbouillés de suie. Ils lui avaient crié des insultes et avaient menacé de mettre le feu à sa grange. Sa femme et ses enfants pleuraient, mais rien ne les avait attendris. Ils devaient être trop saouls pour avoir encore des sentiments humains. Ils auraient pu faire n'importe quoi.

— Et ils ont fait quelque chose de terrible, monsieur le docteur, quelque chose de terrible ! Regardez ce qu'ils ont fait à mon cheval ! Tout le monde se moque de moi !

Le docteur se pencha à la fenêtre et eut, lui aussi, du mal à contenir son hilarité : les mauvais plaisants avaient tondu la crinière et la queue du cheval ! L'animal était ridicule et, par voie de conséquence, son maître aussi.

— Qu'est-ce que je peux faire, maintenant ?

Le docteur prit un air dubitatif :

— À part attendre que ça repousse, je ne vois pas…

— Mais non, pour moi. Pour qu'ils me laissent en paix.

— Je vais essayer de calmer les plus excités. De votre côté, vous devriez montrer davantage de sympathie pour les patriotes.

— Et pourquoi je devrais? Toute cette politique, moi, ça ne m'intéresse pas. Je m'occupe de mes terres et de ma famille, et ça me suffit.

— Vous avez vu cette nuit que ça ne suffit pas. Comme vous ne montrez pas que vous êtes avec eux, ils croient que vous êtes contre.

— Alors, qu'est-ce que je dois faire?

— Après la messe, dimanche, dire aux uns et aux autres que le Bas-Canada est mal gouverné. Ça devrait aller.

Amable Trudelle sortit en grognant que si c'était ça, la liberté dont tout le monde parlait tant, elle ne valait pas grand-chose. Il reprit son cheval tondu et ils traversèrent ensemble Berthier entre deux haies de villageois goguenards.

En septembre, le docteur Rondeau fêta ses cinquante ans. Franchir le demi-siècle lui parut une occasion assez importante pour réunir autour de lui famille et amis, et faire revenir Hervé de Montréal. D'ordinaire, le jeune clerc trouvait un prétexte professionnel pour ne pas aller à Berthier, mais il ne pouvait pas se dérober à l'anniversaire de son père. Le docteur et ses convives comprirent vite pourquoi Hervé tenait à rester en ville : il s'était engagé à fond dans la lutte.

Les journaux avaient appris aux Berthelais la fondation, par un groupe de jeunes Canadiens, d'une association qui avait pris le nom de Fils de la Liberté. Lorsqu'ils surent qu'Hervé en faisait partie, il devint le centre d'intérêt de la tablée. Sous les regards admiratifs des plus jeunes, légèrement sceptiques des anciens et franchement soucieux de ses parents, le jeune homme, flatté, fit un récit emphatique de l'assemblée à l'hôtel Nelson où ils avaient été plus de cinq cents à s'engager à «défendre leur pays contre l'arbitraire administration qui le régit, sans distinction de rang, d'origine ou de culte». Il parla avec exaltation des députés Robert Nelson et Édouard-Étienne Rodier, qui étaient venus faire des discours, du choix de leur président, l'avocat André

Ouimet, et de leur chef militaire, Thomas Storrow Brown. Il leur apprit aussi que le beau nom qu'ils avaient adopté, les Fils de la Liberté, leur venait d'Amédée, l'aîné du grand Papineau, à peine âgé de dix-huit ans. Pour fêter l'événement, ils avaient fait une parade dans les rues de la ville. Musique en tête, ils s'étaient rendus à la maison de Louis-Joseph Papineau et à celle de Denis-Benjamin Viger en chantant *La Marseillaise*.

Hervé, très véhément, déclara :

— À partir de maintenant, le Doric Club n'a qu'à bien se tenir. Quand il défilera en chantant le *Union Jack*, on sera là.

Tracassé par ces rodomontades, Daviault lui fit remarquer que leurs adversaires, dont l'organisation datait déjà de trois ans et qui proclamaient, à qui voulait l'entendre, préférer la mort à une domination française, étaient armés et entraînés, contrairement à eux. D'après le notaire, si un affrontement survenait, ils ne feraient qu'une bouchée de l'organisation toute neuve. Le fils du docteur balaya l'objection d'un revers de main, assura qu'ils seraient les plus forts parce qu'ils étaient dans leur bon droit et prédit aux Fils de la Liberté un avenir glorieux.

À son grand désespoir, Henriette, pâmée d'admiration, n'eut droit qu'à une salutation distraite d'Hervé. Mary, au contraire, remarqua pendant le service qu'il lui jetait des regards concupiscents. Par prudence, elle s'installa avec Bertille, comme à Noël. En trouvant la chambre vide, le jeune homme, qui avait fêté l'anniversaire de son père et son succès à table avec force libations, ne se contenta pas de jurer comme la fois d'avant : il donna un grand coup de pied dans la porte… et se foula un orteil. Il repartit en gémissant de douleur et dut expliquer à son père, que le bruit avait réveillé et qui fit semblant de le croire, qu'il avait manqué une marche. Le docteur avait du mal à se pencher à cause de son embonpoint. Il appela Mary afin qu'elle effectue le bandage. Tandis qu'elle était agenouillée à ses pieds en train de le panser, la femme de chambre se garda de lever les yeux sur le jeune homme qui, lui-même, affectait de regarder ailleurs. Quand ce fut terminé, il oublia de la remercier.

Au matin, Hervé, qui en plus d'avoir mal au pied avait une solide migraine, dut subir, en prime, la sollicitude de sa mère et de sa sœur. Le tout le rendit fort maussade et il s'empressa de monter à bord du premier vapeur pour Montréal, laissant ses parents dans le souci. Désormais, les Rondeau, qui n'avaient eu jusque-là que des craintes imprécises, attendirent les journaux avec anxiété, tremblant d'y lire le récit d'affrontements entre les Fils de la Liberté et le Doric Club. Ils s'en plaignaient à leurs amis, le notaire et son épouse, qui se réjouissaient en secret du séjour de leur fils à Paris – il ne faisait pas l'ombre d'un doute que, présent à Montréal, Charles-Étienne eût lui aussi fait partie du groupe patriotique.

La session de l'automne 1837 de la Chambre d'assemblée fut brève : convoquée le 18 août, elle se termina le 26. Gosford, une fois de plus, attendait que la Chambre abandonne la lutte sur la question des subsides, ce qu'elle refusa. Arrivés à Québec en tenue d'habitant, à l'exception de Papineau, les députés patriotes avaient soulevé l'enthousiasme de leurs partisans et provoqué les rires ironiques des autres, qui jugeaient ridicules les capots en étoffe du pays et les ceintures fléchées. Mais les moqueries ne les atteignaient pas. Ils se sentaient forts de l'appui de la population et ne céderaient pas au gouverneur. Libérés de leurs devoirs de députés, ils reprirent les assemblées et les discours se radicalisèrent. Pendant ce temps, ceux qui appuyaient le gouvernement se réunissaient eux aussi, et ils n'étaient pas moins prêts à en découdre.

Le docteur Rondeau suivait avec passion ce que les journaux en disaient et il n'avait plus guère d'autre sujet de conversation. Finies les lectures de Walter Scott et les soirées au piano : Hortense se contentait de broder ses initiales au fil rouge sur les draps de son trousseau en écoutant son père lire à voix haute *La Minerve*, le *Vindicator* et le *Montreal Herald*. Chaque journal faisait un compte rendu des assemblées, gonflant le nombre des participants aux réunions de la faction qu'il soutenait dans ses colonnes et reproduisant les discours les plus ardents.

Le docteur, consterné, s'arrêtait après chaque phrase pour déplorer la montée de l'agressivité.

Le 23 octobre, une assemblée réunit à Montréal plusieurs milliers de loyalistes qui décidèrent la mise en place d'associations de quartiers destinées à intervenir par les armes en cas de troubles dans la ville. À Saint-Charles-sur-le-Richelieu, le lendemain, il y eut aussi un grand rassemblement, de patriotes cette fois. Les discours se terminèrent par un hommage à une colonne de la Liberté que le gouvernement colonial interpréta comme une déclaration d'indépendance. Cette manifestation inquiéta beaucoup le docteur, comme l'inquiétèrent les propos virulents tenus par Wolfred Nelson ce jour-là. Il s'était dissocié de Papineau, conseillant à ses partisans de mettre de côté leurs plats et leurs cuillers d'étain afin de les fondre pour en faire des balles.

Chénier, qui voulait aussi se battre, n'était pas prêt à entendre le discours modéré de Papineau. Pas plus que ne l'étaient le docteur Côté, Joseph-Toussaint Drolet, François

Chicou, Amury Girod et tant d'autres qui furent acclamés ce jour-là.

En entendant, lors des conversations de table des Rondeau, que Wolfred Nelson appelait aux armes, Mary, qui avait vu le jour de l'assemblée que Jean-Denis était de l'entourage de cet homme, se tourmentait beaucoup. Elle aurait été moins effrayée de le savoir avec Papineau, car il lui semblait qu'avec lui, rien de mauvais ne pouvait arriver, puisqu'il était comme Daniel O'Connell, celui qui avait réussi à obtenir sans se battre des libertés pour l'Irlande.

Une lettre d'Hervé finit de semer la consternation dans sa famille. Le jeune homme décrivait avec enthousiasme l'assemblée de Saint-Charles-sur-le-Richelieu à laquelle il avait assisté avec d'autres membres des Fils de la Liberté, proclamant sa ferveur pour Nelson et son mépris pour les partisans de la conciliation.

Avec son ami le notaire, qui partageait ses vues, le docteur croyait, pour sa part, que les moyens constitutionnels n'étaient pas épuisés et que c'était la seule voie réaliste. Il se lamentait :

— Ces inconscients se croient invincibles! Que feront-ils face aux canons de Colborne?

Cependant, bien qu'ils réprouvassent la violence, les deux hommes n'étaient pas pour autant prêts à se soumettre et ils furent parmi les premiers à sortir de l'église lorsque le curé, le dimanche suivant, lut en chaire un mandement de monseigneur Lartigue qu'ils jugèrent indigne. L'évêque de Montréal condamnait le principe de la souveraineté du peuple et réitérait son attachement à la monarchie dont il réaffirmait le droit divin. Accueilli à sa sortie par les cris : «À bas le mandement!», le prêtre partit à grands pas se réfugier au presbytère, plus remonté que jamais contre le docteur et le notaire qu'il tenait pour des immoraux et des fauteurs de troubles.

Au début de novembre, on apprit que ce qui menaçait depuis longtemps était arrivé : les Fils de la Liberté et le Doric Club s'étaient battus dans les rues de Montréal. Les informations des journaux étaient contradictoires, et il était difficile de reconstituer ce qui s'était réellement passé. On savait seulement que l'affrontement avait été violent et que la troupe avait tardé à intervenir, bien que le Doric Club, qui avait eu très vite le dessus, se soit livré à des déprédations. Quelques maisons appartenant à des patriotes avaient été endommagées, ainsi que les locaux du *Vindicator*. Le journal dans lequel O'Callaghan répondait depuis cinq ans aux attaques d'Adam Thom ne pourrait plus paraître, le matériel étant désormais inutilisable.

Ces nouvelles émurent nombre de foyers, parmi lesquels celui du docteur où l'on n'avait pas de nouvelles d'Hervé. Pour essayer d'en obtenir, Rondeau décida de se rendre à Montréal. Parti le matin, il revint dès le lendemain sans pouvoir rassurer sa femme rongée d'angoisse : Robert Arcand, l'employeur d'Hervé qui le logeait, ne l'avait revu ni à l'étude ni à la maison depuis les événements. Il ne savait rien de lui, mais avait appris, par des amis, dont les garçons étaient eux aussi Fils de la Liberté, que les jeunes gens avaient jugé prudent de se mettre au vert. Il n'y avait sans doute pas à s'en faire.

Le docteur s'en faisait pourtant, ayant trouvé les habitants de Montréal nerveux et effrayés. Toutes sortes de rumeurs circulaient où il était question d'attaques et de révolution imminente. Arcand, malgré son discours apaisant, se préparait, comme plusieurs de ses concitoyens pourvus d'une maison à la campagne, à y faire un séjour en attendant de voir venir.

À la mi-novembre, les choses s'aggravèrent. En réponse à l'assemblée de Saint-Charles, qui avait révélé l'ampleur du mouvement, Gosford émit des mandats d'arrêt contre vingt-six des patriotes les plus en vue. L'autorité les accusait de haute trahison et promettait une récompense à ceux qui aideraient à les capturer. Pour Papineau, on offrait mille livres. Toute une somme!

Mary se tenait à l'affût des nouvelles, craignant d'entendre le docteur dire que Nelson avait été arrêté, et Jean-Denis avec lui. Elle se disait parfois qu'elle préférerait l'ignorer, mais elle ne pouvait s'empêcher de se poster dans la salle à manger, soir après soir, pour écouter la lecture des journaux.

La tension et l'inquiétude augmentaient à mesure que parvenaient des rumeurs contradictoires, quand les Rondeau reçurent enfin un message de leur fils. Il fut délivré un soir, alors qu'il faisait déjà nuit. Mary entendit frapper à la porte et alla ouvrir, s'attendant à une urgence pour le docteur. En voyant Jean-Denis sur le seuil, elle fut tellement saisie qu'elle resta les bras ballants et la bouche ouverte.

— Je ne suis pas un fantôme, dit-il en riant. Laisse-moi passer et ferme vite la porte : je ne veux pas qu'on me voie.

Mary s'effaça et Jean-Denis entra dans la salle d'attente en lui demandant d'aller chercher le docteur.

Le jeune homme, qui ne s'attarda pas avec le médecin, resta plus longtemps à la cuisine où il se restaura. Entre deux bouchées, il raconta à Bertille et Mary qu'il y avait deux grands rassemblements de patriotes à Saint-Charles et à Saint-Denis et que leurs chefs étaient là aussi. Il jugeait les combats imminents. Les deux femmes comprirent qu'il avait hâte de repartir de crainte que la bataille n'ait lieu pendant son absence. Jean-Denis avait rencontré Hervé à Saint-Charles, et celui-ci, ayant appris qu'il partait en mission à Berthier, en avait profité pour l'envoyer tranquilliser ses parents. Il leur faisait dire que sa santé était bonne et qu'il était prêt à donner sa vie pour la cause. Un message si bien fait pour rassurer que le docteur s'était abstenu d'en répéter la deuxième partie à sa femme.

Mary raccompagna Jean-Denis à la porte. Avant qu'elle puisse ouvrir, il lui prit la chandelle des mains, l'éleva jusqu'à son visage et la regarda. Du bout des doigts, il suivit le contour de sa joue. Puis il déposa la chandelle sur une console et lui ouvrit les bras.

— Souris-moi avant que je parte, Mary l'Irlandaise.

La jeune fille se jeta contre lui de tout son corps, plongea les mains dans ses cheveux et tendit son visage. Soudés l'un à l'autre, ils s'embrassèrent, éperdument heureux de voler un instant de grâce à ce temps qui leur était compté. Tout en murmurant son prénom comme s'il proférait une plainte, Jean-Denis écarta le châle de Mary, délaça le haut de sa robe et ouvrit le haut de sa chemise. Il prit un sein dans sa main, posa un baiser sur la pointe qui avait durci et soupira doucement. Mary aurait pu rester là toute sa vie, abandonnée dans ses bras, mais il s'arracha à elle. La tenant aux épaules, il plongea son regard dans le sien et promit :

— Je serai là pour te faire danser à Noël, Mary. Je te le jure.

Puis il ferma les yeux et parcourut de ses mains le corps qui tremblait. «Pour pouvoir en rêver», dit-il. Et il s'en alla.

Elle aurait voulu le retenir, lui parler, le supplier d'être prudent. Mais c'était trop tard. Il était déjà parti. C'était fini. Tandis qu'il disparaissait dans la nuit, elle tomba à genoux contre la porte qu'elle venait de refermer. Les mots de son enfance lui revinrent instinctivement pour implorer : «Saint Patrick, je t'en supplie, protège-le!»

De savoir Jean-Denis lié avec les rebelles empêchait Mary de dormir. Elle avait peur qu'il se fasse prendre. Francine tentait de la rassurer : Saint-Charles était sur le bord du Richelieu qui se jetait dans le Saint-Laurent près de Sorel. Or son frère connaissait les îles de Sorel comme sa poche, car il en avait exploré le moindre chenal avec son grand-père qui l'amenait autrefois à la chasse au gibier d'eau. «Avec un canot, avait-elle affirmé, Jean-Denis est capable de semer n'importe qui là-dedans.» Toutes deux avaient soigneusement évité d'évoquer le pire : ce qui pourrait arriver lors d'un combat. Mais Mary ne pouvait s'empêcher d'y songer la nuit quand elle entendait la pendule du corridor scander les heures.

«Ah, que n'est-il comme Charles!» se disait-elle souvent. Charles n'était pas moins patriote que les autres, mais il se tenait prudemment hors de la mêlée. Il respectait l'avis de Papineau, qui voulait s'en tenir à la bataille parlementaire, alors que ce fou de Jean-Denis était prêt à se battre avec un fusil. Charles n'irait pas risquer sa vie pour des chimères, il avait trop de bon sens. Mais Mary savait que c'était pour cela qu'elle aimait Jean-Denis plutôt que Charles.

Dans la grisaille de novembre, où le temps ne semblait pas vouloir se décider entre la pluie et la neige, elle essaya de ne penser qu'à Noël qui approchait. Elle ne traînait plus dans la salle à manger, après le souper, pour écouter les nouvelles que le docteur commentait. Elles étaient trop mauvaises, trop embrouillées, trop alarmantes. Elle ne voulait rien savoir de ces camps retranchés de Saint-Denis et de Saint-Charles, où les patriotes, armés de vieux fusils, de haches et de fourches, se prétendaient de taille à affronter les soldats.

Dès qu'elle avait fini de servir, pour échapper à ces nouvelles qui n'en étaient pas, elle grimpait à sa chambre, se glissait sous les couvertures, fermait les yeux et revivait les quelques instants qu'elle avait passés dans les bras de Jean-Denis. Un bonheur qui avait duré si peu. Pour Noël, il serait là : il l'avait promis. Il l'embrasserait et caresserait son corps comme l'autre soir, mais il ne partirait pas. Il resterait avec elle pour parler de la petite maison chaulée qu'ils habiteraient ensemble, au bord de la rivière, en face de la commune où paissaient les vaches, les chevaux et les moutons. Quand la paix serait revenue.

Une semaine à peine après la visite de Jean-Denis, on apprit qu'il y avait eu des combats et que les patriotes avaient été défaits. Deux hommes furtifs étaient arrivés à la nuit tombée. Gelés, sales et affamés, ils avaient passé la journée cachés dans les îles. Bertille leur servit à manger. À la façon dont ils avalaient la soupe, il était clair que leur dernier repas remontait à loin. Tous les membres de la maisonnée, réunis dans la cuisine, étaient debout, entourant les hommes assis à table. Les visages tirés d'angoisse, ils attendaient que les fugitifs aient suffisamment apaisé leur faim pour pouvoir leur donner des nouvelles. Après la première assiettée, le docteur Rondeau, n'y tenant plus, leur demanda s'ils avaient vu son fils. Les deux hommes auraient voulu rassurer ces gens qui étaient suspendus à leurs lèvres, mais ils ne savaient pas où se trouvait leur compagnon de combat. Ils étaient ensemble à Saint-Charles, mais après, il y avait eu la pluie, le brouillard, la boue, la fumée des coups de feu. Alors que l'un d'eux croyait avoir vu Hervé en un lieu, il semblait à l'autre qu'il l'avait aperçu ailleurs. Le docteur aurait voulu avoir des explications sur ce qui s'était passé à Saint-Denis et à Saint-Charles, mais ils n'en avaient vu que des bribes et ne pouvaient parler que par ouï-dire. Il y aurait eu une victoire, puis une défaite, des morts, des blessés, des prisonniers. Ils s'étaient battus, mais ils avaient dû fuir, entraînés par la débâcle. Ils risquaient l'arrestation s'ils étaient dénoncés. Il fallait qu'ils partent au plus vite pour gagner avant le jour les États-Unis où ils seraient à l'abri.

— Et Jean-Denis Campeau, avait demandé la cuisinière, vous l'avez vu?

— Non, Jean-Denis, on ne l'a pas vu.

Celui qui avait parlé avait un peu hésité, mais la réponse était nette. Avaient-ils échangé un regard avant? Mary n'aurait pu l'affirmer. Sans doute l'inquiétude lui faisait-elle voir des signes qui n'existaient que dans son imagination.

Les deux hommes étaient repartis, et on ne savait rien de plus qu'avant. Si ce n'avait été de l'espoir de voir surgir Hervé et Jean-Denis, qui les faisait tous se lever d'un bond au moindre bruit, le cœur battant la chamade, tant au salon, où attendaient les Rondeau, qu'à la cuisine, où veillaient Bertille et Mary, la soirée aurait ressemblé à une veillée funèbre. Même Hortense ne disait rien, prostrée sur sa broderie qui n'avançait pas. Ils finirent par aller se coucher, puisqu'il n'y avait rien d'autre à faire.

Une fois dans la chambre, Mary fut incapable, malgré sa volonté, d'éloigner les ombres et de convoquer le rêve de bonheur. La griffe qui labourait sa poitrine depuis que l'on avait eu connaissance du désastre ne lui laissa pas de répit, même lorsqu'elle fut tombée dans un sommeil agité après des heures passées à se retourner sur sa paillasse. Dans son cauchemar, il n'y avait que des morts, tous les morts qu'elle avait vus, ressurgis de l'oubli.

Ceux du *William Fell* mêlés à ceux du choléra rôdèrent autour d'elle, avec leur peau verdâtre, leurs yeux excavés et leurs mains amaigries qui tentaient de l'agripper pour l'entraîner dans une nuit sans fond. Et au milieu d'eux, surgie des abysses, se matérialisa une forme blanche devant laquelle ils reculèrent, épouvantés. L'homme sans tête. Le messager de la mort s'avança lentement vers Mary. Elle essaya en vain de crier : sa gorge était bloquée et tout son corps paralysé. Il avançait inexorablement, les bras en avant, prêts à la saisir. Dans ce corps à la tête coupée, c'étaient les mains qui disaient l'intention de détruire. Ces mains griffues, pareilles à celles du Démon peint sur le mur de l'église, étaient maintenant devant elle, assez près pour la toucher. Il ne restait au monstre qu'un geste à faire et tout serait consommé. Terrifiée, elle le vit lever son bras, approcher sa main. Quand elle sentit le contact des doigts, secs et froids sur son visage, elle réussit enfin à hurler.

— Tais-toi! C'est moi! Habille-toi et descends, le docteur a besoin que tu l'aides.

Madame Rondeau, en chemise, était penchée au-dessus de la paillasse de Mary et la secouait.

Dans le cabinet, quatre ou cinq hommes s'affairaient. En essayant d'éviter les chocs, ils transféraient un blessé de la civière qui avait servi à le porter sur la table d'examen. Sans perdre de temps, elle prépara les instruments du docteur, devinant que l'état du blessé était grave à voir les hommes chuchoter comme en présence d'un mort. La lampe, tenue par Bertille, découpait leurs silhouettes que Mary voyait de dos. Ce ne fut que lorsqu'ils eurent déposé le blessé et qu'ils se retournèrent qu'elle aperçut Hervé Rondeau parmi eux. Monsieur devait être content, de même que madame, Francine et Bertille. Elle espéra qu'Hervé savait où était Jean-Denis. Malgré leur inimitié, elle le lui demanderait tout à l'heure, quand le blessé serait soigné.

Sur un signe du docteur, elle s'approcha de l'homme couché sur la table. C'était Jean-Denis. Le visage exsangue, les yeux clos, une bulle de mousse rosâtre palpitant aux commissures des lèvres, il geignait doucement. L'esprit en déroute, se refusant à croire ce qu'elle voyait, elle entendait vaguement le docteur parler derrière elle. Il était question d'une balle logée dans le poumon gauche, tout près du cœur. Elle s'approcha du blessé, prit sa main avec précaution et y posa ses lèvres. À son contact, Jean-Denis ouvrit les yeux. Dans son regard passa un éclair de sa vivacité d'autrefois. Il eut l'ombre d'un sourire et prononça d'une voix à peine audible :

— ... Mary... l'Irlandaise...

Puis il referma les yeux, à bout de forces.

Le docteur, qui avait surpris la scène, posa sur son épaule une main paternelle.

— Je vais essayer d'extraire la balle, Mary. Je te promets de tout faire pour le sauver. Tu vas m'aider.

Habituée à obéir, Mary acquiesça et fit ce que le docteur lui demandait. Mais elle savait de toutes ses fibres douloureuses, de toute son âme à vif, que Jean-Denis lui avait dit ses derniers mots, qu'il lui avait fait son dernier sourire. L'homme qui gisait sur la table et qui avait cessé de geindre n'était déjà plus celui qu'elle aimait. Son visage trop pâle et trop paisible était étranger à tout ce qu'il avait été : la joie, le mouvement, la vie. Jean-Denis n'était pas ce corps abandonné d'où le sang coulait sans que l'on pût l'arrêter.

Le docteur Rondeau essaya pourtant de l'arracher à la mort. Mary ne fléchit pas. Glacée en dedans parce qu'elle savait leurs efforts inutiles, les dents serrées, les yeux hagards, elle lui passa les instruments, tint la cuvette, lava la plaie avec des linges propres. Mais elle savait depuis le début qu'il allait mourir. Elle l'avait vu dans les yeux du docteur, dans ceux des hommes qui se hâtaient de partir vers la frontière qu'ils devaient franchir avant le jour, dans ceux de Bertille qui s'en allait prévenir la famille. Tout en faisant les gestes qui ne suffiraient pas à le sauver, elle portait déjà au cœur le deuil de ce grand garçon blond fait pour rire et danser, embrasser les filles et descendre les rapides en chantant.

Lorsqu'il fut évident que tout était fini, le docteur Rondeau s'éloigna de la table. Son teint grisâtre disait l'épuisement et la douleur d'avoir échoué. Il tendit la main pour prendre le verre d'eau que sa femme lui avait apporté, quand il perçut la présence de plusieurs personnes dans le fond de la pièce. Il se retourna et ses traits semblèrent s'affaisser à la vue des parents de Jean-Denis Campeau. Ils étaient entrés sans bruit et s'étaient tenus immobiles pour ne pas troubler l'homme qui se battait pour la vie de leur garçon. Depuis qu'il avait choisi ce métier, combien de fois avait-il dû affronter le regard d'une mère dont il n'avait pas pu sauver l'enfant? Encadrée par son mari, qui lui tapotait gauchement le bras, et par sa fille, qui lui serrait la main convulsivement, la mère Campeau semblait hébétée. Au moins, pensa le docteur, ils avaient un autre fils. Justement, il se trouvait chez eux pour quelques jours avant le travail d'hiver au chantier naval. Pendant que Bertille entraînait ses parents et sa sœur à la cuisine pour leur faire boire un cordial, il prenait les choses en main. Mary, occupée à nettoyer les instruments – ce qu'elle faisait sans y penser, par la force de l'habitude –, percevait, comme dans un brouillard, le son lénifiant de la voix de Charles qui arrêtait avec le docteur les décisions à prendre.

Telle une automate, elle se plia à la routine, absente aux autres et à elle-même. Dans la matinée, comme elle ouvrait la porte à Charles, venu avec son beau-frère chercher le corps en carriole, elle entendit le glas qui annonçait à la communauté la mort de Jean-Denis. Un voile rouge passa devant ses yeux, et elle eut une défaillance. Charles la retint au moment où elle s'affaissait et la confia à Bertille qui la força à prendre un bol de bouillon. Elle se remit aussitôt au travail, muette et nouée.

Le soir, elle alla chez les Campeau avec Bertille pour la veillée funèbre. La mère, un chapelet dans les mains, était assise près de l'âtre avec sa fille et les autres femmes de la famille. Les hommes se tenaient autour de la table, dans la fumée de leurs pipes. De temps à autre, un voisin arrivait pour offrir ses condoléances. C'était Charles qui allait ouvrir la porte et le conduisait à la chambre du fond où Jean-Denis gisait, entouré de cierges. Le nouveau venu récitait une prière, puis il venait s'asseoir un moment avec la famille. Il disait à mi-voix : « Quel malheur ! » et ajoutait : « Heureusement que vous avez Charles. » Puis il se taisait en hochant la tête.

Charles s'occupait de tout : il remplaçait les bouteilles vides, faisait circuler le plat de croquignoles que Bertille avait confectionné pour aider à passer la nuit, prenait les manteaux de ceux qui arrivaient. Il s'arrêtait fréquemment près de sa mère et se penchait sur elle avec sollicitude. Elle lui prenait le bras en murmurant : « Mon Charles… » Puis elle essuyait une larme. C'était lui qui avait accompagné Mary dans la chambre mortuaire. Elle avait dû faire appel à toute sa volonté pour arriver à franchir la porte. Lorsqu'elle se trouva face à Jean-Denis, le visage cireux et les yeux irrémédiablement clos, dans tout l'apparat qui entoure la mort, il ne lui resta plus de courage. Sentant ses jambes se dérober, elle avait cherché un appui en aveugle. Charles s'était empressé pour la soutenir. Ils étaient restés là jusqu'à ce qu'elle trouve la force de rejoindre les autres. La nuit durant, du fond de son désespoir, elle avait été vaguement consciente de sa présence vigilante.

On enterra Jean-Denis le lendemain. Le curé, trouvant cette hâte suspecte, soupçonna qu'il était mort des suites de la bataille et prétendit lui refuser la sépulture chrétienne. Mais les visages menaçants des hommes de la famille, ajoutés au certificat de décès du docteur Rondeau, qui le déclarait mort d'une chute, le dissuadèrent de faire un excès de zèle. Dans le grand froid de novembre, accompagnée par les gens du village et des rangs, la famille Campeau se resserra autour de la tombe. Mary était avec eux, la main dans celle de Francine, le cœur aussi transi que son corps fouetté par les rafales. Des lambeaux de prière partaient dans le vent, des larmes gelaient au coin des paupières, des gens piétinaient pour tenter de se réchauffer. Le froid était si vif que tout le monde s'en alla dès que le cercueil fut descendu dans la fosse.

Mary ne parvenait pas à bouger, comme si ses pieds ne voulaient pas se décoller de la terre qui venait de prendre Jean-Denis. Elle resta là, vide de toute pensée, jusqu'à ce qu'une tiédeur sur son épaule la fasse se retourner. C'était Charles. Charles était là. Il était là depuis le début du cauchemar, comme il avait été là à Québec, dans les jours difficiles. Fidèle, attentif et aimant, Charles serait toujours là. Alors, elle appuya son front contre sa poitrine et, pour la première fois, elle pleura.

REMERCIEMENTS

*Je remercie mon amie Claude Rocray
qui m'a proposé d'écrire cette histoire
et sa mère, madame Muriel Rocray,
qui m'a confié le cahier familial.*

COLLECTION FOCUS

ROMANS EN GRANDS CARACTÈRES

Chrystine Brouillet
Marie LaFlamme
Tome 1 : Marie LaFlamme
Tome 2 : Nouvelle-France

Fabienne Cliff
Le Royaume de mon père,
Tome 1 : Mademoiselle Marianne
Tome 2 : Miss Mary Ann Windsor
Tome 3 : Lady Belvédère

Claude Lamarche
Le cœur oublié

Marguerite Lescop
Le tour de ma vie en 80 ans
En effeuillant la Marguerite

Antonine Maillet
Madame Perfecta

Louise Portal
Cap-au-Renard

Maryse Rouy
Mary l'Irlandaise

Christian Tétreault
Je m'appelle Marie

Michel Tremblay
Chroniques du Plateau-Mont-Royal,
Tome 1 : La grosse femme d'à côté est enceinte

Louise Tremblay-D'Essiambre
Entre l'eau douce et la mer
Les années du silence,
Tome 1 : La Tourmente
Tome 2 : La Délivrance
Tome 3 : La Sérénité
Tome 4 : La Destinée
Tome 5 : Les Bourrasques
Tome 6 : L'Oasis